LE BANQUET

PLATON

LE BANQUET

Traduction inédite, introduction et notes
par
Luc BRISSON

GF Flammarion

5e édition, corrigée et mise à jour, 2007.
© Flammarion, Paris, 1998.
ISBN : 978-2-0812-0724-0

REMERCIEMENTS

Cette nouvelle traduction du Banquet *a été réalisée en parallèle avec celle de* l'Alcibiade *par Jean-François Pradeau ; nous avons fait une lecture croisée de nos traductions et nous avons discuté de plusieurs points litigieux.*

Je tiens à remercier Louis-André Dorion et Jean-Marie Flamand qui ont relu tout ce travail en me faisant d'importantes remarques. Alain Ph. Segonds m'a aidé à comprendre certaines obscurités de l'apparat critique attaché au texte traduit. Ma fille, Anne Brisson, a dessiné la figure 3.

Je veux exprimer ma gratitude à Richard Goulet qui a pu grâce au programme Lexis 2, qu'il a lui-même mis au point, me fournir un lexique grec complet du texte du Banquet.

Je remercie très chaleureusement Michel Patillon qui m'a fait l'amitié de relire attentivement la traduction. La responsabilité des ultimes choix m'incombe.

Je remercie Louis-André Dorion et Jean-François Pradeau.

ABRÉVIATIONS

DK : *Die Fragmente der Vorsokratiker,* éd. par H. Diels ; 6ᵉ éd. par W. Kranz, Berlin, Weidmann, 1951-1952 = reprint de la 5ᵉ éd. [1934-1937] avec les *Nachträge.*

DPhA : *Dictionnaire des Philosophes antiques,* publié sous la direction de Richard Goulet, Paris, Éd. du CNRS, I, 1989 ; II, 1994-.

FGrH : *Die Fragmente der Griechischen Historiker,* éd. par F. Jacoby, Berlin, Weidmann, puis Leiden, Brill, 1923-1958.

IG : *Inscriptiones Graecae,* ed. minor, Berlin, De Gruyter, 1913-.

PA : *Prosopographia Attica,* hrsg. J. Kirchner, 2 vol., Berlin, 1901-1903.

N.B. : Les transcriptions sont faites d'après le système Benveniste, à une exception près : « *élegkhos* » ici transcrit par « *élenkhos* ».

INTRODUCTION

Dans l'Athènes archaïque et classique, la sexualité avait, par l'intermédiaire de la *paiderastía*, partie liée avec l'éducation. L'idée est exprimée, dès le début du *Banquet*, qui porte sur Éros et donc sur l'amour et sur son objet, le beau. Socrate répond à Agathon qui, un soir du début du mois de février 416 av. J.-C. probablement, l'invite à s'étendre près de lui au cours du banquet qu'il donne pour fêter sa victoire au concours de tragédies : « Ce serait une aubaine, Agathon, si le savoir était de nature à couler du plus plein vers le plus vide pour peu que nous nous touchions les uns les autres, comme c'est le cas de l'eau qui, par l'intermédiaire d'un brin de laine, coule de la coupe la plus pleine vers la plus vide » (*Banquet* 175d). Agathon, assez représentatif des convictions de son époque, considère l'éducation comme la transmission du savoir ou de la vertu qui passe d'un récipient plein, le maître, vers un récipient vide ou moins rempli, le disciple, par l'intermédiaire d'un contact physique, simple toucher ou pénétration phallique et éjaculation dans l'union sexuelle. À cette représentation masculine de l'éducation associée à l'éjaculation, Diotime, une étrangère dont Socrate prétend rapporter les paroles, oppose, vers la fin du dialogue, une autre représentation, féminine celle-là, qui fait intervenir la procréation. Dans ce contexte, l'éducation n'est plus considérée comme l'acquisition d'une compétence relative aux choses

sensibles, mais comme une conversion, que le maître
met en œuvre en entraînant le disciple à détourner les
yeux de l'âme de la vision des choses sensibles pour
parvenir à la contemplation des formes intelligibles,
qui constituent la réalité véritable en tant que modèles
dont les choses sensibles ne sont que les images. Cette
contemplation de l'intelligible en général et de la
Beauté en particulier, assimilée aux divinités qui président à l'accouchement, conduit l'âme du disciple à
enfanter de beaux discours sur le savoir et sur la vertu,
à l'instar des poètes qui composent de beaux vers, et
des législateurs qui promulguent de belles lois, cet
enfantement spirituel transposant au niveau de l'âme
une activité que l'ensemble des êtres humains, les
femmes en particulier, mettent en œuvre au niveau des
corps.

I. Le dialogue

1. Les dates et les lieux

Le *Banquet* de Platon [1] décrit un événement bien
précis qu'il convient de situer dans le temps et dans
l'espace.

a) La date dramatique

Le *Banquet* évoque celui donné par Agathon pour
fêter sa première victoire comme poète tragique

---

1. Xénophon écrivit un *Banquet* vers 380 av. J.-C., alors qu'il se
trouvait dans l'ouest du Péloponnèse. Ce banquet, dont il prétend
avoir été l'un des convives – ce qui rapidement apparaît totalement
invraisemblable –, est donné par Callias (l'homme le plus riche
d'Athènes, cf. la notice de Luc Brisson dans *DPhA* II, 1994, p. 163-
167) à l'occasion d'une victoire à une course de chevaux lors des
grandes Panathénées en 421 av. J.-C. Socrate est la figure centrale
de ce dialogue, dont les autres personnages sont Platon, Autolycos,
Antisthène, Nicératos, Critobule, Hermogène, Charmide et deux
inconnus, Philippe le bouffon et un Syracusain.

(173a). Agathon gagna le concours de tragédies aux Lénéennes [1] en 416. Cette date nous est transmise par Athénée, et elle doit provenir des listes officielles conservées à Athènes [2]. Socrate était alors âgé de cinquante-deux ou de cinquante-trois ans [3]. Aristophane qui avait déjà publié les *Nuées* pour les grandes Dionysies en 423 avait une trentaine d'années ; sa première pièce date de 427. Alcibiade avait lui aussi la trentaine ; ce n'est que l'année suivante qu'il allait être élu stratège, l'un de ceux qui devaient diriger l'expédition de Sicile, et qu'il allait être impliqué dans l'affaire de la « mutilation des Hermès [4] ».

b) *La date de composition*

La date de l'événement évoqué dans le *Banquet* ne correspond pas à celle de la composition du dialogue. Trois passages (178e-179a, 182b et 193a) constituent des allusions à des faits historiques qui correspondent non pas à l'époque où Agathon offrait la fête en

---

1. Les Lénéennes, fêtes du Pressoir en l'honneur de Dionysos, étaient célébrées au cours du mois de Gamélion, le septième mois attique qui allait de la fin janvier au début de février ; elles comportaient un concours dramatique.

2. Athénée de Naucratis (né en Égypte, vers 200 ap. J.-C.) nous apprend dans son *Banquet des « sophistes »* (V, 217a-b) qu'Agathon remporta la victoire comme poète tragique sous l'archontat d'Euphème (417/416 av. J.-C.), lors du concours des Lénéennes (cf. la note précédente). Certains érudits ont estimé que la remarque faite en 175e : « en présence de plus de trente mille Grecs » correspondait mieux au concours tenu lors des Dionysies qui se tenaient durant le mois de Poséidon (décembre) ; mais nous n'avons aucun argument valable pour remettre en cause le témoignage d'Athénée. De plus, on peut penser, à partir des découvertes archéologiques, que ce nombre est, dans tous les cas de figures, largement surévalué (cf. la note à 175e)

3. Un problème textuel explique que toute estimation précise de la date de naissance de Socrate soit controversée. Sur le sujet, cf. *DPhA* II, 1994, éd. R. Goulet, s.v. Démocrite d'Abdère, p. 664 et p. 672 [Denis O'Brien].

4. Sur cette affaire, cf. *infra*, p. 32-33.

l'honneur de sa victoire, mais à celle de la composition du *Banquet*. À la suite des guerres médiques, les cités d'Ionie furent toutes intégrées dans l'empire athénien. Mais, après le traité de paix de 387/386, la « Paix du Roi » – qui, en Grèce, favorisait Sparte –, ces mêmes cités retournèrent sous la domination perse ; et elles s'y trouvaient encore à l'époque où le *Banquet* fut composé, comme le laisse clairement entendre leur mention en 182b. Par ailleurs, en 385, suivant Xénophon (*Helléniques*, V, 2, 5-7), les Spartiates, qui se méfiaient de l'orientation proathénienne de Mantinée, en Arcadie, détruisirent les murs de cette cité dont la population fut par ailleurs dispersée (*diōikísthē*), à l'instigation de Sparte, en quatre endroits différents. Mantinée n'était pas la seule cité arcadienne, mais son orientation proathénienne au cours des guerres du Péloponnèse et l'intégration de mercenaires mantinéens dans les forces athéniennes (cf. Thucydide, VI, 29, 3) avaient suscité à Athènes l'habitude de considérer les Mantinéens comme les Arcadiens par excellence. Enfin, en 178e-179b, Phèdre parle d'une armée exclusivement composée d'*erastaí* et de leur *paidiká* ; or il semble que c'est sur ce modèle que fut constitué le « bataillon sacré » de Thèbes peu après 378. Pour toutes ces raisons, on peut supposer que le *Banquet* fut composé un peu avant 375.

c) *Les rapports du* Banquet *avec le* Phèdre

Du point de vue de la date dramatique, le *Phèdre* semble bien être postérieur au *Banquet*. La date dramatique la plus vraisemblable pour le *Phèdre* se situe quelque part entre 418 et 415 av. J.-C., c'est-à-dire avant que Phèdre ne soit impliqué dans l'affaire de la parodie des mystères d'Éleusis et après la victoire d'Agathon au concours de tragédies en 416 av. J.-C., compte tenu du fait que Platon semble vouloir que la scène décrite dans le *Banquet* précède celle évoquée dans le *Phèdre*. Par ailleurs, il est difficile de remonter plus haut que 418 av. J.-C. En effet, Lysias doit être revenu de Thourioi [1], puisqu'il est en pleine activité à Athènes, rédigeant des plaidoiries et assurant même, semble-t-il, un enseignement rhétorique.

Plusieurs indices portent à croire que le *Phèdre* a été composé après le *Banquet*. Si le *Banquet* n'était pas antérieur au *Phèdre*, on comprendrait mal que Phèdre s'y plaigne de ce que les meilleurs auteurs n'ont pas pris Éros pour thème de leur œuvre (*Banquet* 177a-e). Dans le *Banquet* (177d), Phèdre est présenté comme le « père du sujet », alors que, dans le *Phèdre* (261a), il est qualifié de « père de ces beaux enfants » que sont les discours rapportés dans le dialogue. Par ailleurs, l'embarras que manifeste Phèdre dans la réponse qu'il fait à la question que lui pose Socrate sur l'origine d'Éros (*Phèdre* 242d) pourrait bien s'expliquer par ce que dit Phèdre d'Éros au début de son éloge dans le *Banquet*. En outre, un certain nombre de passages du *Phèdre* ne prennent tout leur sens que lorsqu'ils sont confrontés à certains passages du *Banquet* [2]. Enfin, sur le plan philosophique, les deux dialogues développent des thèmes similaires.

d) Les lieux

Nous nous trouvons à Athènes dans l'une des pièces de la maison d'Agathon (174d). Cette demeure en

1. On a situé ce retour en 420 av. J.-C. Sur tout cela, voir mon Introduction au *Phèdre* [1989], Paris, GF-Flammarion, éd. corrigée et mise à jour, 1995.
2. Voici une liste de ces passages constituée à partir de la note 2 de la page X de la Notice au *Phèdre* donnée par Léon Robin [1933] et reprise dans l'édition de Paul Vicaire en 1985. *Phèdre* 237c, cf. *Banquet* 194e, 199b-c, 201d-e, 204e ; *Phèdre* 237d, cf. *Banquet* 199d-e, 200a, e, 201a, 205a-d, 206b-209e ; *Phèdre* 239b, cf. *Banquet* 183a ; *Phèdre* 240a, cf. *Banquet* 192b ; *Phèdre* 240e, cf. *Banquet* 183b-c ; *Phèdre* 242d, cf. *Banquet* 202d ; *Phèdre* 251e, cf. *Banquet* 183a, 203d, 206d ; *Phèdre* 252b, cf. *Banquet* 189d, 193a ; *Phèdre* 255b, cf. *Banquet* 184b-c ; *Phèdre* 255b, cf. *Banquet* 217c ; *Phèdre* 255e, cf. *Banquet* 192b-e ; *Phèdre* 256a, cf. *Banquet* 219 b-d ; *Phèdre* 263c, cf. *Banquet* 198a-199e ; *Phèdre* 279c, cf. *Banquet* 220d.

jouxte une autre (175a), où Socrate va se retirer pour
méditer. Par ailleurs, cette maison, qui possédait une
cour (212c), s'ouvre par des portes qui donnent directement sur la rue (174e, 223b). Plusieurs serviteurs
sont au service d'Agathon.

La pièce dans laquelle se déroule le banquet est gar-
nie de lits qui présentent une disposition tout à fait
particulière que l'on peut reconstituer (cf. figure 2).

II. LES PERSONNAGES

Parmi les personnages nommés dans le *Banquet*, il
faut distinguer entre ceux qui sont des agents de transmission du récit et ceux qui prennent la parole durant
le *sumpósion* lui-même.

1. *Agents de transmission*

Le point de départ de la chaîne de transmission est
Aristodème qui, invité par Socrate, l'avait accompagné
au banquet offert par Agathon (173b-175d). Il fit le
récit de l'événement à Phénix, le fils de Philippe, qui
le refit à un inconnu qui, à son tour, le transmit à
Glaucon, lequel au début du *Banquet* demande à
Apollodore qu'il lui refasse ce récit qui avait été mal
transmis par Phénix. Apollodore, qui s'adresse à un
groupe d'anonymes, devient ainsi l'ultime agent de
transmission du récit ; il tient lui aussi ses informations
d'Aristodème. Aristodème est donc, en tant que
témoin direct, la source commune et ultime de toutes
les informations concernant l'événement décrit.

Aristodème

Dans le premier livre de ses *Mémorables* (I, 4, 2-
18), Xénophon rapporte une conversation qu'aurait
eue Socrate avec cet Aristodème qualifié de « petit »,
du dème de Kydathénéon et de la tribu des Pandio-
nides. Dans ce passage (I, 4, 2), Xénophon met en

scène Socrate essayant de ramener à de meilleurs sentiments cet interlocuteur qui méprisait sacrifices, prières et divination, un comportement qu'on peut considérer comme la conséquence extrême des critiques que Platon met dans la bouche de Socrate aux livres II et III de la *République* contre la représentation traditionnelle des dieux. Si les dieux sont bons et ne sont pas sujets au changement, à quoi bon leur offrir des sacrifices, leur adresser des prières et s'inquiéter de leurs intentions par l'intermédiaire de la divination ? Platon, dans le *Banquet*, nous décrit un Aristodème qui va toujours pieds nus, imitant en cela Socrate très probablement. Il est attaché aux pas de Socrate : il le rencontre alors qu'il se rend au repas donné par Agathon et il l'accompagne lorsqu'il quitte les lieux à l'aube [1]. Il sait prévoir les comportements de son idole (*Banquet* 174a-175c). Une remarque d'Apollodore au début du *Banquet* : « [...] il était présent à la réunion, car, parmi ceux d'alors, c'était l'amant (*erastḗs*) le plus fervent de Socrate, me semble-t-il » (173b), laisse entendre qu'il était plus âgé que Socrate [2].

Phénix, le fils de Philippe

On ne sait rien ni de ce Phénix ni de ce Philippe (172b, 173b). Phénix parle du banquet d'Agathon à Glaucon, disant tenir ses informations d'un autre agent de transmission, qui s'avérera être Aristodème.

Glaucon

Il semble difficile d'identifier ce Glaucon (172c) – qu'accompagnent plusieurs autres personnes qui sont

---

1. Il quitte la maison d'Agathon en même temps que Socrate : « Alors Socrate, après les avoir de la sorte endormis, se leva et partit. Aristodème le suivit comme à son habitude (*hṓsper eiṓthei*) » (223d).
2. Dans un couple, l'*erastḗs* est le plus âgé ; l'usage de ce terme pour désigner la relation qu'entretient Aristodème avec Socrate semble ne pas devoir être interprété en un sens réaliste, s'il est vrai que Socrate a plus de cinquante ans.

dans les affaires (173c) – au père de Charmide (*Charmide* 154a), c'est-à-dire au grand-père maternel de Platon ou au frère de ce dernier (qui intervient dans la *République*). Si l'on situe la conversation entre Apollodore et Glaucon entre 407 (car Glaucon et Apollodore étaient des enfants lorsque Agathon donna son banquet en 416, cf. 173a) et 399 (car Socrate est encore vivant), cela signifie que Glaucon et Apollodore sont nés entre 423 et 430 av. J.-C. Ils ont donc entre vingt et trente ans lorsqu'ils se rencontrent.

Apollodore

Apollodore, du dème de Phalère (cf. carte 2) (*Banquet* 172a), est le narrateur du *Banquet* ; lorsqu'il fait ce récit, il a entre vingt et trente ans, comme on vient de le voir. Apollodore s'attache à imiter Socrate sur le plan du discours et du comportement, n'hésitant pas à tomber dans la surenchère (172e-173b). Le jugement que Platon porte sur lui n'est pas très élogieux (173d). Cette description correspond cependant à ce que dit de lui Xénophon dans son *Apologie de Socrate* (§ 28). Apollodore assiste au procès de Socrate avec son frère Aïantodore (cf. *Apologie* 34a), et il se déclare prêt, avec Criton et son fils Critobule, à se porter garant pour la somme de 30 mines qui aurait pu constituer l'amende que ses amis conseillaient à Socrate de s'infliger comme peine de substitution (*Ibid.*, 38b). Il fait aussi partie du groupe de ceux qui sont présents lorsque Socrate boit la ciguë (*Phédon* 59b). Son comportement manque alors de retenue : « Mais Apollodore qui, pendant tout le temps qui précédait, n'avait cessé de pleurer, se mit, à ce moment-là, à rugir de douleur, à hurler son indignation, si bien qu'il n'y avait personne, de tous ceux qui étaient présents, dont il ne brisât le courage » (*Ibid.*, 117d, trad. M. Dixsaut). Voilà pourquoi, semble-t-il, il est qualifié de *manikós*, « fou furieux [1] ».

---

1. Sur le problème textuel que pose cet adjectif, cf. la note *ad locum*.

2. *Ceux qui prononcent un discours*

Dans le *Banquet*, on trouve six éloges d'Éros faits respectivement par les personnages suivants : Phèdre, Agathon, Pausanias, Éryximaque, Aristophane et Socrate, lequel parle au nom de Diotime ; enfin, Alcibiade, qui arrive après que Socrate a prononcé son éloge d'Éros, fait lui-même l'éloge de Socrate.

Phèdre

Phèdre [1] de Myrrhinonte (cf. carte 1) est mentionné dans trois dialogues de Platon : le *Protagoras*, le *Banquet* et le *Phèdre*.

Dans le *Protagoras* (315b-c), dont on date généralement l'action en 433/432 av. J.-C., Phèdre compte parmi les auditeurs d'Hippias d'Élis (cf. *Phèdre* 267b), qui est déjà, il faut le noter, en compagnie d'Éryximaque, le fils d'Acoumène (cf. *ibid.*, 268a) et d'Agathon qu'accompagne Pausanias (*Protagoras* 315d-e). Si l'on se représente les auditeurs des sophistes comme des adolescents (âgés de quatorze à vingt et un ans), on est amené à penser que Phèdre est alors âgé de dix-huit ans environ, tout comme Éryximaque et comme Agathon qui devait être un peu plus jeune, comme on le verra.

L'entretien rapporté dans le *Banquet* est censé avoir eu lieu le lendemain du jour où Agathon sacrifia aux dieux en reconnaissance du prix que lui avait valu sa première tragédie, fin janvier-début février 416. C'est un Phèdre alors âgé de trente-quatre ans environ, qui, par la bouche d'Érixymaque, propose de prendre Éros pour thème de la discussion (*Banquet* 177a-e). L'image que le *Banquet* donne de Phèdre correspond tout à fait à celle qu'en donne le dialogue qui porte son nom. Phèdre se préoccupe de mythologie, et il

---

1. Sur Phèdre considéré dans ses rapports avec Lysias, cf. K.J. Dover, *Lysias and the Corpus Lysiacum*, Sather Classical Lectures 39, Berkeley and Los Angeles, UCLA Press, 1968.

s'attache en priorité à Éros. Dès lors, on comprend que, dans le *Phèdre* (229c), il montre de l'intérêt pour l'interprétation allégorique des mythes, qui était alors en vogue.

Son éloge d'Éros (178a-180b) témoigne d'une excellente connaissance de l'art oratoire et d'une remarquable maîtrise de ses règles. Les références à divers auteurs attestent une bonne érudition littéraire. La chose n'a rien de surprenant, car les premières lignes du *Phèdre* décrivent un Phèdre qui suit l'enseignement de Lysias [1]. Dans le dialogue qui porte son nom, Phèdre apparaît comme un disciple peu enclin à penser la rhétorique en des termes différents de ceux enseignés par Lysias ou par d'autres spécialistes en la matière (*Phèdre* 259e-260a, 273a).

Par ailleurs, Phèdre semble très préoccupé par sa santé (176d, 223b). Il est l'ami d'un médecin, Éryximaque (177a-e ; *Phèdre* 268a), dont le père, Acoumène, est également médecin ; aussi est-il naturel qu'il connaisse la doctrine d'Hippocrate (*Phèdre* 270c). Si, au début du *Phèdre*, il rencontre Socrate, c'est que, sur les conseils d'Acoumène, il se promène, pour des raisons médicales, par les grands chemins (227a) ; le fait qu'il soit pieds nus (229 a) s'explique peut-être aussi par une prescription médicale. Il craint la chaleur excessive. Il connaît les coins où il y a de l'ombre (229a-b) et il ne veut pas se remettre en route avant

---

1. La scène a pour cadre la maison d'un particulier (*Phèdre* 227b), mais il semble bien qu'il s'agisse là d'une véritable leçon d'école consistant en une lecture et en un commentaire d'un discours composé par un maître pour un auditoire d'élèves. Phèdre se plaint d'avoir « passé plusieurs heures d'affilée, assis depuis le petit jour » (*Ibid.*, 227a). Or, on sait que les cours à Athènes commençaient avec le jour. Et c'est bien la description d'un cours que suggère Socrate, quand il imagine l'attitude de Phèdre face à Lysias (*Ibid.*, 228a-b). De plus, si Phèdre se prétend capable d'exposer « de façon sommaire point par point à peu près tout ce qu'a dit Lysias » (*Ibid.*, 228d), c'est sûrement parce qu'il s'est efforcé de retenir le discours de Lysias, mais c'est probablement aussi le fruit du commentaire fait par Lysias en personne du discours qu'il a composé et dont il vient de faire la lecture.

que la chaleur ne se soit apaisée (242a, 279b). C'est pourquoi Phèdre appuie la proposition d'Éryximaque concernant la modération dont il faudra faire preuve dans la consommation de vin (*Banquet* 176b) ; d'ailleurs Phèdre et Éryximaque font partie du groupe des convives qui, les premiers, quittent la pièce, après l'irruption d'un nouveau groupe de fêtards (223b).

Enfin, on sait maintenant avec certitude que Phèdre fut du nombre de ceux qu'on accusa d'avoir parodié les mystères d'Éleusis [1]. En 415 av. J.-C., un métèque du nom de Teucros, après s'être assuré l'impunité, vint dénoncer, devant le Conseil, un certain nombre de gens dans le cadre de deux affaires : l'une était relative à une parodie des mystères d'Éleusis à laquelle il avait lui-même pris part, et l'autre à la mutilation des Hermès la veille du départ de l'expédition athénienne contre la Sicile. Mis en cause, Phèdre put s'enfuir avec ses complices. Mais ses biens furent confisqués et le loyer d'une maison et d'un terrain qu'il possédait dans son dème natal fut perçu par la cité.

La chose, qui pourrait expliquer l'importance des allusions aux mystères dans le *Banquet* et dans le *Phèdre,* nous permet en outre de comprendre des allusions de Lysias à Phèdre. Dans son plaidoyer *Sur les biens d'Aristophane* [XIX] 15, Lysias nous apprend que, lorsqu'il épousa sa cousine, Phèdre « était un homme pauvre, mais qui ne l'était pas devenu par sa faute ». Ce mariage dut avoir été célébré après le retour de l'exilé à Athènes, à la suite de la grande amnistie qui suivit le retour des démocrates conduits par Thrasybule en 403 av. J.-C. Par ailleurs, à une date indéter-

---

1. Le 16 décembre 1936, des archéologues américains qui avaient entrepris des fouilles sur l'agora trouvèrent dans les murs d'une maison moderne un nouveau fragment d'une inscription déjà connue (IG I^2 325) qui permettait d'avoir la certitude que c'était Phèdre, le fils de Pythoclès du dème de Myrrhinonte, qui, au cours de l'été 415, avait été dénoncé pour avoir parodié les mystères d'Éleusis. Sur le sujet, Jean Hatzfeld, « Du nouveau sur Phèdre », *Revue des études anciennes* 41, 1939, p. 213-218 ; W. Kendrick Pritchett, « The attic stelai », *Hesperia* 22, 1953, p. 235-311 + planches.

minée qu'il faut situer entre 409 et 401, un certain Diogiton (*Contre Diogiton* [XXXII] 14) déménagea pour aller s'installer dans la maison de Phèdre.

On ne sait pas quand mourut Phèdre. Mais le fait qu'il ne se trouve pas parmi ceux qui assistent aux derniers moments de Socrate ne prouve nullement qu'il soit mort avant 399.

Pausanias

On ne sait pratiquement rien sur ce personnage en dehors du *Corpus platonicum*. Xénophon, dans le *Banquet* (VIII, 32), nous le décrit comme un ardent défenseur de la *paiderastía*. L'amour de Pausanias pour Agathon avait peut-être servi de cible aux auteurs comiques (cf. *Banquet* 193b). En tout cas, dans le *Protagoras* (315d-e), c'est-à-dire seize ans avant le moment où est censé se dérouler l'événement raconté dans le *Banquet*, nous les voyons côte à côte près du lit du sophiste Prodicos de Céos [1]. Pausanias doit être plus âgé qu'Agathon, qui est son aimé (*erốmenos*) ; si l'on pense à une différence d'âge de quinze ou vingt ans, on peut estimer que, à l'époque de la victoire d'Agathon, il a une cinquantaine d'années, tout comme Socrate et Acoumène.

Éryximaque, fils d'Acoumène

Éryximaque est un médecin (176d). C'est probablement ce qui explique qu'Éryximaque se fait le champion de la modération dans la consommation de vin (176b, 214b). Et, lorsque la dernière bande de fêtards fait irruption dans la pièce, il est, avec Phèdre, l'un des premiers à quitter les lieux (223b). En 433/432, Éryximaque se trouve en compagnie de Phèdre, qui n'est alors qu'un adolescent, dans la maison de Callias, pour prêter l'oreille aux sophistes les plus

---

1. Mentionné dans le *Banquet* en 177b.

célèbres (*Protagoras* 315c). Pour des raisons purement chronologiques, il semble difficile de confondre cet Éryximaque avec celui qui vers 370 épouse la fille de Polyaratos [1].

Éryximaque est le fils d'Acoumène (*Protagoras* 315c, *Banquet* 176b, 198a), un ami de Socrate (*Phèdre* 227a), lui aussi médecin (*Phèdre* 268a, 269a ; Xénophon, *Mémorables*, III, 13, 2). Sur les rapports entre Socrate et Acoumène, qui pourrait bien s'être trouvé dans la même classe d'âge que Socrate, on ne sait rien de plus que ce qu'en dit Phèdre au début du dialogue qui porte son nom : « Acoumène, ton ami (*hetaîros*) ». Il semble que ce fut le même Acoumène qui fit en 415 l'objet d'une dénonciation pour avoir parodié les mystères (Andocide, I, 18).

Aristophane

Le plus grand poète comique de l'ancienne comédie, Aristophane [2], est le fils de Philippe et le père d'Araros. Il semble être né un peu avant 457 et mort un peu après 385. En 423, soit sept ans avant la date dramatique du *Banquet*, il fait jouer les *Nuées*, où il se moque de Socrate [3]. Aristophane s'en prendra à Agathon dans les *Thesmophories* en 411, soit cinq ans à peine après l'événement. Il renouvellera ses attaques dans les *Grenouilles*, comédie jouée en 405, alors qu'Agathon était déjà parti en Macédoine.

---

1. Pour une discussion, cf. J.K. Davies, *Athenian Propertied Families, 600-300 B.C.*, Oxford, Clarendon Press, 1971, p. 462-463.

2. K.J. Dover, *Aristophanic Comedy*, London, Batsford, 1972 ; V. Ehrenberg, *The People of Aristophanes* [1943], Oxford, Blackwell, 1951.

3. Dans l'*Apologie de Socrate* (19a-24b), les accusations anciennes sont rapportées à l'époque où furent représentées les *Nuées*.

Agathon

Athénien [1], fils de Tisamène d'Athènes [2], Agathon [3] a moins de trente ans lorsqu'il gagne le concours de tragédies en 416 av. J.-C., comme on l'apprend dans le *Banquet* de Platon, car il est qualifié de *neanískos* en 198a. Par ailleurs, dans le *Protagoras* (315d), on peut lire : « Assis à ses côtés [= de Prodicos], sur des lits voisins, il y avait Pausanias, celui qui est des Céramées, et, avec Pausanias, un garçon tout jeune, encore adolescent (*néon ti éti meirákion*), d'un naturel accompli (*kalón te kagathón*), si je m'en crois, et, en tout cas, pour l'aspect extérieur (*idéan*), parfaitement beau (*kalós*) ; je crois avoir entendu qu'il se nomme Agathon, et qu'il fût précisément bien-aimé (*paidiká*) de Pausanias, je n'en serais pas étonné ; il y avait donc cet adolescent (*meirákion*) [...]. » Si l'on estime que le terme *meirákion* désigne une classe d'âge qui va de quatorze à vingt et un ans et donc qu'Agathon peut avoir alors aux alentours de seize ans, et si l'on situe la date dramatique du *Protagoras* vers 432-430, on peut placer sa date de naissance vers 448-446. En 411, il aurait, suivant Aristote (*Éthique à Eudème*, III, 5, 1232b8-9), félicité Antiphon de sa défense (Thucydide, VIII, 62, 2), ce qui semble indiquer que ses préférences n'allaient pas du côté de la démocratie [4]. La même année, Aristophane le raille dans ses *Thesmophories* en le présentant comme un homosexuel passif, un homme efféminé [5]. Vers 407, Agathon part pour

1. Scholie au *Banquet* 172.
2. Scholie à Lucien, *Rhet. praec.*, II, dans Cramer, *Anecdota graecae codd. manuscriptis bibliothecarum Oxoniensium*, IV, p. 269.
3. Sur Agathon, on peut lire, Pierre Lévêque, *Agathon*, Paris, Les Belles Lettres, 1955.
4. Orateur attique, Antiphon fit partie du groupe qui, en 411, participa à la conspiration des « Quatre Cents ». Il fut arrêté, jugé, condamné et exécuté. Lors de son procès, il prononça un discours d'une exceptionnelle qualité qui lui aurait valu les félicitations d'Agathon.
5. Voici quelle est l'intrigue de cette pièce. Comme tous les ans au mois de Pyanepsion (octobre), les femmes sont en train de célé-

la cour d'Archélaos, le roi de Macédoine (Aristophane, *Grenouilles*, v. 83-85, Platon, *Banquet* 172c). Il semble qu'Agathon demeura jusqu'à sa mort auprès du roi Archélaos en Macédoine. Cette mort survint selon toute vraisemblance à la fin du Vᵉ siècle, alors qu'Agathon n'était pas encore âgé de cinquante ans. Sur le plan du style, Agathon fut influencé par Gorgias et par Prodicos (*Protagoras* 315d). D'ailleurs, son discours trahit l'influence de Gorgias, comme le lui fera remarquer Socrate avant de prendre lui-même la parole.

Comme auteur tragique, l'originalité d'Agathon réside dans la tentative pour introduire l'épopée dans la tragédie [1] et surtout dans le fait qu'il fut le premier à écrire une tragédie dont les personnages et l'intrigue n'étaient pas empruntés à la mythologie traditionnelle [2]. Dans les *Thesmophories* (v. 130-208), Aristophane se moque de son style.

Socrate

Si l'on situe en 416 l'événement qu'est censé rapporter le *Banquet*, Socrate, qui serait né en 469, serait alors âgé de cinquante-trois ans. Pour une description générale du personnage, on se reportera à l'éloge

---

brer au Thesmophorion les Thesmophories, en l'honneur de Déméter et de sa fille Perséphone, mystères interdits aux hommes. Elles doivent profiter du fait qu'elles sont entre elles pour décider du sort d'Euripide dont elles veulent se venger parce que, dans ses tragédies, il a dit du mal d'elles. Euripide le sait et estime qu'il est perdu, si, dans l'assemblée des femmes, personne ne prend sa défense. Il songe au poète tragique Agathon, qui s'habille comme une femme et à qui ses allures et ses mœurs efféminées permettent de passer pour une femme. Euripide vient donc chez Agathon, mais Agathon refuse de l'aider. Voilà en quoi consiste la première partie des *Thesmophories*.

1. Suivant une certaine interprétation d'un passage de la *Poétique* (1456a15-20) d'Aristote. Cf. la discussion par Pierre Lévêque, *Agathon, op. cit.*, p. 101-105.

2. Suivant Aristote, *Poétique*, 1451b18-25.

qu'en fait Alcibiade dans la dernière partie du dialogue.

Mais, dans le cours du dialogue, certains traits de comportement sont mis en valeur. Habituellement, Socrate se promène pieds nus et il évite les bains publics, il craint la foule, même s'il aime fréquenter les lieux publics, préférant les rencontres individuelles ou en cercle restreint. Il respecte peu les conventions sociales, puisqu'il invite Aristodème qui n'y était pas convié à l'accompagner au banquet d'Agathon. Plongé dans ses méditations, il n'arrive qu'au milieu du souper. Il ne peut s'empêcher d'entamer la discussion de façon intempestive ; et, au cours de l'entretien, il ne résiste pas au plaisir de jouer sur les mots (199c-e). Il a recours à l'*élenkhos* (c'est-à-dire à une réfutation qui force l'interlocuteur à admettre une proposition qui contredit une proposition initiale et qui, de ce fait, engendre la honte chez lui) même aux dépens de celui qui l'a invité, Agathon, qui doit piteusement avouer : « Je risque fort, Socrate, d'avoir parlé sans savoir ce que je disais » (201b). En dépit de cet aveu, Socrate poursuit et met Agathon une fois de plus en contradiction avec lui-même, ce qui amène ce dernier à faire en hôte courtois cette réponse où perce cependant l'agacement : « En ce qui me concerne, Socrate, je ne suis pas de taille à engager avec toi la controverse ; qu'il en soit comme tu le dis » (201c). Peu après, il range l'opinion d'Agathon parmi celles de la masse des gens (parmi celles des *hoì polloí*, 203c), ce qui est loin d'être élogieux. Dans son discours, il ne se prive pas de critiquer Aristophane (205d-e). Par ailleurs, devant les autres convives, il se moque d'Alcibiade qui insiste sur l'« ironie » propre à Socrate (216e, 218d). Enfin, alors qu'il est dans la cinquantaine, Socrate semble rester insensible à l'ivresse provoquée par le vin et invulnérable à la fatigue, puisque, après avoir bu et discuté toute la nuit, il quitte la maison d'Agathon pour reprendre ses activités habituelles, comme si de rien n'était.

Les propos tenus sur son compte par Apollodore au début du *Banquet* et l'éloge qu'en fait Alcibiade [1] à la fin du dialogue donnent une idée du choc émotionnel que devait produire Socrate sur ceux qui se trouvaient en contact avec lui, et qu'il amenait à envisager un changement de vie radical (*Banquet* 172e-173a). Le comportement d'Aristodème montre bien par ailleurs quelle pouvait être l'ampleur de l'attachement au personnage de Socrate ; Euthydème, dans les *Mémorables* (IV, 2, 39-40), porte aussi témoignage en ce sens.

Diotime

Voici en quels termes Socrate présente le discours de Diotime dans le *Banquet*. « Écoutez plutôt le discours sur Éros que j'ai entendu un jour de la bouche d'une femme de Mantinée, Diotime, qui était experte en ce domaine comme en beaucoup d'autres, et qui, à un moment donné, dix ans avant la peste, avait amené les Athéniens à offrir des sacrifices qui ont permis de reculer de dix ans la date du fléau. Oui, c'est elle qui m'a instruit des choses concernant l'amour » (*Banquet* 201d). Si la peste qu'évoque Socrate est bien celle de 430, qui éclata au début de la guerre du Péloponnèse et dont Périclès fut l'une des victimes, cela implique que Socrate a entendu Diotime vers 440.

Dans le *Banquet*, Socrate prétend rapporter des paroles prononcées vingt-quatre ans plus tôt ; il n'avait alors qu'une trentaine d'années. À cette époque déjà, il a entendu décrire la remontée systématique qui mène du beau incarné dans des corps ou de celui qui se manifeste dans des âmes, vers la contemplation et l'appréhension de la Beauté universelle (210a-212a). Or le vocabulaire utilisé et la doctrine développée ne se retrouvent nulle part dans les premiers dialogues écrits par Platon à partir de 399, dans lesquels ne pointe aucune allusion à la doctrine des Formes.

---

1. On a l'impression que, par la bouche d'Alcibiade, c'est Platon qui exprime ses propres sentiments à l'égard de Socrate.

L'anachronisme de cette description, qui ne trouve d'équivalent que dans le *Parménide* où un Socrate d'une vingtaine d'années propose la doctrine des Formes comme solution aux problèmes mis en avant par Parménide et par Zénon, amène à douter de la réalité historique de Diotime, ce personnage énigmatique, sur lequel on ne sait d'autre part rien de précis.

Le nom masculin Diotimos [1] était commun à Athènes, mais on connaît moins d'exemples du féminin Diotima, qui cependant est attesté en Béotie au début de l'époque classique. En fait, le nom Diotima semble devoir être entendu comme signifiant « honorée par Zeus » par analogie avec *theótimos* (chez Bacchylide et chez Pindare), ou comme « honorant Zeus » par analogie avec *xenótimos* (comme chez Eschyle). Socrate présente Diotime comme une femme de Mantinée. S'il s'agit d'un personnage historique, on comprend mieux la référence faite au « diœcisme » évoqué par Aristophane en 193a, et qui avait frappé Mantinée en 385. En revanche, si ce n'est pas le cas, Platon aurait voulu faire de Diotime une femme de Mantinée en vertu de la proximité linguistique de Mantinée avec *mántis* le « devin ».

Dans les cultes à mystères, les femmes, comme on peut le constater dans le *Ménon* (*Ménon* 81a) et chez Démosthène (*Sur la couronne* [XVIII], 259-260), jouaient un rôle important, plus important en tout cas que dans la religion officielle. Dans la *République*, on trouve un exemple de cultes à mystères qui concerne les cérémonies destinées à prémunir contre les fléaux : « Ils produisent d'autre part une foule de livres de Musée et d'Orphée, fils de la Lune et des Muses, dit-on. Ils règlent leurs sacrifices sur l'autorité de ces livres et font accroire non seulement aux particuliers, mais encore aux États qu'on peut, par des sacrifices et par des jeux divertissants, être absous et purifié de son crime, soit de son vivant, soit même après sa mort. Ils appellent "initiations" ces cérémonies qui nous déli-

---

1. *PA* I, p. 4364-4396 [Kirchner].

vrent des maux de l'autre monde et qu'on ne peut négliger sans s'attendre à de terribles supplices » (*République* II 364e-365a).

Platon met dans la bouche de Diotime la doctrine du Beau et celle des Formes que Socrate expose dans le *Banquet*. On notera aussi que, dans le *Ménexène*, Platon déploie beaucoup d'efforts pour accréditer l'idée que Périclès aurait été le disciple d'Aspasie. Ainsi le plus grand orateur (Périclès) et le plus grand philosophe (Socrate) auraient été les disciples d'une femme, une prêtresse dans un cas, une courtisane dans l'autre [1].

Cela dit, le problème de la réalité historique de Diotime demeure. Trois types de réponse ont été apportés à cette question. 1) À l'exception de Wilamowitz-Moellendorf et de Bury [2], la plupart des érudits, et notamment Taylor [3], ont cru à l'historicité de Diotime, faisant valoir l'argument suivant : il n'est pas dans les habitudes de Platon d'introduire des personnages fictifs dans ses dialogues, et de plus, concernant Diotime, Platon ajoute des détails qui ne sont pas nécessaires. Cet argument donne prise à plusieurs objections. a) Dans les *Lois* (I 642d-e), Platon fait allusion à Épiménide qui, de toute évidence, est un personnage mythique [4]. b) D'autre part, l'enseignement qu'aurait

1. Sur le sujet, cf. Pierre Vidal-Naquet, « La société platonicienne des dialogues. Esquisse pour une étude prosopographique » [1984], *La Démocratie grecque vue d'ailleurs. Essais d'historiographie ancienne et moderne*, Paris, Flammarion, 1990, p. 94-119.

2. Ulrich von Wilamovitz-Moellendorf, *Plato : Sein Leben und seine Werke*, Berlin, 1920[2] ; The *Symposium* of Plato, ed. with an introduction, critical notes and commentary by R. G. Bury, Cambridge, Heffer, 1909, p. xxxiv.

3. Alfred E. Taylor, *Plato. The Man and his Work*, London, 1960[7], p. 224-225.

4. Cette allusion faite par Clinias de Crète à Épiménide présente une ressemblance troublante avec la façon de présenter Diotime dans le *Banquet* : « Ici [= à Athènes], tu as probablement ouï dire qu'Épiménide [= de Crète] fut un personnage divin (il appartenait à notre famille) et que, s'étant rendu chez vous sur l'ordre de l'oracle du dieu, dix ans avant la guerre des Perses, il y offrit certains sacrifices que le dieu lui avait prescrits ; et, naturellement aussi, qu'aux

donné Diotime à Socrate en matière d'amour [1] constituerait la seule exception dans tout le corpus. c) Le
nom de Diotime et celui de sa ville d'origine peuvent
être considérés comme des preuves à charge [2]. 2) On
pourrait aussi penser que, tout comme Parménide et
Zénon dans le *Parménide*, Diotime est un personnage
historique qui aurait servi à Platon de fiction littéraire
dans le *Banquet* [3]. 3) Enfin pourquoi Platon ne s'inscrirait-il pas dans une tradition littéraire bien représentée parmi les socratiques : Xénophon, dans les
Mémorables (II, 6, 36) et même dans l'*Économique* (III,
14), met dans la bouche de Socrate une allusion à
Aspasie ; Eschine de Sphettos aurait composé une
Aspasie [4] ; Antisthène aurait, lui aussi, écrit un dialogue
socratique intitulé *Aspasie* [5].

Que Diotime ait été un personnage historique ou
non, on peut se demander pourquoi Platon la met en
scène dans le *Banquet*. Les explications les plus
diverses ont là encore été avancées pour répondre à
cette question. Plusieurs invoquent la personnalité de
Platon. 1) Certains pensent que Platon aurait été un
« hétérosexuel de salon », qui aurait cherché à donner
aux relations entre hommes et femmes une dignité

Athéniens effrayés par les préparatifs d'expédition que faisaient les
Perses, il avait prédit que ceux-ci ne viendraient pas avant dix ans
et que, quand ils viendraient, ils seraient obligés de se retirer sans
avoir rien fait de ce qu'ils espéraient, éprouvés par plus de maux
qu'ils n'en auraient causé. Or, c'est à cette occasion que des liens
contractuels d'hospitalité se sont établis entre tes concitoyens et mes
ancêtres ; et c'est d'aussi loin que datent les sentiments de bienveillance de notre famille et de moi-même à votre égard » (*Lois* I
642d-e, trad. L. Robin).

1. Voir *Banquet* 201d, 204d, 206b, 207a, 207c.
2. On se trouverait alors devant un calembour que l'on pourrait
rendre à peu près en ces termes : Diotime de Mantinée = Honorée
de Zeus (originaire) de Divination-ville.
3. Hartmuth Erbse, « Sokrates und die Frauen », *Gymnasium* 73,
1966, p. 201-220.
4. Barbara Ehlers, « Eine vorplatonische Deutung des sokratischen Eros. Der Dialog *Aspasia* des Sokratikers Aischines », *Zetemata* 41, München, Beck, 1966.
5. Athénée de Naucratis, V, 220d ; D. L., VI, 16.

plus grande que celle que leur accordait la société où il vivait, en promouvant les échanges intellectuels entre les deux sexes [1]. 2) D'autres, prenant pour acquis que Platon était ouvertement homosexuel, expliquent à partir de là le discours de Diotime [2], en interprétant les images et les métaphores relatives à la grossesse [3] en termes de phantasmes homosexuels de procréation. Comme on ne sait rien sur la vie privée de Platon, mieux vaut ne pas essayer de tirer de conclusions sur ce plan [4].

1. Arlene W. Saxonhouse, « Eros and the female in greek political thought. An interpretation of Plato's *Symposium* », *Political Theory* 12, 1984, p. 11-22 ; Gregory Vlastos, « The individual as an object of love in Plato » [1969], repris dans *Platonic Studies*, Princeton, Princeton University Press, 1981 p. 3-42.

2. Ulrich von Wilamowitz-Moellendorf, *Platon, op. cit.*, t. I, p. 42-49 ; Hans Kelsen, « Platonic love », trans. by George B. Wilbur, *American Imago* 3, 1942, p. 3-110 ; Yvon Brès, *La Psychologie de Platon*, Paris, PUF, 1968, p. 229-232 ; Dorothea Wender, « Plato, misogynist, paedophile and feminist » [1973], repris dans *Women in the Ancient World*, eds. John Peradotto & J.P. Sullivan, Albany, SUNY, 1984, p. 216-218 ; Gregory Vlastos, « The individual as an object of love in Plato [1969], repris in *op. cit.*, p. 25-26. Comme je l'ai dit dans le compte rendu que j'ai fait du livre d'Yvon Brès, « Platon psychanalysé », *Revue des études grecques* 86, 1973, p. 224-232, le scepticisme le plus absolu devrait être de règle quant à la question de déterminer si Socrate et Platon étaient « homosexuels ». On ne sait rien de leur vie privée, et le terme même d'« homosexuel » fait problème, lorsqu'on l'applique à un comportement dans l'Athènes classique, comme on le verra plus loin, cf. p. 57-61.

3. Dans le discours de Diotime, des hommes sont enceints (*kueîn*, 206c1, 7, d4, 7-8 ; 208e2, 209a1-2, b1, 5, c3), souffrent les douleurs de l'accouchement (*ôdís*, 206e1), portent (*gennân*, 206c8-d1, 3, 5, 7, e5, 7-8, 207a8-9, b2, d3, 7, e4, 208a1, 209a4, b2-4, c3-4, 8, d7, e2-3, 210a7, 211a1, b3 ; *gennân* et *genésthai* désignent la même idée, mais sous une forme active et passive respectivement) et accouchent (*tiktein*, 206b7, c3-4, d5, e5, 209a3, b2, c3, 210c1, d5, 212a3, 5) un enfant (208b5, 209c5-e4), qu'ils nourrissent (*tréphein*, 207b2, 5, 209c4, 212a6.). Paul Plass, « Plato's pregnant lover », *Symbolae Osloenses* 53, 1978, p. 47-55.

4. D'autres raisons beaucoup plus plausibles, et beaucoup plus vraisemblables à nos yeux, seront apportées dans la section V de cette Introduction, p. 61-65.

Alcibiade

Né vers 451/450, fils de Clinias, général et homme
politique athénien qui tomba à Coronée en 445, Alcibiade [1], qui était du dème de Scambonidès (cf.
carte 2), fut élevé dans la maison de Périclès, son
tuteur. Tout porte à croire qu'à la tutelle de Périclès,
qui se termina en 434/433, succéda immédiatement
l'influence de Socrate. C'est avant l'expédition de
Potidée en 431 (cf. *Banquet* 219e) qu'Alcibiade entra
en contact avec Socrate. Cette date se voit d'ailleurs
confirmée par le fait que, dans le *Protagoras* (309a),
dont l'action devrait se situer quelques mois avant le
début de la guerre du Péloponnèse, Alcibiade est le
gibier dont Socrate se veut le chasseur obstiné. Enfin,
dans le *Banquet*, dont l'occasion est la victoire du poète
Agathon, en février 416, Alcibiade avoue qu'il ne rencontre plus Socrate que rarement ; il l'évite, parce qu'il
rougit d'être devenu l'homme qu'il est (*Banquet*
216b). C'est donc entre ces deux dates (431-416) que
s'exerça l'influence de Socrate sur Alcibiade.

Celui-ci est un jeune homme très brillant qui, dès
420, devient le porte-parole des démocrates radicaux
qui poussent Athènes à s'allier avec Argos et avec
d'autres ennemis de Sparte. La victoire de Sparte à
Mantinée en 418 jette le discrédit sur cette politique
d'inspiration impérialiste. Même si Alcibiade fit tem-
porairement alliance avec Nicias (417/416) pour éviter
l'ostracisme, les deux hommes restaient des rivaux et
des adversaires, puisque Nicias s'était notamment
opposé à l'expédition de Sicile, dont l'idée avait été
lancée et vigoureusement défendue par Alcibiade.
Avec Lamachos, Nicias et Alcibiade furent désignés
par l'Assemblée en 415 pour commander cette expédition.

Les préparatifs allaient bon train, quand un double
scandale éclata : en une même nuit furent mutilés au

1. Sur Alcibiade, cf. Jean Hatzfeld, *Alcibiade*, Paris, PUF, 1951 ;
W.M. Ellis, *Alcibiades*, New York, Routledge, 1989.

visage la plupart des « Hermès », ces piliers quadrangulaires en pierre, ornés d'un *phallós* et surmontés
d'une tête barbue, que la piété populaire dressait
devant les sanctuaires et devant certaines maisons.
Superstitieuse, l'opinion publique vit dans ce sacrilège
un mauvais présage pour l'expédition, d'autant plus
qu'Hermès était le dieu des voyageurs : c'était probablement le résultat escompté par les auteurs du forfait,
vraisemblablement adversaires d'Alcibiade. L'enquête
révéla de surcroît que des parodies des mystères
d'Éleusis s'étaient déroulées dans certaines maisons.
Les deux sacrilèges étaient sans doute sans rapport,
mais l'opinion en fit un amalgame : on tenait là les
indices d'un complot contre la démocratie. Qui donc,
sinon des oligarques, pouvait se livrer à de tels défis
contre les objets les plus sacrés de la piété populaire ?
Et qui donc, sinon Alcibiade, dont le non-confor-
misme peu démocratique manifestait l'aspiration à la
tyrannie, pouvait être à l'origine de ces crimes ? Alcibiade se défendit : qu'on le jugeât sur-le-champ et, s'il
était condamné, qu'on le mît à mort ; il ne partirait
que lavé de toute accusation. Sage proposition, à
laquelle s'opposèrent ses ennemis ; que la flotte partît,
on le jugerait à son retour. En réalité, il s'agissait
d'accumuler en son absence des accusations calom-
nieuses, puis de le rappeler pour le juger hors de la
présence d'une armée qu'on pensait lui être favorable
(Thucydide, VI, 27-29 ; Plutarque, *Alcibiade*, 18,
4-19, 7).

Accusé de complicité dans la mutilation des Hermès
et dans d'autres profanations religieuses, Alcibiade fut
rappelé à Athènes pour être jugé. Il réussit à s'enfuir
et se réfugia à Sparte, où il complota activement
contre sa cité d'origine. Le désastre que connurent les
Athéniens et leurs alliés en Sicile fut gigantesque : plus
de deux cents trières perdues, douze mille citoyens
tués ou morts dans des conditions atroces, et leurs
deux commandants, Nicias et Démosthène, exécutés.
En 412, Alcibiade suscita la révolte dans plusieurs
cités alliées d'Athènes. Mais, ayant perdu la confiance

des Spartiates, il chercha refuge auprès de Tissapherne, satrape des provinces côtières anatoliennes. Il travailla alors à la conclusion d'une alliance entre les Perses et Athènes, et finalement, à Samos, la flotte athénienne l'élut stratège. Il commanda plusieurs opérations en Ionie et dans l'Hellespont, remportant notamment une brillante victoire à Cyzique en 410. De retour à Athènes en 407, on lui vota les pleins pouvoirs. Mais, après la défaite de Notion en 406, ses ennemis le forcèrent à se retirer et, en 404, il fut assassiné, en Phrygie, sur ordre de Pharnabaze, auprès duquel il avait cherché protection, mais sur lequel les Trente et Lysandre avaient fait pression.

Alcibiade était le symbole de l'échec de la démarche pédagogique de Socrate, qui avait cherché à réformer la cité en formant de nouveaux dirigeants. Et le fait qu'il avait été accusé de sacrilège permettait d'associer facilement, dans le cas d'Alcibiade, impiété et corruption de la jeunesse, les deux chefs d'accusation qui, suivant l'*Apologie de Socrate*, valurent la mort à Socrate.

III. L'ÉVÉNEMENT

Le *sumpósion*, au sens littéral « beuverie en commun », est une institution particulière aux anciens Grecs ; voilà pourquoi la traduction par « banquet » reste inadéquate. Le *sumpósion* suit le *deîpnon*, le souper qui constituait le repas proprement dit, et au cours duquel les convives mangeaient sans boire. Le vin faisait son apparition à la fin, sous la forme d'une libation avec du vin pur. Les serviteurs nettoyaient les tables et le sol, et alors le *sumpósion* commençait avec une libation de vin mélangé. Il se prolongeait souvent jusqu'à l'aube, comme c'est le cas dans ce dialogue.

1. *Le banquet comme institution*

En Grèce ancienne, le banquet peut être public ou privé. Cela dit, un banquet privé comme celui qui nous est décrit dans le *Banquet* ne doit pas être dissocié de l'institution publique.

Le banquet public [1] présente trois traits constants : 1) il comprend deux temps successifs, un temps où l'on mange (*deîpnon*) et un temps où l'on boit (*sumpósion*) ; 2) le repas de viandes et de céréales et la consommation de la boisson ont une dimension sacrée ; 3) il rassemble l'ensemble de la communauté civique ou ses représentants.

À l'époque archaïque (VIᵉ-Vᵉ siècle), si l'on en juge d'après la poésie ou d'après les représentations figurées sur les flancs des vases ou sur les murs des tombeaux, le banquet présente bien ces deux moments, celui où l'on mange et celui où les convives, en buvant, écoutent la déclamation des épopées célèbres ou la récitation d'œuvres nouvelles composées en vue du banquet : c'est l'approbation manifestée par les convives qui fait la renommée du poète. Le repas de viandes et de céréales présente une dimension sacrée, car il suppose un sacrifice et exprime les valeurs de partage liées à l'*isonomía*. Par ailleurs, le banquet est scandé par des libations, des prières et des chants dédiés à diverses divinités. Les banquets archaïques doivent être replacés dans le système aristocratique du don et du contre-don qui rythme alors les échanges de la vie sociale. Celui qui déroge à sa participation au banquet est exclu du corps civique. En retour, les jeunes comme les femmes, les esclaves et les étrangers sont normalement exclus du banquet.

L'étude d'Athènes à l'époque classique (Vᵉ et IVᵉ siècle) permet de saisir quatre aspects de la commensalité : les banquets dans les fêtes du calendrier religieux, l'attribution, à titre d'avantage honorifique, de repas au prytanée et à la Tholos, la générosité des grands en matière de repas, les discours sur la nourriture et sur les banquets exprimés dans divers

---

1. Le livre de référence sur le sujet est celui de Pauline Schmitt-Pantel, *La Cité au banquet. Histoire des repas publics dans les cités grecques*, Collection de l'École française de Rome 157, 1992.

genres littéraires comme la tragédie, la comédie et les
écrits des philosophes. Dans les *Lois*, Platon veut légi-
férer sur les repas. Mais il hésite entre deux modèles :
celui du *sussition*, le repas quotidien de type spartiate,
et celui du *sumpósion*, le banquet entre amis, où naît
la réflexion du sage, le lieu par excellence du discours
philosophique chez Platon [1].

2. *Le banquet offert par Agathon*

Un *sumpósion* représente le deuxième moment d'un
banquet, celui où l'on boit, où l'on parle, où l'on
chante et où l'on fait des libations aux dieux (176a) ;
c'est un moment important de la sociabilité, un acte
institutionnel qui comporte une dimension religieuse.
Lors d'un banquet de ce genre, les convives sont étendus sur un lit, la partie supérieure de leur corps tour-
née vers la droite, se maintenant à l'aide du coude
gauche sur des coussins, et prenant à l'aide de la main
droite la nourriture et la boisson qui se trouvent sur
une table à gauche du lit. Chez Agathon, tout comme
l'illustrent les peintures sur vase, chaque lit est assez
large pour recevoir deux convives (175c) disposés
obliquement, l'un un peu plus bas que l'autre, de
façon à pouvoir atteindre la nourriture et la boisson
qui se trouvent sur la table ; cela dit, le lit sur lequel
repose Agathon semble pouvoir recevoir trois convives
(213a-b). Les lits sont disposés en cercle ou en rec-
tangle. Dans la pièce où se déroule le banquet, Phèdre
est le premier (177d) et Agathon le dernier (175c).
Après Phèdre, d'autres convives prennent la parole,
dont les discours ne sont pas rapportés (180c). Éryximaque qui devrait suivre Aristophane est dit être
« sous le lit » d'Aristophane (185d). Les convives sont
censés prononcer leur discours de la gauche vers la
droite (177d), dans le sens inverse des aiguilles d'une
montre (cf. figure 2).

---

1. Sur Platon, cf. Pauline Schmitt-Pantel, *La Cité au banquet*,
op. cit., p. 233-237. On trouvera dans les notes les références essen-
tielles aux travaux sur les banquets publics chez Platon.

Lorsque Socrate arrive, le dîner est déjà bien avancé (175c), et c'est la seconde partie, le *sumpósion,* qui est décrite avec un certain luxe de détails. Pour éviter d'être malade, Pausanias, le médecin, propose de boire modérément (176a-b), proposition qui est acceptée (176b-e). Le rapport à la nourriture est réduit au minimum [1] : le dîner n'est pas décrit, et on ne boira que peu de vin. Par ailleurs, la joueuse d'*aulós* [2] est renvoyée (176e). Ce sont les discours qui vont tenir la première place, et de loin.

Suivant Xénophon (*Anabase,* VI, 1, 30), on élisait un chef de banquet (*sumposíarkhos*) qui, si l'on en croit Alexis (frag. 21), devait fixer à l'avance le nombre de coupes que devait vider chaque convive. Agathon ne demande l'élection de personne, mais Éryximaque commence par faire des propositions qui sont acceptées par tous (175b-176e) et il se comporte par la suite comme s'il était le chef (189a-c ; 193d-194a) ; il réaffirme même son autorité à la fin (214a-c), après qu'Alcibiade a crié : « Je m'élis chef de la beuverie. » En réalité, c'est Phèdre qui, par la bouche d'Éryximaque, fait la proposition de prendre Éros comme thème des discours (177a-d).

1. L'Annexe I du livre de Pauline Schmitt-Pantel, intitulé « Histoire de l'alimentation », *op. cit.*, p. 519-523, donne d'utiles pistes pour qui s'intéresserait à cet aspect de la vie matérielle dans l'Antiquité.

2. Comme le fait remarquer J. Chailley (*La Musique grecque antique,* Paris, Les Belles Lettres, 1970, p. 60-65), traduire *aulós* par « flûte » constitue, à la limite, un contresens. La flûte est un instrument dans lequel le son est produit par la brisure contre un biseau de la colonne d'air provenant directement du souffle producteur, canalisé dans un tuyau. En revanche, l'*aulós* est un instrument à anche, lamelle élastique que fait vibrer directement le souffle producteur. Ce sont les vibrations de l'anche qui sont transmises par amplification et réglage de hauteur à la colonne d'air d'un tuyau, ce qui produit une sonorité très différente de celle des flûtes. L'*aulós* se compose donc d'un tuyau à perce cylindrique dans lequel est sertie l'anche. Le tuyau est normalement percé de quatre trous, un par doigt, le pouce ne servant qu'à maintenir l'instrument. Le tuyau de l'*aulós* se jouait rarement seul. On le jouait presque toujours par paire accouplée, au point que le simple nom d'*aulós* désignait fréquemment la paire tout en restant au singulier, comme ici dans le *Banquet*.

IV. L'ÉLOGE D'ÉROS

Dans le *Banquet*, on trouve sept éloges, six ayant pour objet Éros, et le dernier qui porte sur Socrate.

1. *L'éloge en tant que genre*

Le discours que chaque convive est censé prononcer est qualifié d'éloge (*épainos*) (cf. 177d ou *egkômion*, cf. 177b). Le terme *egkômion* semble avoir désigné en premier lieu un chant de bienvenue ou de félicitation adressé au vainqueur d'une épreuve athlétique par un groupe (*kômos*) [1]. Mais, à l'époque classique, il était appliqué à toute espèce d'éloge en l'honneur d'une personne ou d'une chose. Dans sa *Rhétorique* (I, 9, 1367b28-36), Aristote évoque les règles que doit suivre l'éloge ; on commence par définir la nature de l'être dont on doit faire l'éloge, puis on considère les bienfaits qui doivent découler de cette nature.

Dans l'*Art rhétorique* attribué à Hermogène [2], on trouve une description détaillée de l'éloge, dont il convient de tenir compte ici, en dépit de l'écart historique (un demi-millénaire) qui sépare ce traité du *Banquet*. Hermogène commence par définir ainsi l'éloge : « L'éloge est l'exposé des qualités appartenant à un être collectivement ou individuellement ; collectivement, par exemple l'éloge de l'homme, individuellement, par exemple l'éloge de Socrate. » Puis sont énumérés les lieux de l'éloge : le peuple, la cité, la famille, les prodiges qui ont accompagné la naissance, la formation, l'éducation, la nature de l'âme et du corps, la profession, les actions (le lieu le plus important), les éléments externes (richesses, amis, etc.).

---

1. Le terme *kômos* désigne une troupe joyeuse et bruyante d'hommes, la plupart du temps ivres, qui se rendent à une fête ou qui en reviennent. Les termes *egkômion* et *kômôidia* en dérivent.
2. Le corpus hermogénéen peut être daté du IIe ou du IIIe siècle ap. J.-C. Cf. Hermogène, *L'Art rhétorique* (p. 14-18 [Rabe]), traduction française intégrale, introduction et notes par Michel Patillon, Paris, L'Âge d'homme, 1997.

Comme le rappelle ensuite Hermogène, l'éloge peut aller aux animaux, aux activités, aux plantes ou à une cité : on retrouve les thèmes chers aux éloges paradoxaux [1].

2. Éloges d'Éros

Dans le *Banquet*, seuls six des éloges d'Éros sont évoqués par Aristodème [2] ; ils sont faits respectivement par les six personnages suivants : Phèdre, Agathon, Pausanias, Éryximaque, Aristophane et Socrate qui parle au nom de Diotime. Le contenu de chacun de ces discours et leur style présentent des différences considérables qui posent problème au traducteur, mais qui rendent le texte particulièrement intéressant : on a vraiment l'impression d'entendre des personnages bien distincts, dont la personnalité et la façon de s'exprimer sont préservées.

3. Le contenu des discours

Ces six éloges d'Éros peuvent être regroupés en trois couples, où chacun des discours s'oppose à l'autre. Pour Phèdre et pour Agathon, il n'y a qu'un seul Éros. Toutefois, alors que Phèdre soutient qu'Éros est le dieu le plus ancien, Agathon maintient, au contraire, qu'il est le plus jeune. Par ailleurs, Pausanias et Éryximaque estiment qu'il y a deux Éros qui correspondent aux deux Aphrodites, la Céleste (*Ourania*) et la Vulgaire (*Pándēmos*). Mais, alors que Pausanias n'examine les conséquences de cette dualité que dans le cas de l'homme, Éryximaque étend son enquête à l'ensemble des êtres. Enfin, Aristophane et Socrate posent le problème à un autre niveau. Pour Aristophane, Éros est le seul dieu qui puisse nous permettre de réaliser ce à quoi tend tout être humain : la

---

1. Ceux qu'évoque par exemple Éryximaque en *Banquet* 177b-c.
2. Il y en eut d'autres, si l'on en croit Aristodème en *Banquet* 180c.

réunion avec la moitié de lui-même dont il a été séparé par Zeus. Et, pour Socrate, qui rapporte les paroles de Diotime, une étrangère de Mantinée, Éros n'est pas un dieu, mais un démon, qui, étant donné sa fonction d'intermédiaire, permet de transformer l'aspiration vers le Beau et vers le Bien que ressent tout homme en une possession perpétuelle, par le moyen de la procréation selon le corps et selon l'âme. Plus généralement encore, alors que les deux premiers couples de discours, celui de Phèdre et d'Agathon et celui de Pausanias et d'Éryximaque, ont pour arrière-plan la théologie traditionnelle, transmise par Hésiode en particulier et par la plupart des poètes en général, le dernier couple de discours fait référence à des mouvements religieux plus atypiques en Grèce ancienne : le discours d'Aristophane révèle une influence orphique [1] et le discours de Socrate qui prétend rapporter les paroles de Diotime s'inspire des mystères d'Éleusis.

Phèdre et Agathon

Mais reprenons par le détail l'analyse du *Banquet* de Platon. Pour Phèdre et pour Agathon, il n'y a donc qu'un seul Éros. Pour Phèdre (*Banquet* 178a-180b) qui invoque les témoignages d'Hésiode (*Théogonie*, v. 116 sq.), de Parménide (DK 28 B 13) et d'Akousilaos (DK 9 B 2), Éros est le dieu le plus ancien. Et, en raison de son ancienneté, Éros est le dieu dont les bienfaits sont les plus grands. En effet, c'est lui qui a le plus de dignité et d'autorité pour mener les hommes à la possession du mérite et du bonheur, aussi bien lorsqu'ils vivent que lorsqu'ils sont morts, qu'il s'agisse d'êtres qui aiment ou d'êtres qui sont aimés, et que ces êtres soient des hommes ou des femmes. Pour Agathon (*Banquet* 194e-197e) en revanche, Éros est le dieu le plus jeune, le plus délicat et le plus ondoyant.

---

1. Sur le sujet, cf. mon article, « Bisexualité et médiation en Grèce ancienne », *Nouvelle Revue de psychanalyse* 7, 1973, p. 27-48.

Et, comme aussi il est juste, tempérant et courageux, ce sont ces vertus qu'il suscite en guise de bienfaits chez tous.

Pausanias et Éryximaque

Au contraire de Phèdre et d'Agathon, Pausanias et Éryximaque estiment qu'il y a deux Éros. Pausanias (*Banquet* 180c-185c) commence par énoncer ce postulat : « Tout le monde sait bien qu'il n'y a pas d'Aphrodite sans Éros » (180d). Or, tout comme il y a deux Aphrodites, l'Aphrodite céleste qui naît du sperme qui dans la mer s'écoule des bourses coupées d'Ouranos (Hésiode, *Théogonie*, v. 178-206), et l'autre, l'Aphrodite vulgaire, qui est la fille de Zeus et de Dionè (*Iliade*, V, v. 370), lesquelles ont chacune leur temple et leur culte à Athènes, il faut distinguer deux Éros. L'Éros qui relève de l'Aphrodite vulgaire, et dont la naissance a impliqué l'intervention d'un principe mâle et d'un principe femelle, présente trois traits caractéristiques : il porte aussi bien sur les femmes que sur les hommes ; il s'intéresse autant sinon plus au corps qu'à l'âme ; et il s'attache plus à la réalisation de l'acte sexuel qu'à la manière de l'effectuer. En revanche, l'Éros qui relève de l'Aphrodite céleste, qui est la plus vieille et dont la naissance ne dépend que d'un principe mâle, présente trois traits caractéristiques opposés à ceux qui déterminent l'Éros qui relève de l'Aphrodite vulgaire : il porte exclusivement sur les hommes ; il s'intéresse non point au corps, mais à l'âme ; et il s'attache plus à la manière d'effectuer l'acte qu'à sa réalisation effective. À partir de là, Pausanias justifie la règle de conduite en vigueur en Attique, relative au problème de savoir s'il est bien pour un garçon aimé d'accorder ses faveurs à des amants. Cette règle revêt un caractère absolu, aussi bien en Élide qu'en Béotie et à Sparte, où la chose est considérée comme belle et bonne, qu'en Ionie et chez les Barbares, où la chose est considérée comme laide et mauvaise. En revanche, en Attique, cette même règle présente des nuances, selon que l'Éros en jeu relève de l'Aphrodite céleste ou de l'Aphrodite vulgaire. Dans le second cas, il est laid et mauvais, pour le garçon aimé, d'accorder ses faveurs à des amants ; et dans le premier cas, la chose est belle et bonne. Mais, alors que Pausanias n'applique la distinction qu'il a faite entre les deux Aphrodites et, par conséquent, entre les deux Éros qui en sont indissociables qu'aux seuls êtres humains, Éryximaque (185e-188e) l'étend à tous les êtres. Grâce à cette généralisation, il passe en revue les applications de cette distinction dans les domaines de la médecine, de la musique, de l'astronomie et de la divination.

Cette dualité entre deux Aphrodites thématisée dans leur *Banquet* par Platon et par Xénophon se trouve justifiée de façon différente par l'un et l'autre auteur. Chez Platon, le but de Pausanias est clair. Il veut justifier la pratique de l'amour entre *erastés* et *erômenos* au nom de la vertu et de la morale, puisque ce n'est pas la relation amoureuse qui est digne d'éloge ou de blâme, mais les intentions qui y président. Dans son *Banquet*, 8, 1, Xénophon instaure une distinction très nette : Aphrodite Pandémos suscite en nous le désir des corps masculins ou féminins, alors qu'Aphrodite Ourania nous insuffle l'amour de l'âme, qu'il s'agisse de celle d'un homme ou de celle d'une femme. Mais cette tradition philosophique, qui fait intervenir la mythologie et les rites pour justifier une réflexion éthique, repose-t-elle sur la réalité ? Aphrodite Ourania avait deux lieux de culte à Athènes, l'un sur l'agora [1] et l'autre sur le bord de l'Ilissos [2]. Or, semble-t-il, Aphrodite Ourania était invoquée par les courtisanes qui cherchaient un mari ! Par ailleurs, une ins-

---

1. Pausanias, I, 14, 7. Pour la localisation, voir T.L. Shear, dans *Hesperia* 53, 1984, p. 24-40.
2. Pausanias, I, 19, 2. Il s'agit d'un pilier hermaïque à tête féminine où il est indiqué qu'« Aphrodite est la plus âgée de celles que l'on appelle les Moires ».

cription [1] atteste bien l'existence à Athènes d'un culte à Aphrodite Pandémos [2]. Mais cette Aphrodite était associée aux Grâces dont le domaine était très proche du sien : la vie végétale, le cycle de la reproduction et l'harmonie entre les hommes ; une fois de plus, on se trouve très loin du *Banquet*. Tout compte fait, même s'il existait à Athènes une différence entre le culte d'Aphrodite Ourania et celui d'Aphrodite Pandémos, rien ne justifie l'opposition irréductible que dressent entre elles Pausanias et Éryximaque sur le plan des relations amoureuses à quelque niveau que ce soit [3].

Aristophane et Socrate
qui rapporte les paroles de Diotime

Avec Aristophane et Socrate, les éloges d'Éros prennent une tout autre tournure. Alors que les quatre discours qui viennent d'être mentionnés s'insèrent dans un processus d'interprétation et donc de transformation des enseignements de la mythologie traditionnelle sur Éros, les deux éloges prononcés par ces personnages nous font entrer dans des domaines religieux très différents. Bien plus, non seulement l'arrière-plan mythologique, mais aussi la composition littéraire du discours d'Aristophane (*Banquet*, 189a-193d) se distinguent de ceux des autres discours du *Banquet*. Au lieu de décrire la nature d'Éros, puis de montrer quels bienfaits découlent d'une telle nature, Aristophane veut plutôt révéler la puissance du dieu, qui seul peut guérir de ce mal dont la guérison

1. IG² 659 = F. Sokolowski, *Lois sacrées des cités grecques*, Paris, 1968, n° 39.
2. Pausanias, I, 22, 3.
3. Ces conclusions sont celles de Vinciane Pirenne-Delforge, « Épithètes cultuelles et interprétation philosophique. À propos d'Aphrodite Ourania et Pandémos à Athènes », *Antiquité classique* 57, 1988, p. 142-157. Voir aussi du même auteur, « L'Aphrodite grecque », *Kernos*, Supplément 4, Centre international d'étude de la religion grecque antique, Athènes/Liège, 1994. Sur Aphrodite Ourania, p. 15-25 ; sur Aphrodite Pandémos, p. 26-34.

constitue pour l'espèce humaine la plus grande des félicités. Pour ce faire, il va dépeindre l'état antérieur de l'espèce humaine et indiquer l'origine du mal qui la frappe.

L'antique nature humaine comprenait trois genres : le mâle, l'androgyne et le femelle. Chacun de ces êtres humains, qui présentaient la forme d'un œuf, était double. Il avait quatre mains, quatre pieds, deux visages placés à l'opposé l'un de l'autre, et surtout deux sexes sur ce qui actuellement constitue la partie postérieure de l'être humain. Dans le cas du mâle, ces deux sexes étaient masculins ; dans celui de la femelle, ils étaient féminins ; et dans celui de l'androgyne, l'un était masculin et l'autre féminin. Par ailleurs, l'aspect circulaire de ces êtres indiquait leur origine : le mâle était un rejeton du soleil ; la femelle de la terre ; et l'androgyne de la lune, laquelle se trouve dans une position intermédiaire entre le soleil, par rapport auquel elle est une espèce de terre, et la terre, par rapport à laquelle elle est une espèce de soleil.

À l'instar des Géants Éphialte et Otos, qui voulurent escalader le ciel pour s'en prendre aux dieux, ces êtres humains se révoltent contre les dieux. Aussi, pour les châtier sans les exterminer, Zeus décide-t-il de les couper par moitié. Cela fait, Zeus en appelle à Apollon pour qu'il soigne la blessure ainsi ouverte, et dont le nombril constitue actuellement l'ultime cicatrice. Ce châtiment, cependant, mène le genre humain tout droit à sa perte. En effet, chaque moitié tente de retrouver sa moitié complémentaire avec une telle ardeur et une telle constance qu'elle se laisse mourir d'inanition. Voilà pourquoi Zeus intervient de nouveau, en transportant le sexe de chacune des moitiés obtenues sur leur partie antérieure. Cette nouvelle opération rend possible une union sexuelle intermittente qui, tout en permettant à chaque être humain de retrouver sa moitié complémentaire, lui laissera le temps de vaquer à d'autres soins et notamment à ceux, absolument essentiels, que constituent la nutrition et la reproduction.

Une bonne distance est ainsi établie entre les moitiés complémentaires de l'être humain, qui ne sont plus ni conjointes ni disjointes de façon permanente, car leur réunion intermittente rend supportable une séparation effective pour le reste du temps. Or, comme on peut le constater en lisant le discours d'Aristophane, cette « bonne distance anthropologique » est indissociable d'une « bonne distance cosmologique » entre le ciel et la terre et d'une « bonne distance théologique » entre les dieux et les hommes. De ce fait, Éros apparaît comme le seul dieu capable de permettre aux hommes de reconstituer provisoirement leur antique unité ; là précisément réside sa puissance qui s'étend aussi à ces couples d'opposés que constituent le ciel et la terre, les dieux et les hommes. Et comme ces retrouvailles ne peuvent se réaliser chez l'homme que dans l'union sexuelle, Aristophane est amené à dresser une typologie complète de la vie sexuelle de l'être humain (191d-192b), où trouvent leur place non seulement l'« hétérosexualité », mais aussi l'« homosexualité » aussi bien masculine que féminine [1].

Avec Socrate qui prétend rapporter les paroles de Diotime (199b-212c), l'éloge de l'amour ouvre sur une dimension nouvelle, celle de l'intelligible ; la réalité n'est plus homogène, elle présente des niveaux où le sensible et l'intelligible représentent des pôles opposés, mais complémentaires.

Dans la discussion qu'il a avec Agathon, Socrate fait ces trois remarques fondamentales pour son propos. Premièrement, l'amour est toujours relatif à quelque chose, puisqu'il est toujours amour « de ». Deuxièmement, cet objet, c'est le beau indissociable du bien. Et troisièmement, dans la mesure où l'amour implique le désir qui présuppose l'absence de son objet, l'amour doit souffrir d'un manque de beau et de bien.

---

1. Sur le sujet, Luc Brisson, *Le Sexe incertain*, Paris, Les Belles Lettres, 1997. On lira aussi le livre de Claude Calame, *L'Éros dans la Grèce antique*, « L'Antiquité au présent », Paris, Belin, 1996.

Ces trois caractéristiques manifestent, selon
Socrate, la nature d'Éros. C'est d'ailleurs là ce que
lui a enseigné Diotime. Puisqu'il souffre d'un
manque de beau et de bien, Éros ne peut se retrouver au rang des dieux qui sont beaux et bons [1]. De
ce fait, il faut considérer Éros comme un *daímōn*,
c'est-à-dire comme un être intermédiaire entre les
dieux et les hommes [2]. Or, ce *daímōn*, voici quelle
en fut l'origine. Le jour où naquit Aphrodite, la vulgaire selon Pausanias, c'est-à-dire la fille de Zeus et
de Dionè, les dieux banquetaient. À ce banquet, se
trouvait Expédient, le fils de Mètis. Enivré de nectar,
Expédient pénètre dans le jardin de Zeus et, appesanti par l'ivresse, s'y endort. Survient Pauvreté, qui,
« dans sa pénurie, eut le projet de se faire faire un
enfant par Expédient » (203b). Elle s'étend près de
lui, et elle devient grosse d'Éros.

Les origines d'Éros (Amour) expliquent son caractère. De sa mère Pauvreté, Amour a hérité le manque
de beau et de bien, dont il souffre. Mais, de son père,
Expédient, vient à Amour cette aspiration vers le beau
et vers le bien qui ne peut devenir possession perpétuelle que par l'intermédiaire d'une procréation selon
le corps et d'une création selon l'âme. La procréation
selon le corps, qui se réalise par l'union de l'homme
et de la femme, permet à l'homme de se perpétuer
dans le beau et dans le bien au niveau du monde sensible. En revanche, la création selon l'âme, qui ne se
réalise que dans le contact entre hommes, permet à
l'homme de trouver la véritable immortalité qui se
situe non au niveau du sensible, mais au niveau de

---

1. Vinciane Pirenne-Delforge, « Quelques considérations sur la
beauté des dieux et des hommes dans la Grèce archaïque et classique », *Expérience religieuse et expérience esthétique. Rituel, art et sacré
dans les religions*, Actes du Colloque de Liège et Louvain-la-Neuve
[21-22 mars 1990], éd. par Julien Ries, *Homo religiosus* 16, Louvain-
la-Neuve, 1993, p. 67-81.
2. Sur le sujet, cf. Vinciane Pirenne-Delforge, « Éros en Grèce :
dieu ou démon ? », *Anges et démons*, Actes du Colloque de Liège et
Louvain-la-Neuve [25-26 novembre 1987], *Homo religiosus* 13,
Louvain-la-Neuve, 1989, p. 223-239.

l'intelligible. Ce passage du sensible à l'intelligible, c'est Éros qui le rend possible au terme d'un processus qui s'apparente à une initiation. D'où l'importance du vocabulaire associé aux cultes à mystères.

Par là, Socrate s'oppose radicalement à Aristophane. Pour Aristophane en effet, la puissance d'Éros réside dans l'union, dont, au niveau du sensible, il assure la réalisation entre les êtres humains qui recherchent leur moitié complémentaire, alors que, pour Socrate, Éros permet de passer du sensible à l'intelligible qui constitue la réalité véritable.

Conclusions générales

Mais quelles conclusions tirer de ces six discours, aussi bien en ce qui concerne la nature et le pouvoir d'Éros qu'en ce qui concerne les bénéfices que peuvent en attendre les êtres humains ?

En ce qui concerne la nature d'Éros, on trouve, dans le *Banquet,* cinq Éros différents. En effet, dans le cadre de la mythologie traditionnelle, on peut distinguer trois figures d'Éros. 1) L'Éros primordial, qui apparaît à la suite de Chaos et de Gaia (la terre), dont fait mention Phèdre. 2) L'Éros qui fait cortège à l'Aphrodite céleste, issue du sperme qui, dans la mer, s'écoule des bourses coupées d'Ouranos, et dont font mention Pausanias et Éryximaque. 3) Et l'Éros indissociable de l'Aphrodite vulgaire, la fille de Zeus et de Dionè, et dont font aussi mention Pausanias et Éryximaque. Par ailleurs, il semble très probable que l'éloge d'Éros par Aristophane fasse allusion à 4) l'Éros orphique [1], dont l'auteur comique décrit la naissance dans les *Oiseaux* (v. 693-703). Enfin, Socrate, qui rapporte les

---

1. L'influence de l'orphisme sur Aristophane peut avoir été directe ou indirecte, par l'intermédiaire d'Empédocle. Sur l'influence d'Empédocle, cf. Denis O'Brien, « L'Empédocle de Platon », *Revue des études grecques* 110, 1997, p. 381-398. Sur le *Banquet* 189c2-193d5, cf. les pages 385-390.

propos de Diotime, parle d'un autre 5) Éros, qui n'est
pas un dieu, mais un *daímōn*, le fils d'Expédient et de
Pauvreté.

En ce qui concerne le pouvoir d'Éros, il convient
de remarquer que cinq de ces six discours
reprennent des thèmes communs à la fois à la théologie traditionnelle et à l'orphisme. Éros est le dieu
qui permet d'établir des relations, non seulement
entre les êtres humains, de quelque sexe qu'ils
soient, mais aussi entre le ciel et la terre et donc
entre les dieux et les hommes. C'est d'ailleurs ce
thème que reprend Socrate, qui le transforme en
fonction de ses préoccupations philosophiques. Pour
Socrate en effet, Éros est ce *daímōn*, c'est-à-dire cet
être intermédiaire qui permet de s'élever du sensible
vers l'intelligible, où l'on peut contempler le Beau et
le Bien en soi.

Dans la mesure où Éros permet d'établir des relations entre les êtres humains de quelque sexe qu'ils
soient, ces six discours véhiculent une typologie du
comportement sexuel en Grèce ancienne que toutes
ces élaborations mythiques sur la figure d'Éros
viennent justifier par choc en retour. Cette typologie,
c'est Aristophane qui en dresse le tableau le plus
complet. Mais toutes proportions gardées, elle vaut
pour ce que disent les cinq autres personnages qui
prononcent un discours.

La relation sexuelle qui se voit reconnaître la
première place par tous les participants est, sans
contredit, celle où n'interviennent que des éléments
masculins. Et cela parce que, en plus d'assurer une
satisfaction sexuelle effective, ce type de relation
sexuelle oriente, par la suite, soit vers l'action politique, comme l'indique Aristophane, soit vers cette initiation de type philosophique que décrit Socrate rapportant les paroles de Diotime, et qui culmine dans la
contemplation du Beau et du Bien en soi. De la sorte,
la relation sexuelle entre élément masculin et élément
féminin vient en seconde position, car, en plus de pro-
curer du plaisir, il assure la persistance de l'espèce par

la procréation d'enfants. Enfin, en dernière position, vient la relation entre éléments féminins, dont seul Aristophane parle [1].

Cette typologie s'avère indissociable d'une éthique définie et s'enracine dans une pratique sociale effective. Si l'élément masculin est valorisé aux dépens de l'élément féminin, c'est que, en Grèce ancienne, la vie publique est réservée aux hommes, et que les femmes sont reléguées dans la sphère du privé. De ce fait, seuls les rapports entre hommes peuvent ouvrir sur la politique et sur la vie culturelle. Par ailleurs, le seul rapport où intervient un élément féminin et qui se prolonge en autre chose que la satisfaction sexuelle est le rapport entre un homme et une femme en vue de la procréation d'enfants. Cela suffirait à expliquer pourquoi les rapports entre éléments féminins ne sont mentionnés qu'incidemment, même si, en la personne de Sappho notamment, ce type de rapports sexuels peut se prolonger en création littéraire.

4. Le style des orateurs

Celui qui traduit le *Banquet* se trouve devant un problème à la fois intéressant et redoutable. Chaque discours est écrit dans un style différent qu'il convient de respecter, car il manifeste la personnalité de son auteur. Les qualités d'écrivain de Platon s'y révèlent au plus haut point, car tout semble naturel et parfaitement adapté à chacun des cas.

Dans le dialogue qui porte son nom, Phèdre est présenté comme un disciple de Lysias. Le discours qu'il profère dans le *Banquet* présente du point de vue du style le mérite de la simplicité, sans être dépourvu d'une certaine recherche. On y décèle plusieurs tours

---

1. Sur le sujet, cf. K.J. Dover, *Homosexualité grecque* [1978], trad. française par S. Saïd, Grenoble, La Pensée sauvage, 1982, p. 209-224. Et chez Platon, cf. Nathalie Ernoult, « L'homosexualité féminine chez Platon », *Revue française de psychanalyse*, 1994, p. 207-217.

rhétoriques connus : chiasme [1] (178d), paronomase [2] (*ergasaménē érgon*, 179c), anacoluthes [3] (177a, 179a) et usage de verbes surcomposés (*agasthéntes*, 179d, *huperagasthéntes*, 180a ; *apothaneîn*, 179e ; *huperapothaneîn*, *epapothaneîn*, 180a).

Le discours de Pausanias est plus sophistiqué que celui de Phèdre, car il démontre un usage très élaboré des tournures enseignées dans les écoles de rhétorique et de sophistique : paronomase (*érga ergazoménōi*, 182e, *douleías douleúein*, 183a, *práttein tēn prâxin*, [181a], 183a), correspondance rythmique entre les membres de phrase et les périodes, dont l'invention est attribuée par Aristote à Thrasymaque (*Rhétorique*, III, 9, 1409a2, et 25-27), et qui caractérise le style d'Isocrate [4] (180e-181a, 184d-e, 185a sq.). On remarquera l'utilisation de *prôton* (d'abord, premièrement) et de *épeita* (deuxièmement, ensuite) pour rythmer des périodes (181b-c, 184 a ; cf. la tripartition en 182d-e).

Le discours d'Éryximaque se caractérise par sa clarté et par sa grande sobriété dans le recours aux ornements littéraires. Il se présente comme un inventaire des cas que n'a pas mentionnés Pausanias. Les balancements des périodes y sont accusés (« de même » *hósper*, « de même » *oútō*, 186b-c ; *hósper*, *entaûtha*, 187c). Une certaine monotonie le guette, qu'accuse la récurrence de formules comme *ésti dè* (187b), *ésti dè* (187d), *ésti gàr* (187c).

Le discours d'Aristophane constitue un très bel exemple de la prose attique, simple, mais qui évite de tomber aussi bien dans la bizarrerie et dans la monotonie qui rend les discours de Phèdre et d'Éryximaque ennuyeux, que dans la sophistification et dans l'ornementation artificielle qui gâtent les discours de Pau-

---

1. Figure de rhétorique formée d'un croisement de termes, là où le parallélisme serait normal.
2. Figure de rhétorique qui consiste à rapprocher des paronymes, c'est-à-dire des mots presque homonymes dans une phrase.
3. Rupture ou discontinuité dans la construction de la phrase.
4. Par exemple dans son *Éloge d'Hélène* [X], 17.

sanias et d'Agathon. En dehors d'une scène poétique, celle en quoi consiste le dialogue entre Hephaïstos et les amants (192d sq.), le discours dans son entier en reste au niveau d'une prose rythmique pure, qui coule bien, et où la clarté se marie parfaitement avec la variété et la vivacité de l'expression.

Dans son style, le discours d'Agathon, vide mais magnifiquement construit, manifeste l'influence de l'école de Gorgias, qu'illustre notamment la recherche de l'assonance et de l'allitération, surtout dans la préface (194e-195a) et dans la seconde partie (197c-e). On y trouve des membres de phrase courts et parallèles (194e, 197d), où foisonnent les assonances et la similitude entre les désinences (194e, 195a, 196a). Ces tournures rhétoriques sont particulièrement nombreuses dans la conclusion, ce qui entraîne le commentaire sarcastique de Socrate : « Et comment, bienheureux Éryximaque, répondit Socrate, éviterais-je, moi comme n'importe qui d'autre, de me trouver dans l'embarras, alors que je dois parler après un discours d'une telle beauté et d'une telle virtuosité. Certes, tout n'y est pas admirable au même degré, mais dans la péroraison, qui n'aurait été frappé par la beauté des mots aussi bien que des expressions ? » (198b). Enfin, Agathon aime beaucoup les citations poétiques (195d, 196c, e, 197b, c), et il a tendance à faire naître des vers dans sa prose.

5. Éloge de Socrate

Alcibiade, qui est censé avoir déjà beaucoup bu avant de commencer son éloge de Socrate, fait pourtant montre dans son expression d'une grande maîtrise, en dépit d'une certaine incohérence dans la disposition des éléments de son discours. Il commence par une double comparaison, mais il se trouve dans l'impossibilité, comme il le confesse lui-même, de mener à son terme cette double comparaison avec toute la précision et l'exactitude logique désirées. On notera la fréquence des images dans son discours

(215b-c, 216a, 218b), les expressions elliptiques (215a, c ; 216b, d, e ; 220c,d ; 221d, 222b) et les anacoluthes (217e, 218a).

Le discours d'Alcibiade porte non pas sur Éros, mais sur Socrate. En tant que tel cependant, il n'est pas hors sujet, car il tend à assimiler Socrate à Éros, et cela sur plusieurs plans [1]. Il devient dès lors évident que le discours « improvisé » prononcé par un Alcibiade aviné qui fait irruption dans la salle du banquet est en définitive un texte finement ciselé qui fait écho non seulement au discours que vient de prononcer Socrate, mais aussi à ceux qui l'ont précédé. Dans ce discours si « écrit », transparaissent en filigrane, me semble-t-il, les sentiments, profonds et puissants, qu'a dû éprouver Platon à l'égard d'un Socrate qui semble être resté pour lui une énigme fascinante.

La première série de parallèles qui peuvent être établis entre l'éloge de Socrate par Alcibiade et les éloges d'Éros qui l'ont précédé concerne la nature de Socrate et celle d'Éros. Une troublante homogénéité sur le plan du vocabulaire exprime la profonde ambiguïté qui marque à la fois la nature d'Éros et celle de Socrate. La chose explique peut-être pourquoi tous les passages qui trouvent leur répondant dans le discours d'Alcibiade proviennent du discours de Socrate qui est le seul à parler de l'indigence (*éndeia*) d'Éros, tous les autres discours l'évoquant comme quelque chose de désirable (*erṓmenon*). Tout de même qu'Éros est un chasseur redoutable qui ne cesse de tramer des ruses (*mēkhanás*) (203d), Alcibiade se plaint du fait que Socrate lui tend des embûches (*ellokhṓn*) (213b). Par nature, Éros est amoureux du beau (203c), et Socrate éprouve un penchant amoureux pour les beaux garçons (216d). Tout comme Éros qui vit à la dure (203c-d), Socrate qui ne fréquente pas les bains va pieds nus (174a, 220a).

---

1. Les parallèles qui suivent s'inspirent notamment de ceux établis par R.G. Bury, The *Symposium* of Plato, *op. cit.*, p. LX-LXIII.

Le second parallélisme concerne les qualités et les vertus respectives d'Éros et de Socrate. Éros, passionné de savoir, se montre fertile en expédients (203d), alors que Socrate n'hésite pas à mettre en veilleuse toutes ses autres activités pour se plonger dans des réflexions qui peuvent durer très longtemps (220d). Éros est un sorcier redoutable (203d), et Socrate envoûte ses interlocuteurs par la seule puissance de sa parole (221d-e). Éros sait parler avec aisance (*euporeî*) de la vertu (209b) et Socrate sait trouver avec aisance (*eupórōs*) des motifs plausibles (223a).

Éros inspire le courage même au combat (178e-179a), là précisément où Socrate fait montre d'une conduite admirable (220e, 221b). Cela explique que, tout comme Éros qui est considéré par Agathon comme un pilote et un défenseur (197d-e), Socrate protège Alcibiade blessé (220e), ce qui aurait dû lui valoir « le prix de courage [1] ». Tout comme Éros qui est viril, résolu et ardent (203d), Socrate sait affronter les fatigues et les privations (219e). Agathon estime que, en plus de la justice, Éros a en partage la modération (*sōphrosúnē*) la plus grande (196c), ce qui de toute évidence est le cas de Socrate (216d). Agathon célèbre la science (*sophía*) d'Éros (196d), et Alcibiade fait l'éloge d'un homme doué d'une intelligence et d'une force d'âme (*phrónēsis kaì kartería*) exceptionnelles (219d). Alors que les dieux honorent la valeur (*aretḗ*) qu'inspire Éros (180a-b), Alcibiade admire le naturel (*phúsis*) de Socrate, c'est-à-dire sa modération et son courage (219d). Tout comme c'est le cas pour Éros (197d), il vaut la peine d'observer Socrate (220e), pour l'admirer, même si la situation n'est pas la même. Éros est par nature merveilleusement beau (210e), alors que pour apercevoir la beauté de Socrate, il faut le débarrasser de son enveloppe extérieure (216e-217a) qui lui donne l'apparence d'un silène. Tout comme Éros (178d), Socrate fait ressentir

1. L'équivalent de l'une de nos « médailles » militaires.

à Alcibiade (216b) la honte devant les actions laides. À la façon d'Éros qui sait faire passer du désir de la beauté corporelle à celui de la beauté intelligible (210b), Socrate dédaigne le corps pour mieux s'occuper de l'âme (219c). Éros suscite le désir du beau (186a-b), l'engendrement dans le beau (209b-c, 210c-d, 212a), tout comme Socrate donne le désir de devenir un homme accompli (222a). Éros permet l'enfantement de discours beaux et sublimes (210d) dans la douleur, de même que Socrate qui n'a pas son pareil pour inciter à la philosophie avec des propos qui commencent par frapper et par mordre comme une vipère mâle (217e-218a).

Tous les éléments de la passion amoureuse sont évoqués par Alcibiade. On remarquera cependant que, dans cette nouvelle liste, c'est en évoquant sa personne qu'Alcibiade fait référence aux cinq premiers discours, et non plus au dernier comme c'était le cas précédemment. Éros fait commettre toutes sortes d'extravagances à l'amant (*thaumastà érga*) (182e), tout comme les discours philosophiques produits par Socrate (218a), dont la blessure fait faire et fait dire n'importe quoi (*hotioûn*). Éros suscite un esclavage volontaire (184b-c), tout comme Socrate par ses discours asservit ceux qui s'attachent à lui (219e). Rien ne vaut mieux et n'est plus beau que de céder à Éros (184d, e, 185b) et à Socrate (218d). Rien non plus n'est déshonorant dans la poursuite d'Éros (184e, 203d) ou dans celle de Socrate (217c, d). Éros suscite une quête acharnée des beaux garçons (179a-b, 191e-192a, 192b-c, 203d), alors que Socrate attire sur lui-même un désir effréné (219b, c, d, 222a-b).

Tout cela permet de comprendre que l'éloge de Socrate fait par Alcibiade à la fin du *Banquet* constitue une synthèse des éloges adressés auparavant à Éros par Phèdre et Agathon, Pausanias et Éryximaque, Aristophane et Socrate qui parle pour Diotime.

V. LE BEAU ET L'AMOUR

Si l'on se fie au premier de ses sous-titres, le *Banquet* est un dialogue sur l'amour [1] ou, ce qui à la limite revient à peu près au même, sur le beau qui suscite l'amour. On peut considérer l'amour comme une inclination très vive envers un autre être humain et orientée par la recherche d'une satisfaction sexuelle avec cet autre être humain, considéré comme pourvu de beauté ; d'où un lien très fort entre amour et beauté.

1. *Sexualité*

Pour tout être humain, la beauté se manifeste notamment dans les corps des autres êtres humains qui l'entourent et qui en fonction de leur beauté peuvent susciter chez lui un désir, dont la satisfaction passe par l'union sexuelle. Mais la satifaction de ce désir universel prend des formes diverses suivant les cultures.

Les anciens Grecs ne classaient pas le désir sexuel et les comportements qu'il suscitait en fonction de la ressemblance ou de la différence du sexe anatomique des personnes qui intervenaient dans l'acte sexuel. En fait, ils accordaient à l'acte sexuel une valeur qui dépendait de la conformité que cet acte présentait par rapport aux normes de conduite fixées par la société en fonction de l'âge et du statut social, entre autres choses. Par suite, il faut faire preuve de la plus grande prudence quand on utilise les termes « homosexualité » et « hétérosexualité » pour désigner une réalité et une norme qui vaudraient à la fois pour l'Antiquité classique et pour la période contemporaine. Un usage inconsidéré de ces termes mène rapidement à l'ana-chronisme, car il associe des comportements tenus dans l'Athènes classique pour rigoureusement dis-

---

1. Nom propre et nom commun tout à la fois, ce qui introduit beaucoup d'ambiguïté dans le texte.

tincts, parce qu'on leur accordait une signification et une valeur déterminées très différentes de celles que nous leur accordons aujourd'hui. Plus généralement, il n'est pas illégitime d'utiliser un vocabulaire et des concepts modernes pour parler de la sexualité dans l'Antiquité, mais il convient, ce faisant, d'apporter une attention particulière à ne pas plaquer des catégories et des idéologies contemporaines sur des attitudes et des comportements du passé.

En Grèce ancienne, la relation sexuelle est, au point de départ et de façon générale, évaluée, sur un plan purement anatomique, en termes de pénétration phallique [1]. En d'autres termes, l'acte sexuel se trouve polarisé par la distinction entre celui qui pénètre et celui qui est pénétré, entre celui qui tient un rôle actif et celui qui a un rôle passif [2]. À leur tour, ces rôles se trouvent associés à un statut social supérieur ou inférieur en fonction des oppositions suivantes : masculin/ féminin, adulte/adolescent. La pénétration phallique manifeste la supériorité de l'homme sur la femme, de l'adulte sur l'adolescent ou de l'homme sur un autre homme, supériorité généralement associée à une domination économique, sociale et politique. C'est donc la distinction entre activité et passivité qui, sur le plan de la sexualité, permet de classer actes et acteurs. Autrement dit, toute relation sexuelle qui implique la pénétration d'un être humain inférieur du point de vue social (c'est-à-dire du point de vue de l'âge, du sexe ou du statut) est toujours considérée comme normale pour un mâle, quel que soit le sexe anatomique de l'individu pénétré, tandis que le fait d'être pénétré est toujours potentiellement susceptible d'être tenu pour un acte honteux.

Appréhendée de ce point de vue, la relation sexuelle entre un homme et une femme ne pose aucun pro- blème pour un mâle adulte, car, en Grèce ancienne,

---

1. Le phallus étant défini comme le membre viril en érection : on comprend dès lors la difficulté pour les Grecs de cette époque à penser la relation entre deux femmes.
2. Sur le sujet, cf. Luc Brisson, *Le Sexe incertain, op. cit.*

la femme est inférieure à l'homme en tout domaine, économique, social et politique où elle est pratiquement inexistante. Les problèmes n'apparaissent vraiment qu'avec le mariage, et ils sont tous reliés à l'adultère. En effet, la relation hétérosexuelle, lorsqu'elle est sanctionnée par le mariage, constitue l'instrument privilégié qui permet à un mâle adulte de transmettre son patrimoine « génétique », économique, social et politique. Comme l'adultère introduit un élément de brouillage dans ce système de transmission, il ne peut qu'être condamné. Il va de soi que le problème se pose en amont, avec les filles nubiles que le chef de famille doit surveiller pour éviter que le brouillage ne se manifeste avant même le mariage.

Les choses se compliquent dans le cas des relations entre mâles, qui se voient qualifiées par l'âge des partenaires, notamment dans le cadre de la *paiderastía*, qui ne peut que partiellement être associée avec l'« homosexualité », compte tenu des cinq points suivants.

1) La *paiderastía* implique un rapport non pas entre deux adultes mâles, mais entre un adulte et un *paîs*. De façon conventionnelle, le terme *paîs* désigne un jeune mâle susceptible de devenir objet de désir sexuel pour un mâle adulte. Mais l'interprétation et donc la traduction de ce terme n'est pas facile, dans la mesure où il implique une référence à une période de la vie mal définie [1]. Par *paîs*, on désigne un garçon qui se situe dans une classe d'âge qui commence autour de l'âge de la puberté, jusqu'à l'apparition de la première barbe, entre douze et dix-huit ans environ. À l'époque classique donc, un beau garçon est considéré comme devant exercer un attrait sexuel très fort sur les hommes faits, alors qu'un homme fait, même beau, ne doit exercer aucun attrait de ce genre sur un autre adulte. Par voie de conséquence, les hommes mûrs

---

1. D'où un problème de vocabulaire, comme le fait remarquer K.J. Dover, *Homosexualité grecque*, *op. cit.*, p. 31, p. 108-109. En effet, l'individu le plus jeune peut être qualifié de *paîs*, *neaniskos*, *meirákion* ou d'*éphèbos* indifféremment.

devaient, estimait-on, être poussés par un « désir passionné », auquel fait référence le terme grec *érōs*, un sentiment que, par convention, les garçons qui étaient la cible de ce désir ne devaient pas partager.

2) L'apparition du duvet sur les joues d'un garçon représente le sommet de son attrait sexuel qui dure jusqu'à l'arrivée de la première barbe [1] ; car la présence de poils sur la figure, sur les fesses et sur les cuisses d'un jeune homme suscite un vif dégoût sexuel. À une époque charnière, un jeune garçon peut dans la relation sexuelle tenir un rôle actif et passif, mais avec des partenaires différents. Un homme fait qui continue de tenir un rôle passif dans une relation homosexuelle est toujours moqué ; ce qui semble avoir été le cas notamment pour Agathon, en dépit de sa célébrité, la même condamnation se prolongeant dans le cas d'un personnage mythique comme Orphée. En outre, l'existence d'une prostitution mâle permettait de surmonter cet obstacle de l'âge plus ou moins ouvertement [2].

3) Comme elle est limitée à une période de la vie et comme elle n'est pas associée à une inclination pour un individu en particulier, la *paiderastía* n'est pas exclusive ; on attend des mâles adultes qu'ils se marient, après avoir tenu un rôle passif dans le cadre d'une relation homosexuelle et alors même qu'ils y tiennent encore un rôle actif. Il n'en reste pas moins que, dans le cadre de la *paiderastía*, l'*erastés* était souvent un homme relativement jeune, entre vingt et trente ans, qui n'était pas encore marié ou dont l'épouse était très jeune [3]. De plus, Aristophane, dans son discours (189c-193d), insiste sur l'existence de rapports très puissants et qui duraient longtemps entre

---

1. Cf. ce que dit Pausanias en 181d.

2. David M. Halperin, « The democratic body : prostitution and citizenship in classical Athens », in *One Hundred Years of Homosexuality and Other Essays on Greek Love*, New York/London, Routledge, 1990, p. 88-112.

3. K.J. Dover, *Homosexualité grecque*, *op. cit.*, p. 209-210.

des individus de même sexe ; Agathon et Pausanias en sont de bons exemples.

4) Même lorsque les relations pédérastiques sont caractérisées par un amour et une tendresse mutuelles, une asymétrie émotionnelle et érotique subsiste que les Grecs distinguent en parlant de l'*érōs* de l'amant et de la *philía* de l'aimé. Cette asymétrie prend sa source dans la division même du « travail sexuel ». Un jeune garçon (*paîs*), qui n'est pas mû par un désir passionné comme l'est son amant, ne doit donc pas jouer un rôle sexuel actif ; il ne doit pas rechercher l'orgasme en faisant pénétrer son pénis dans un orifice du corps de son amant, auquel cette jouissance est réservée. En ce domaine, il semble qu'ait été tenue pour particulièrement respectable l'insertion par l'amant de son pénis entre les cuisses du jeune garçon, plutôt que dans son anus ou dans sa bouche, l'acte le plus réprouvé[1]. Cette pratique sexuelle préservait en fait l'intégrité physique de l'aimé ; encore convient-il de reconnaître qu'il s'agissait là d'un comportement public (en acte et en parole) et que rien ne permet de savoir ce qui se passait dans l'intimité, au lit ou ailleurs.

5) Le mâle le plus âgé est qualifié d'*erastēs*, alors que le plus jeune est appelé son *erōmenos* (le participe passif de *erân*) ou son *paidiká* (un pluriel neutre qui signifie littéralement « ce qui concerne les jeunes garçons »). Le langage amoureux que l'on trouve dans la littérature grecque d'un certain niveau et chez Platon en particulier reste toujours pudique, mais le lecteur ne doit pas se montrer dupe. Des termes comme *hupourgeîn* « rendre un service » (*Banquet* 184d) ou comme *kharízesthai* « accorder une faveur » (*Banquet* 182a, b, d, 183d, 185b, 186b, c, 187d, 188c, 218c, d) doivent être interprétés en un sens fort : le service attendu, la faveur demandée par le mâle plus âgé équivaut, en fin de compte, à un contact physique menant à une éjaculation, même si, suivant le contexte, un

---

1. C'est le mérite de Dover d'avoir réuni un dossier fait de textes et de représentations figurées montrant que c'était bien le cas.

sourire ou un mot agréable peuvent suffire. La société encourageait les entreprises de séduction menées par l'*erastês*, mais ne tolérait pas celles menées par l'*erômenos*. Un homme plus âgé, poussé par l'amour, poursuivait de ses avances un plus jeune qui, s'il cédait, était amené à le faire par l'affection, la gratitude et l'admiration, sentiments que regroupe le terme *philía* ; le plaisir ne devait pas être pris en compte dans son cas [1].

Il est surprenant de constater que le modèle hiérarchique fondé sur la différence d'âge a gouverné aussi longtemps la qualification de toutes les relations entre mâles en Grèce ancienne. Ce modèle semble avoir perduré depuis l'époque minoenne jusqu'à la fin de l'Empire romain occidental. L'*Iliade* ne dit pas explicitement qu'Achille et Patrocle entretenaient des relations amoureuses, mais reste suffisamment vague sur le sujet pour que tous les auteurs de l'époque classique puissent affirmer que c'était le cas [2]. On y trouve le récit de l'enlèvement de Ganymède destiné à devenir l'échanson des dieux en raison de sa beauté (*Iliade*, 20, v. 232-235), et on y évoque l'homme qui est le plus beau parmi les Grecs (*Iliade*, 2, v. 673-674).

En dehors de la satisfaction du désir sexuel et de la recherche d'une certaine affection, d'une certaine tendresse, quelle fonction pouvait remplir la *paiderastía* en Grèce ancienne ? Alors que le mariage constitue l'institution privilégiée qui permet à un mâle adulte de transmettre son patrimoine « génétique », économique, social et politique, les relations homosexuelles ne peuvent assurer la transmission que d'un patrimoine économique, social et politique. Il semble en effet que, dans l'Athènes classique, les relations sexuelles entre un adulte et un adolescent avaient directement ou indirectement un rôle social, l'adulte ayant pour tâche de faciliter l'entrée de cet adolescent dans la société

---

1. Cf. K.J. Dover, *ibid.*, p. 71-72, 108-109, 130-133.
2. Cf. *Banquet* 179e-180b ; Eschyle, frag. 135, 136 [Radt] ; Eschine, *Contre Timarque* [I] 133, 141-150.

masculine qui dirigeait la cité sur le plan économique et politique. De là découlent toutes ces remarques et tous ces développements sur l'utilité (*khreía*) de la relation homosexuelle, que l'on trouve chez Platon, notamment dans le *Phèdre* [1] et dans le *Banquet*.

2. Éducation

Dans l'Athènes archaïque et même classique, l'homosexualité était liée à l'éducation [2]. L'idée est exprimée, dès le début du dialogue, par Agathon et par Socrate à travers l'image des vases communicants (*Banquet* 175d) [3] déjà citée. Dans cette perspective, l'éducation, comme nous l'avons dit aussi, est considérée comme la transmission du savoir ou de la vertu qui passe d'un récipient plein, le maître, à un récipient vide ou moins rempli, le disciple, par l'intermédiaire d'un contact physique, simple toucher ou pénétration phallique et éjaculation dans l'union sexuelle. L'origine de cette association de l'éducation et de la sexualité a été rapportée à un rite d'initiation [4] pratiqué par les « Doriens », au cours duquel les mâles plus âgés transmettaient les pouvoirs (essentiellement d'ordre moral et d'ordre militaire) qui étaient censés se trouver dans leur sperme aux mâles jeunes dans le cadre d'une copulation. Cette hypothèse qui fait intervenir des témoignages de Nouvelle-Guinée et de Mélanésie se fonde sur un seul texte, très difficile à interpréter [5].

1. Cf. dans mon Introduction à ce dialogue, les remarques sur les deux premiers discours.
2. Henri-Irénée Marrou, *Histoire de l'éducation dans l'Antiquité* [1948], Paris, Seuil, 1965, p. 61-73.
3. On notera d'ailleurs, dans le discours d'Agathon, l'usage à quelques lignes d'intervalle de la notion de toucher (*hápsētai* en 196e, *ephápsētai* en 197a).
4. Hans Bethe, « Die dorische Knabenliebe », *Rheinisches Museum* 62, 1907, p. 438-475 ; Bernard Sergent, *L'Homosexualité dans la mythologie grecque*, Paris, Payot, 1984.
5. Strabon (X, 4, 21), un géographe et historien du début de l'ère chrétienne, qui dit rapporter le témoignage d'Éphore, un historien du IVe siècle av. J.-C.

Idéalement à tout le moins, la *paiderastía* constituait
en Grèce ancienne une curieuse synthèse entre relation sexuelle et pratique éducative. La force, la vitesse,
l'endurance et le courage d'un *erõmenos*, c'est-à-dire
les qualités qui devaient faire de lui un bon combattant, le rendaient plus désirable aux yeux d'un *erastẽs*.
Les Spartiates et les Crétois étaient censés s'intéresser
plus aux qualités du caractère qu'à la beauté physique [1]. Pour sa part, l'*erastẽs* devait idéalement gagner
l'amour de l'*erõmenos* par la valeur de l'exemple qu'il
lui donnait et par la patience, la dévotion et l'habileté
qu'il pouvait mettre en œuvre. À Sparte [2], c'est
l'*erastẽs* qui devait porter le blâme pour un manque de
courage dont faisait preuve l'*erõmenos*. L'éducation est
le critère qui permet à Xénophon de valoriser une relation homosexuelle chaste [3] ; et la terminologie spartiate [4] met en évidence l'idée suivant laquelle l'*erastẽs*
est en mesure de transmettre ses qualités de lui-même
vers l'*erõmenos*.

Platon reprend cette idée, mais en la soumettant,
comme c'est très souvent le cas chez lui, à une critique dévastatrice. Il superpose la séduction qui
intervient dans la relation amoureuse avec celle qui
est à l'œuvre dans l'éducation. Seule la séduction
permet d'établir un lien entre l'éducation et la sexualité qui se trouve alors complètement dissociée de
toute relation physique. La meilleure illustration de
la chose se trouve donnée par Alcibiade dans l'apologie qu'il fait de Socrate à la fin du *Banquet*. Dans
le discours central du *Phèdre*, où la séduction joue
un rôle essentiel pour permettre la remontée vers

---

1. Éphore, *FGrH* 70, F 149 Jacoby ; Plutarque, *Agis*, 2, 1 : Agis
(qui sera roi de Sparte de 427 à 399) qui est boiteux devient l'*erõmenos*
de Lysandre (le stratège commandant la flotte spartiate qui remporte
des victoires décisives lors des guerres du Péloponnèse).

2. Plutarque, *Lycurgue*, 22, 8.

3. Xénophon, *Constitution des Lacédémoniens*, 2, 13 ; *Banquet*, 8,
23.

4. Élien, *Varia Historia*, III, 12, Hésychios *e* 2465 ; *eispnẽlos* et
eispnẽlas (Callimaque, fr. 68 [Pfeiffer] ; Théocrite, 12, 13).

l'intelligible, le bon *erastēs* qui doit mener sur cette voie son *erōmenos* se trouve opposé au mauvais *erastēs* qui s'abandonne au plaisir sexuel provoqué par l'orgasme évoqué en termes très crus : « Aussi n'est-ce point avec vénération qu'il porte son regard vers cette direction ; au contraire, s'abandonnant au plaisir, il se met en devoir, à la façon d'une bête à quatre pattes, de saillir, d'éjaculer, et, se laissant aller à la démesure, il ne craint ni ne rougit de poursuivre un plaisir contre nature » (*Phèdre* 250e-251a). En effet, ce qu'il y a de meilleur dans une telle relation c'est « la tendance qui conduit à un mode de vie réglé et qui aspire au savoir » (*Ibid.*, 256a). Bref, pour Platon, la séduction ne devrait intéresser que l'âme.

C'est probablement la radicalité de cette critique qui explique que Socrate s'en remette aux propos de Diotime, personnage qui présente les trois traits paradoxaux suivants : c'est une femme, une étrangère, dont le domaine est la religion [1].

Même si elle est une femme, Diotime se montre mieux informée sur le désir des hommes que ces derniers ne le sont eux-mêmes, car elle prétend être en mesure d'expliquer en quoi consiste une pratique correcte de la *paiderastía* [2]. En fait, elle soumet à une critique radicale une institution masculine importante en Grèce ancienne, tout en proposant une justification idéologique de son maintien sous une autre forme, féminisée en quelque sorte ! Diotime est une étrangère, qui pourtant a sauvé Athènes d'un fléau. Dans la mesure où elle est étrangère, elle peut se permettre de jeter un regard extérieur sur une institution athénienne ; et, parce qu'elle a rendu un service éminent

1. La suite s'inspire de David M. Halperin, « Why is Diotima a woman », *One Hundred Years of Homosexuality and Other Essays on Greek Love*, *op. cit.*, p. 113-151, notes, p. 190-211. Une version abrégée de cet article a été publiée dans *Before Sexuality. The Construction of Erotic Experience in the Ancient Greek World*, Princeton, Princeton University Press, 1989, p. 257-308.

2. *Banquet* 201d-e, cf. 210a4-5 ; 211b7-c1.

à la cité, la critique qu'elle formule peut être considérée comme constructive.

Mais c'est son rattachement à une tradition religieuse qui rend la figure de Diotime particulièrement
significative chez Platon. Au début du *Banquet*,
Socrate commence par déclarer « ne rien savoir sauf
sur les sujets qui relèvent d'Éros » (177d). Voilà bien
pourquoi, lorsqu'il prend la parole, il ne parle pas en
son nom, mais rapporte les propos tenus par Diotime
« qui était experte en ce domaine et en beaucoup
d'autres » (201d), sans vouloir s'approprier la teneur
de ces propos, position qui s'accorde avec celle qu'il
formule dans l'*Hippias mineur* (372b-c). En définitive,
Socrate enracine ce qu'il va dire sur Éros dans une
tradition religieuse qui le précède et qui le dépasse. Par
là, le discours de Diotime joue un rôle similaire à celui
de la réponse de l'oracle dans l'*Apologie* [1] et à la pro-
sopopée des Lois dans le *Criton* [2].

---

1. Comme j'ai tenté de le montrer en écrivant : « En évoquant la
réponse de l'oracle, Platon poursuit deux objectifs ; il efface les liens
de filiation entre la pratique que revendique Socrate et des pratiques
antérieures, et, surtout il veut justifier cette pratique aux yeux des
Athéniens tout en donnant un supplément de légitimité à ceux qui
s'y livrent » (Introduction à l'*Apologie de Socrate*, Paris, GF-
Flammarion, 1997, p. 67). Il s'agit là en fait d'une reprise de la thèse
développée par Louis-André Dorion, « La subversion de l'*élenkhos*
juridique dans l'*Apologie de Socrate* », *Revue philosophique de Louvain*
88, 1990, p. 334 notamment.
2. Ce que j'ai exprimé ainsi : « On peut se demander si, dans le
Criton, Platon ne réalise pas la même opération de retour au "religieux" qu'il opère dans l'*Apologie*. En donnant pour origine absolue
à la démarche socratique la réponse de l'Oracle, Platon enracine la
pratique de la philosophie dans la religion. De même, en rapportant
à ces êtres vénérables qui semblent inférieurs aux dieux sans en être
très éloignés l'argumentation rationnelle qui fonde la délibération
sur l'opportunité pour Socrate de s'évader, Platon se trouve à enra-
ciner la morale de Socrate dans une tradition religieuse qui le précède et le dépasse. Car, tout compte fait, les "Lois d'Athènes" ne
font qu'appliquer la méthode argumentative de Socrate qu'elles fon-
dent sur les prémisses qu'il a lui-même mises en avant et qui
s'opposent à celles auxquelles fait référence le grand nombre (*hoi
polloi*) qui devrait être l'agent de transmission de cette tradition.
Platon masque donc l'originalité de la démarche de Socrate en rap-

À une conception masculine de l'éducation associée à l'éjaculation, Diotime oppose une conception féminine comme procréation. Dans ce contexte, comme cela a déjà été dit, l'éducation n'est plus considérée comme l'acquisition d'une compétence relative aux choses sensibles, mais comme une conversion vers l'intelligible en général et vers la Beauté en particulier qui, assimilée aux divinités qui président à l'accouchement [1], conduit l'âme du disciple à enfanter de beaux discours sur le savoir et sur la vertu, à l'instar des poètes qui composent de beaux vers, et des législateurs qui promulguent de belles lois, cet enfantement spirituel transposant au niveau de l'âme une activité que l'ensemble des êtres humains, les femmes en particulier, mettent en œuvre au niveau des corps. Seule une femme pouvait tenir un discours de cette sorte qui assimile l'éducation à un enfantement. Dans l'un des seuls passages où l'idée est reprise (*Rép.* VI, 490a-b, *Phèdre* 275d-278b, et *Théétète* 148e-151d), Socrate évoque le souvenir de sa mère accoucheuse.

C'est ce changement dans la façon de concevoir l'éducation, indissociable d'une modification radicale de la façon de définir le savoir, qui permet de saisir la pertinence des allusions aux mystères dans le discours de Diotime rapporté par Socrate et de mesurer leur importance.

3. *Les mystères*

Jusqu'à Platon, il faut ici le rappeler, le terme *sophia* peut recevoir n'importe quel contenu dans la mesure où la *sophia* n'est, dans le monde sensible, liée à aucun

---

portant son origine à des êtres mythiques que sont les Lois, mais, ce faisant, il donne à cette démarche une caution en quelque sorte divine » (Introduction au *Criton*, Paris, GF-Flammarion, 1997, p. 195).

1. « Ainsi ce qui dans la génération joue le rôle de la Moire et d'Ilithyie, c'est la Beauté » (*Banquet* 206d).

contenu particulier. Être *sophós* dans ce contexte, c'est dominer son activité, se dominer soi-même et gouverner les autres ; voilà pourquoi peuvent être déclarés *sophós* le charpentier, le médecin, le devin, le poète, le rhéteur, le sophiste, etc. Dans ce contexte, *sophía* devient synonyme de civilisation. D'où il suit que peut être qualifié de *philósophos* quiconque fait l'apprentissage d'une *sophía*, quelle que soit la nature de l'activité impliquée ; et c'est le même individu qui, lorsqu'il aura acquis cette *sophía*, pourra être qualifié de *sophós*. C'est d'ailleurs dans ce sens minimal qu'Isocrate utilise les termes *philósophos* et *philosophía*. Chez Platon, le terme *philosophía* ne désigne plus l'apprentissage d'une *sophía* humaine, dont le contenu peut varier à l'infini. Elle devient aspiration à une *sophía* qui dépasse les possibilités humaines, dans la mesure où le but de cette *sophía* est la contemplation d'un domaine d'objets, les formes intelligibles, dont le monde des choses sensibles, où a chu l'âme humaine pour un temps du moins, n'est qu'un reflet. Comme l'explique Socrate dans le *Phèdre*, ce savoir auquel aspire le philosophe, « c'est non pas celui qui est sujet au devenir ni celui qui change suivant les objets qu'à présent nous trouvons réels, mais celui qui est vraiment science de ce qui est réellement être (*allà tền en tỗi hó estin òn óntỗs epistémēn oûsan*) » (*Phèdre* 247d-e). Dans ce contexte, éduquer, c'est tourner le regard de l'âme du sensible vers l'intelligible, de l'image vers le modèle qui est la réalité véritable. La comparaison avec les mystères devient alors toute naturelle.

En dépit de leur diversité, on peut faire cette remarque générale sur les cultes à mystères [1]. Les

---

1. Mais comment définir les mystères dans le cadre plus général de la religion en Grèce ancienne ? Les prêtres ont par ailleurs pour fonction de mettre en œuvre les rites. Cela dit, il faut insister sur le fait que, en Grèce ancienne, la religion ne repose pas sur des dogmes communs dont un clergé permanent, ayant pour fonction de procéder aux rites, serait le gardien. La plupart des rites sont fixés de façon précise à la fois par la tradition et par des lois nouvelles prises par les cités. Ainsi, la vie religieuse a-t-elle des carac-

mystères sont des cérémonies au cours desquelles l'admission et la participation d'un individu dans un groupe dépendent d'une dramatisation mettant en scène un changement de statut, c'est-à-dire une initiation (*teletê*) ; à la limite, mystère et rite d'initiation sont synonymes. Alors que, dans le cas des initiations qui impliquent le passage d'une classe d'âge à une autre et donc du statut d'enfant à celui de citoyen adulte, on se situe sur le plan de la réalité sociale, dans le cas des initiations mises en œuvre dans le cadre de cultes à mystères, le passage mis en scène est en lui-même invisible, puisqu'il implique le passage d'un état spirituel à un autre. Souvent le secret s'attache à l'exclusivisme impliqué par cette entrée dans un nouvel état qui n'est pas celui où se trouve la majorité des gens.

---

tères propres à chaque cité sur un fond de croyances communes. Les cités sont très attachées à leur particularisme religieux qui s'exprime dans des mythes, des groupements de divinités propres à chacune d'entre elles et dans des fêtes réservées aux citoyens à l'exclusion de tout autre Grec. Mais les anciens Grecs connaissent aussi des cultes communs et ouverts à l'ensemble de la communauté de ceux qui parlent le grec comme ceux qui s'expriment dans les sanctuaires fameux d'Olympie et de Delphes ; on pourrait même citer l'exemple des concours de tragédies à Athènes. Cette osmose entre la vie religieuse et la vie publique explique que la religion grecque ne soit jamais tombée entre les mains d'une Église et d'un clergé. Toutefois, les cités délèguent des fonctions religieuses à certains citoyens et les sanctuaires ont des responsables de toutes les affaires sacrées, des prêtres. La religion grecque est donc une religion publique assurant l'intégration de l'individu dans la cité ; quiconque refusait ce mode d'intégration s'exposait à être accusé d'impiété, comme ce fut le cas de Socrate. Mais, dans le même temps, pour répondre à des besoins personnels qui débordaient le cadre de la cité (anxiété devant la mort, la maladie et les catastrophes, recherche du salut, etc.), florissaient des cultes particuliers qui, parce qu'ils critiquaient ne fût-ce que modérément la religion de la cité, n'intéressaient que des groupes restreints dans lesquels on ne pouvait entrer que par l'intermédiaire d'une initiation individuelle. C'étaient les cultes à mystères, ceux de Phlya, de Samothrace, d'Éleusis et surtout ceux de Dionysos qui n'étaient pas attachés à un lieu particulier. Sur le sujet, cf. W. Burkert, *Les Cultes à mystères dans l'Antiquité* [1987], trad. de l'anglais par L. Bardollet, avec la collaboration de G. Karsai, Paris, Les Belles Lettres, 1992.

Prenons l'exemple des mystères d'Éleusis. Ils comprenaient deux étapes : des préliminaires, lors des « petits mystères », et l'initiation proprement dite, lors des « grands mystères ». L'initié qualifié de *mústēs* était guidé par un *mustagōgós*.

Les « petits mystères » étaient célébrés au début du printemps, à Athènes et plus précisément à Agra sur la rive orientale de l'Ilissos [1]. On ne sait pas très bien en quoi consistaient les cérémonies qui s'y déroulaient et qui rassemblaient des foules considérables. Les « grands mystères » étaient célébrés, eux, à l'automne, fin septembre-début octobre. Ils duraient dix jours. Le jour précédant le début des cérémonies, on transportait d'Éleusis à Athènes les objets sacrés (*hierá*). Ces objets sacrés, conservés dans l'Anaktoron, au cœur du Telesterion, étaient portés en procession dans des cistes, des « coffres », jusqu'à l'Éleusinion, au pied de l'Acropole.

Le premier jour devait être consacré à la vérification des candidats, à l'initiation. Le jour suivant, ceux qui avaient été admis allaient se purifier dans la mer et offraient un cochon de lait en sacrifice. Le troisième jour, on offrait des sacrifices. Il semble que le quatrième jour ait été un jour de repos. Le cinquième jour, les objets sacrés étaient ramenés à Éleusis, où ils retrouvaient leur place dans l'Anaktoron au cœur du Telesterion. Le sixième jour, après avoir jeûné et bu le *cyceion*, une boisson « sacrée » dont on ne sait rien, on procédait à l'initiation proprement dite appelée *teletḗ*.

En quoi consistait cette initiation ? On est à peu près sûr que les rites comprenaient trois éléments : les *drṓmena*, représentations dramatiques, les *deiknúmena*, objets sacrés qu'on montrait, et les *legómena*, commentaires qu'on faisait sur les *drṓmena*. Qu'en était-il de chacun de ces éléments ? Les *drṓmena* devaient consister en une représentation dramatique de l'enlèvement de Korê et de la recherche entreprise par sa mère,

---

1. Près de l'endroit où se situe la scène évoquée dans le *Phèdre*.

Déméter, pour la retrouver. On ne peut savoir si les *legómena* consistaient en de brefs commentaires sur les *drômena* ou en des mythes qui mettaient en scène les *drômena*. Quoi qu'il en soit, ils étaient essentiels ; ne pas les avoir compris annulait l'initiation. Les *deiknúmena*, les objets sacrés qui étaient montrés jouaient un rôle déterminant. Le prêtre le plus important des mystères d'Éleusis n'était-il pas le hiérophante, c'est-à-dire « celui qui montre les objets sacrés » ? Que pouvaient être ces objets sacrés ? Il est impossible de le savoir avec certitude. Mais on peut penser qu'il s'agissait de petites reliques mycéniennes transmises de génération en génération au sein des Eumolpides et des Kerykes, les deux familles qui réclamaient l'honneur d'avoir institué les mystères. Après l'initiation proprement dite, se tenaient les cérémonies de clôture qui duraient quatre jours. Un an après l'initiation, certains initiés étaient admis à un degré plus élevé, l'*epopteia*. Quelques-uns des objets sacrés étaient alors montrés à ceux qui voulaient compléter ainsi leur initiation.

On trouve dans le discours de Diotime rapporté par Socrate une transposition philosophique de cette expérience religieuse dans la mesure où il est recommandé de s'affranchir du monde sensible pour accéder à la sphère de l'intelligible, comme cherche à le montrer Christoph Riedweg [1] en découpant le discours de Diotime à partir des articulations de ce passage de Clément d'Alexandrie : « Ce n'est donc pas sans raison que les mystères commencent chez les Grecs par les rites purificateurs comme chez les Barbares par le bain. Ensuite, ce sont les petits mystères qui ont pour fonction d'enseigner et de préparer à ce qui doit suivre, puis les grands mystères qui concernent l'ensemble des choses, où il ne reste plus à apprendre, mais à contempler et à comprendre la nature et les réalités » (*Stromates*, XI, 70,7-71,2, trad. A. Le Boul-

---

1. Sur le sujet cf. Christoph Riedweg, *Mysterienterminologie bei Platon, Philon und Klemens von Alexandrien*, Untersuchungen zur antiken Literatur und Geschichte 26, Berlin/New York, De Gruyter, 1987. Sur le *Banquet*, p. 2-29, et sur le *Phèdre*, p. 30-67.

luec). Le découpage que propose Christoph Riedweg est légèrement différent de celui que je suggère ; mais les deux sont compatibles.

Dans une introduction (198a1-199c2), Socrate explique d'abord pourquoi il est embarrassé d'avoir à parler après Agathon (198a1-7) ; puis il critique la méthode adoptée par tous ceux qui viennent de faire l'éloge d'Éros (198a8-199b7). Enfin, après un bref échange avec Phèdre (199b8-c2), Socrate passe à l'essentiel.

Dans un premier temps, à tout le moins, il s'agit non point d'un discours, mais d'une discussion entre lui et Agathon (199c3-201c9). Cette discussion est un entretien réfutatif, *élenkhos* [1] qui équivaut en fait à une purification (voir *Soph.* 230b-d). Ce dialogue avec Agathon est suivi par un interlude (201d1-e7) où Socrate annonce qu'il va rapporter l'entretien qu'il a eu avec Diotime.

L'entretien lui-même comprend deux parties. La première (201e8-209e4), qui correspondrait aux petits mystères, consiste dans le récit du mythe de la naissance d'Éros, dont le père est Poros (Expédient) et la mère Pénia (Pauvreté). Cette ascendance fait de lui non un dieu, mais un *daímōn*, c'est-à-dire un être occupant une position intermédiaire entre les dieux et les hommes. On pourrait voir dans cette première partie une allusion aux *tà legómena* qui intervenaient dans les mystères. La seconde partie (209e5-212a7), qui correspondrait aux grands mystères, décrit l'ascension de l'âme du sensible vers l'intelligible et constitue le récit d'une véritable initiation au terme de laquelle l'âme contemple l'intelligible dont le sensible n'est qu'une image, un reflet. D'où la présence obsédante d'un vocabulaire de la vision [2] dans cette section qui

---

1. Comme le fait remarquer Walter Burkert dans *Les Cultes à mystères dans l'Antiquité, op. cit.*, p. 129, n. 16. Plus loin, en 201e, c'est Socrate qui est la victime de l'*élenkhos*.

2. On lit *theásasthai*, 210c3 ; *ídēi, blépōn*, 210c7 ; *theorôn*, 210d4 ; *katídēi*, 210d7, *theṓmenos*, 210e3 ; *katópsetai*, 210e4 ; *phantasthḗsetai*, 211a5 ; *kathorân*, 211b6 ; *theōménōi*, 211d2 ; *ídēis*, 211d3.

se termine sur ces mots qu'adresse Diotime à Socrate :
« Voilà sans doute, Socrate, en ce qui concerne les
mystères relatifs à Éros, les choses auxquelles tu peux
toi aussi être initié (*muētheíes*). Mais la révélation
suprême et la contemplation (*tà télea kaì epoptiká*), qui
en sont également le terme quand on suit la bonne
voie, je ne sais si elles sont à ta portée » (209e-210a).
Il est difficile d'être plus explicite.

Vient alors la conclusion (212b1-c3), où se trouvent
rappelés les degrés de cette initiation. D'un seul beau
corps, il faut passer à la beauté qui réside dans tous
les corps. Puis de cette beauté corporelle, il faut s'élever à la beauté des âmes, puis à la beauté des connaissances et des productions de l'âme en général, de
façon à ne pas retomber, au niveau de l'âme, dans le
particularisme. Enfin, et de façon soudaine, alors que
les autres degrés ont été franchis de façon progressive,
l'initié contemplera le Beau en soi, c'est-à-dire le Beau
intelligible, dont participent toutes les autres choses
belles. À ce niveau, le vocabulaire du toucher (*ephap-
toménōi*, 212a4, 5) prend le relais de celui de la vue.

VI. LE BIEN ET LE BONHEUR

Dans la dernière partie de son discours, Diotime
établit cette correspondance entre le beau et le bon :
« Mais encore une petite question : pour toi, les choses
bonnes ne sont-elles pas en même temps belles ? »
(201c). Et elle en tire cette conséquence : « Oui, et
ceux que tu déclares heureux, ce sont ceux qui possèdent les bonnes et les belles choses » (202c).

Puis elle se lance dans une argumentation (203e-
206a) [1] qui établit que l'amour (*érōs*) peut être défini
comme le désir d'être heureux, c'est-à-dire de posséder pour toujours le beau et donc le bien. Cette
conclusion est provisoire et sera dépassée. En effet,
après avoir établi ce point, Diotime pose à Socrate

---

1. Dont on trouvera une présentation détaillée dans la note 406.

cette question : « Puisque à présent, poursuivit-elle, il est clair que l'amour consiste toujours en cela, quel genre d'existence mènent ceux qui poursuivent cette fin et à quel type d'activité se livrent-ils, si l'on est prêt à donner au sérieux dont ils font preuve et à l'effort qu'ils consentent le nom d'"amour" ? » (206a-b). Devant l'incapacité où se trouve Socrate à lui apporter une réponse convenable, Diotime se lance dans une autre argumentation (206b-209e), où elle montre que l'immortalité ne peut être obtenue que par l'intermédiaire de la procréation, de l'enfantement. Cela est vrai évidemment sur le plan du corps, pour les espèces, dans le monde animal et humain. Mais cela peut aussi valoir pour les individus sur le plan de l'âme : si elle arrive à contempler la Beauté intelligible qui joue alors le rôle de la Moire et d'Ilithyie, les divinités qui président à l'accouchement, une âme peut produire ces enfants que sont les beaux discours, poèmes, codes de loi ou discours sur la vertu et le savoir, qui assureront son immortalité. On remarquera que cette tripartition des discours s'apparente à celle que l'on trouve à la fin du *Phèdre*.

Le Beau est probablement la notion platonicienne dont le champ d'extension est le plus vaste ; il existe de beaux objets, de beaux corps, de belles actions, de belles âmes et même un beau intelligible. Et c'est l'amour qui fait que l'on désire et que l'on découvre tout cela, un amour médian et médiateur, dont Socrate est en quelque sorte l'incarnation. Diotime décrit admirablement le mouvement de remontée auquel pousse Éros : « Voilà donc quelle est la droite voie qu'il faut suivre dans le domaine des choses de l'amour ou sur laquelle il faut se laisser conduire par un autre : c'est, en prenant son point de départ dans les beautés d'ici-bas pour aller vers cette beauté-là, de s'élever toujours, comme au moyen d'échelons, en passant d'un seul beau corps à deux, de deux beaux corps à tous les beaux corps, et des beaux corps aux belles occupations, et des occupations vers les belles connaissances qui sont certaines, puis des belles connaissances qui sont certaines vers cette connaissance qui constitue le terme, celle qui n'est autre que la science du beau lui-même, dans le but de connaître finalement la beauté en soi » (*Banquet* 211b-c). D'où cette conclusion qui rappelle la déclaration de Socrate dans l'*Apologie* sur ce qui fait que la vie vaut d'être vécue. « C'est à ce point de la vie, mon cher Socrate, reprit l'étrangère de Mantinée, plus qu'à n'importe quel autre, que se situe le moment où, pour l'être humain, la vie vaut d'être vécue, parce qu'il contemple la beauté en elle-même » (*Banquet* 211d). Cette conclusion est tout à fait conforme à la justification de son action par Socrate dans l'*Apologie* : seule la pratique de la philosophie fait que la vie vaut d'être vécue. Mais, alors que dans l'*Apologie*, la vie qui se soumet à l'examen se suffit à elle-même et mérite en elle-même d'être vécue, dans le *Banquet*, il en va tout autrement : ce qui fait que la vie mérite d'être vécue, c'est la possibilité de contempler les Formes. On voit ici concrètement comment l'hypothèse de l'existence des Formes contraint Platon à réinterpréter une doctrine ou une expression qu'il avait auparavant employée ou exposée dans un contexte d'où les Formes étaient absentes [1].

L'intervention de l'amour comme moyen d'accès au Beau présente un intérêt tout particulier dans le contexte de la philosophie platonicienne : il s'agit de la seule passion qui puisse avoir pour objet à la fois le sensible et l'intelligible, pour lequel elle constitue un moyen d'accès incomparable. Le philosophe y trouve sa véritable définition [2] : c'est l'amant (*erastḗs*) par excellence.

Telle est la puissance d'Éros qui, s'incarnant dans la figure de Socrate en particulier et dans celle du philosophe en général, apparaît comme le médiateur par

---

1. Pour d'autres exemples, cf. Louis-André Dorion, « La misologie chez Platon », *Revue des études grecques* 106, 1993, p. 109-122.
2. Elle est donnée dans le *Phèdre* (248d), où le *philósophos* est assimilé à un *philókalos*.

excellence qui, unissant les corps et les âmes, et faisant communiquer le sensible avec l'intelligible, mène vers la beauté elle-même, laquelle permet d'accéder à l'immortalité en favorisant l'engendrement de ces beaux discours sur le vrai et le bien dont la possession perpétuelle ouvre la voie au bonheur véritable.

Luc BRISSON

REMARQUES PRÉLIMINAIRES

1. *Le texte*

Le texte traduit est celui nouvellement établi par Paul Vicaire, avec le concours de Jean Laborderie pour la Collection des Universités de France : Platon, *Œuvres complètes*, tome IV – 2ᵉ partie, Paris, Les Belles Lettres, 1989. Voici une liste des points sur lesquels je ne suis pas d'accord avec cette édition.

passage	LBL	mon choix
174d	*prò hò tou*	*prò hodoû*
178b	Sur l'ordre des mots, cf. la note 104	
183a	[*philosophías*]	je ne traduis pas
188c	*toùs erõntas*	*toùs érõtas*
190e	*hósper hoi tà óa témnontes kaì méllontes tarikheúein*	je ne traduis pas, car il s'agit d'une glose interpolée, à mon avis
191e	*ek toútou toû génous gígnontai*	je ne traduis pas
206c	[*tõi*]	je traduis
210c	[*kaì zēteîn*]	je ne traduis pas
220c	*Iṓnōn*	*idóntōn*

Je ne me suis considéré comme tenu par aucune ponctuation.

Par ailleurs, je tiens à signaler que, pour la division en pages et en paragraphes, je me suis directement référé à l'édition standard réalisée par Henri Estienne à Genève en 1578. Les lignes sont celles de l'édition Moreschini et non celle de l'édition de l'OCT.

2. *La traduction*

Cette traduction se veut claire, précise et simple. J'ai cherché à respecter, dans la mesure du possible, l'ordre des mots en grec ; l'élégance y perd, mais l'importance relative de tel ou tel membre de phrase dans l'original est mieux mise en évidence. Enfin, j'ai tenu le plus grand compte des particules, que j'ai voulu traduire dans la plupart des cas ; ainsi se trouve préservée au mieux l'articulation du récit et de l'argumentation.

3. *Les notes*

Les notes répondent à quatre objectifs. 1) Donner au lecteur les moyens de situer les moments de l'argument, qui ne sont pas toujours évoqués dans l'ordre, ordre qu'on reconstituera à partir de l'Introduction, à laquelle renvoient constamment les notes. 2) Établir le réseau le plus serré possible de renvois aux œuvres authentiques de Platon, et à celles d'Aristote auxquelles peuvent être rattachés des passages du *Banquet*. 3) Apporter des précisions qui permettront de comprendre un vocabulaire philosophique, politique, social, technique et économique spécifique à la Grèce ancienne. Et 4) enfin indiquer les principales difficultés textuelles.

Les références spécifiques à la littérature secondaire, dont on trouvera cependant trace dans les diverses bibliographies, ont été réduites au minimum. La Bibliographie tente de pallier cette déficience.

4. *L'Introduction*

Dans l'Introduction, j'ai voulu me dissocier du travail par ailleurs remarquable accompli par Léon Robin sur le *Banquet*. Voilà pourquoi j'ai tenu à insister sur l'enjeu que reflètent les discours qui sont prononcés dans ce dialogue, en mettant bien en évidence les modèles « sexuels » auxquels est rattachée chacune des conceptions de l'éducation qui s'y trouvent exposées. Voilà pourquoi aussi j'ai tenu à être attentif au contexte matériel, économique, social et politique du dialogue. Et j'ai voulu montrer pourquoi c'est le Beau qui, par l'intermédiaire de l'amour, se trouve privilégié comme principe de la remontée de l'âme qui s'affranchit du sensible pour contempler l'intelligible qui seul pourra lui permettre d'enfanter ces beaux enfants que sont les discours sur le vrai et sur le bien notamment.

LE BANQUET

[*ou : De l'amour, genre moral* [1]]

APOLLODORE [2]

[172a] J'estime n'être pas trop mal préparé à vous raconter ce que vous avez envie de savoir. L'autre jour [3] en effet, je venais de Phalère qui est mon dème [4] et je montais vers la ville. Alors, un homme que je connaissais [5] et qui marchait derrière moi m'aperçut, et se mit à m'appeler de loin, sur le ton de la plaisanterie.

GLAUCON

Eh, l'homme de Phalère [6], toi Apollodore, tu ne veux pas m'attendre !

APOLLODORE

Et moi de m'arrêter pour l'attendre. Et lui de reprendre :

GLAUCON

Apollodore, dit-il, justement je cherchais à te rencontrer, pour connaître tous les détails concernant l'événement qui réunit Agathon [7], **[172b]** Socrate [8], Alcibiade [9] et les autres qui avec eux prirent alors part au banquet [10], et quels discours ils tinrent sur le thème de l'amour [11]. Quelqu'un d'autre en effet m'en a fait un récit qu'il tenait de Phénix [12], le fils de Philippe [13], et il m'a dit que toi aussi tu étais au courant. Mais lui, malheureusement, il ne pouvait rien dire de précis. Fais-moi donc ce récit, car nul n'est plus autorisé que toi pour rapporter les propos de ton ami [14]. Mais, reprit-il, dis-moi d'abord si tu as pris part à la réunion, ou non.

APOLLODORE

On voit bien, répartis-je, qu'il ne t'a vraiment rien **[172c]** raconté de précis celui qui t'a fait ce récit, si tu estimes que la réunion dont tu t'informes est assez rapprochée dans le temps pour que je puisse y avoir pris part.

GLAUCON

Je pensais bien que c'était le cas.

APOLLODORE

Comment, repris-je, peux-tu dire cela, Glaucon [15] ? Tu ne sais pas que depuis plusieurs années Agathon ne réside plus ici [16], alors que cela ne fait pas encore trois ans que je fréquente Socrate et que je m'emploie chaque jour à savoir ce qu'il dit et ce qu'il fait [17]. Auparavant, **[173a]** je courais de-ci de-là au hasard m'imaginant faire quelque chose, alors que j'étais plus misérable que quiconque, à l'instar de toi maintenant qui t'imagines que toute occupation vaut mieux que de pratiquer la philosophie [18].

GLAUCON

Ne te moque pas, reprit-il, mais dis-moi quand eut lieu cette réunion.

APOLLODORE

Nous étions encore des enfants [19], répondis-je. Cela se passa quand Agathon remporta le prix avec sa première tragédie, le lendemain du jour où, en compagnie de ses choreutes [20], il offrit un sacrifice en l'honneur de sa victoire [21].

GLAUCON

Cela doit donc remonter à fort longtemps, fit-il remarquer. Mais qui t'en a fait le récit ? Socrate lui-même ?

APOLLODORE

Non, par Zeus [22], **[173b]** dis-je, mais celui qui l'a raconté à Phénix, c'était un certain Aristodème [23], du dème de Kydathénéon [24], un homme petit, qui allait toujours pieds nus [25]. Il était présent à la réunion, car, parmi ceux d'alors, c'était l'amant le plus fervent [26] de Socrate, me semble-t-il. Mais, bien entendu, j'ai après coup posé à Socrate quelques questions sur ce que m'avait rapporté Aristodème, et il confirma que le récit d'Aristodème était exact [27].

GLAUCON

Pourquoi donc, reprit-il, ne pas me faire ce récit ? Après tout, la route qui monte à la ville est faite exprès pour qu'on y converse en marchant.

APOLLODORE

Voilà comment tout en marchant nous nous entre-tenions de cet événement, **[173c]** de sorte que, tout comme je le disais en commençant, je ne suis pas si mal préparé à vous en informer [28]. Si donc il me faut, à vous aussi [29], faire ce récit, allons-y. En tout cas, pour ce qui me concerne du reste, c'est un fait que parler moi-même de philosophie ou entendre quel-qu'un d'autre en parler, constitue pour moi, indépen-damment de l'utilité [30] que cela représente à mes yeux, un plaisir très vif. Quand au contraire j'entends d'autres propos, les vôtres en particulier, ceux de gens riches et qui font des affaires [31], cela me pèse et j'ai pitié de vous mes amis, parce que vous vous imaginez faire quelque chose, alors que vous ne faites rien [32]. En revanche, c'est sans doute moi que vous tenez pour **[173d]** malheureux, et j'estime que vous êtes dans le vrai en le pensant. Pour ma part, en tout cas, je n'estime pas que vous êtes malheureux, j'en suis convaincu [33].

ANONYME

Tu es toujours le même, Apollodore, toujours à t'accuser et à accuser les autres, et tu me donnes l'impression de penser que, Socrate excepté, absolument tous les hommes sont des misérables, à commencer par toi. D'où peut venir ton surnom de « fou furieux [34] », pour ma part je l'ignore. Il n'en reste pas moins que dans les propos que tu tiens, tu ne changes pas ; toujours agressif contre toi-même et les autres, à l'exception de Socrate **[173e]**.

APOLLODORE

Très cher ami, c'est mon opinion sur moi-même et sur vous autres qui fait que je passe pour « fou furieux », pour « à côté de la plaque [35] ».

ANONYME

Ce n'est pas la peine, Apollodore, de nous disputer là-dessus à l'heure qu'il est ; fais plutôt ce que précisément nous t'avons demandé ; ne te dérobe pas, mais rapporte les discours qui furent prononcés.

APOLLODORE

Eh bien, voici à peu près quels ils furent. En fait, il vaut mieux que je reprenne le récit à partir du début, **[174a]** et que je m'efforce de jouer pour vous à mon tour le rôle du narrateur [36].

ARISTODÈME

Je tombai en effet, me dit-il, sur Socrate qui venait du bain [37] et qui portait des sandales, ce qu'il ne faisait que rarement, et je lui demandai où il allait pour s'être fait si beau. Et lui de me répondre :

SOCRATE

Je vais souper chez Agathon. Hier en effet je me suis abstenu d'aller à la fête donnée pour célébrer sa victoire, car je craignais la foule. Mais j'ai promis d'être là aujourd'hui. Voilà bien pourquoi je me suis fait beau, car je désire être beau pour aller chez un beau garçon [38]. Mais toi au fait, poursuivit-il, que penserais-tu **[174b]** de venir au souper sans y avoir été invité ?

ARISTODÈME

Je ferai comme tu voudras, répondis-je.

SOCRATE

Dans ce cas, suis-moi, dit-il. Ainsi nous ferons, en le transformant, mentir le proverbe qui dit : « Aux festins des gens de bien se rendent sans y avoir été invités les gens de bien [39]. » Homère court le risque non seulement d'avoir fait mentir le proverbe, mais aussi de l'avoir traité avec arrogance. En effet, après avoir décrit Agamemnon **[174c]** comme un homme de première qualité à la guerre, et Ménélas au contraire comme un « guerrier sans nerf [40] », il s'arrange, le jour où Agamemnon offre un sacrifice et un repas [41], pour faire venir Ménélas au festin sans qu'il y ait été invité, le moins bon venant à la table du meilleur.

ARISTODÈME

À ces mots, dit Aristodème, je répondis.

Je vais sans doute moi aussi prendre un risque, mais non pas celui que tu évoques Socrate [42]. Je crains plutôt d'être, comme chez Homère, l'homme de rien qui se rend au festin offert par un homme de distinction [43], **[174d]** sans y avoir été invité. Si tu m'y amènes, c'est donc à toi de voir quelle excuse trouver, car moi je ne

vais pas avouer que je suis venu sans invitation ; je
dirai plutôt que c'est par toi que j'ai été invité.
« Lorsque l'on chemine à deux, on va plus loin sur la
route [44]. » Nous délibérerons sur ce que nous allons
dire. Allons, en route.

Après avoir échangé ce genre de propos, poursuivait-
il, ils se mirent en route.

Or, chemin faisant, Socrate, l'esprit en quelque
sorte concentré en lui-même, avançait en se laissant
distancer, et, comme je l'attendais, il me recommanda
de continuer à avancer. Quand je fus arrivé à la
demeure d'Agathon [45], je trouvai **[174e]** la porte
ouverte ; et là je me retrouvai dans une situation
quelque peu ridicule. En effet, un des serviteurs qui
se trouvait à l'intérieur vint aussitôt me chercher pour
me conduire dans la salle où les autres convives étaient
étendus sur des lits, et je les trouvai sur le point de
souper. Et dès qu'Agathon m'aperçut, il m'interpella
en ces termes.

AGATHON

Aristodème, tu arrives à point pour souper avec
nous. Si tu es venu pour autre chose, remets cela à
plus tard. Car hier justement je t'ai cherché pour
t'inviter, sans parvenir à te trouver. Mais Socrate,
comment se fait-il que tu ne nous l'amènes pas [46] ?

ARISTODÈME

Je me retourne, racontait Aristodème, et je constate
qu'effectivement Socrate ne m'a pas suivi. J'expliquai
donc que c'est bien avec Socrate que j'étais venu, et
que c'était lui qui m'avait invité à venir souper.

AGATHON

Tu as bien fait, dit Agathon, mais lui, où est-il ?

ARISTODÈME

Il marchait derrière moi il y a un instant ; **[175a]** moi
aussi je me demande où il peut bien être.

AGATHON

Allons, mon garçon [47], dit Agathon, va voir où est Socrate et ramène-le. Toi, Aristodème, prends place sur ce lit près d'Éryximaque [48].

ESCLAVE

Et alors qu'un serviteur lui faisait des ablutions [49] pour lui permettre de s'étendre sur un lit, un autre arriva et annonça :

Votre Socrate s'est retiré sous le porche de la maison des voisins [50], et il s'y tient debout ; j'ai beau l'appeler, il ne veut pas venir [51].

AGATHON

Quel comportement étrange, s'écria Agathon. Va lui dire de venir, et ne le lâche pas d'une semelle **[175b]**.

ARISTODÈME

N'en faites rien, répliquai-je, laissez-le plutôt. C'est une habitude qu'il a. Parfois, il se met à l'écart n'importe où, et il reste là debout. Il viendra tout à l'heure, je pense. Ne le dérangez pas, laissez-le en paix.

AGATHON

Eh bien, soit, laissons-le, si tel est ton avis, reprit Agathon. Mais à nous autres, il faut, garçons, nous apporter à manger. Vous servez toujours ce qu'il vous plaît, s'il arrive qu'il n'y ait personne pour vous surveiller, ce que personnellement je n'ai jamais fait. Aujourd'hui donc, faites comme si c'était vous qui nous aviez invités à souper moi-même **[175c]** et les autres convives, et traitez-nous de façon à mériter nos éloges [52].

ARISTODÈME

Là-dessus, racontait-il, nous nous mettons à souper, mais Socrate n'arrivait pas. Aussi Agathon demanda-

t-il à maintes reprises qu'on allât le chercher, mais je
m'interposais. Enfin, Socrate arriva sans s'être attardé
aussi longtemps qu'à l'ordinaire ; en fait, les convives
en étaient à peu près au milieu de leur souper.

AGATHON

Alors Agathon, qui était seul sur le dernier lit,
s'écria :
   Viens ici Socrate t'installer près de moi, pour que,
à ton contact [53] **[175d]**, je profite moi aussi du savoir
qui t'est venu alors que tu te trouvais dans le vesti-
bule [54]. Car il est évident que tu l'as trouvé et que tu
le tiens ce savoir ; en effet, tu ne serais pas venu avant.

SOCRATE

Socrate s'assit [55] et répondit :
   Ce serait une aubaine, Agathon, si le savoir était de
nature à couler du plus plein vers le plus vide, pour
peu que nous nous touchions les uns les autres,
comme c'est le cas de l'eau qui, par l'intermédiaire
d'un brin de laine, coule de la coupe [56] la plus pleine
vers la plus vide. S'il en va ainsi du savoir aussi,
j'apprécie beaucoup d'être installé **[175e]** sur ce lit à tes
côtés, car de toi, j'imagine, un savoir important et
magnifique coulera pour venir me remplir. Le savoir
qui est le mien doit être peu de chose voire quelque
chose d'aussi illusoire qu'un rêve, comparé au tien qui
est brillant et qui a un grand avenir, ce savoir qui, chez
toi, a brillé avec un tel éclat dans ta jeunesse [57] et qui,
hier, s'est manifesté en présence de plus de trente mille
Grecs [58].

AGATHON

   Tu es un insolent, Socrate, répliqua Agathon. Toi
et moi, nous ferons valoir nos droits au savoir un peu
plus tard, en prenant Dionysos pour juge [59]. Mais,
pour l'instant, occupe-toi de souper.

ARISTODÈME

[176a] Là-dessus, racontait Aristodème, Socrate s'allongea sur le lit et, lorsqu'ils eurent fini de souper, lui et les autres, on fit des libations [60], on chanta en l'honneur du dieu [61] et, après avoir fait ce qu'on a coutume de faire [62], on se préoccupa de boire [63].

PAUSANIAS

Or, racontait Aristodème, ce fut Pausanias [64] qui le premier prit la parole, et qui tint à peu près ce discours :

Eh bien, mes amis, comment allons-nous faire pour boire sans avoir trop de problèmes ? En ce qui me concerne, je dois vous avouer que je ne me sens pas très bien après ce que j'ai bu hier, et que j'ai besoin d'un répit ; du reste, j'imagine que vous êtes, la plupart d'entre vous, dans le même cas, car vous étiez là **[176b]** hier. Voyez donc de quelle façon nous pourrions boire sans avoir trop de problèmes.

ARISTOPHANE

C'est alors qu'Aristophane intervint :

Bravo, Pausanias, tu as raison de vouloir prendre toutes les dispositions qui nous évitent d'avoir des problèmes en buvant. Car moi aussi je suis de ceux qui « se sont soûlés la gueule [65] » hier.

ÉRYXIMAQUE

Sur ce, racontait Aristodème, Éryximaque [66], le fils d'Acoumène [67], intervint :

Vous avez raison, dit-il. Il en est encore un que j'aimerais entendre. Comment te sens-tu Agathon ? As-tu encore la force de boire ?

AGATHON

Moi non plus, je ne me sens absolument pas de force à boire.

Éryximaque

Quelle chance [68], me semble-t-il, reprit Éryximaque, ce serait pour nous **[176c]**, c'est-à-dire pour moi, pour Aristodème, pour Phèdre [69] et pour les autres qui sont ici, que vous [70], ceux qui, pour ce qui est de boire, avez le plus de capacité, ayez maintenant renoncé à le faire, car nous autres nous ne sommes jamais de taille. Pour ce qui est de Socrate, je fais une exception [71]. Il peut en effet faire les deux choses : boire ou ne pas boire, si bien que, quel que soit le parti que nous prendrons, il s'en accommodera. Étant donné qu'aucun de ceux qui sont ici ne me paraît disposé à boire beaucoup de vin, peut-être arriverais-je à vous paraître moins agaçant, en vous disant la vérité sur l'ivresse. Pour moi, assurément, **[176d]** s'il est quelque chose que la médecine a fait apparaître clairement, c'est que l'ivresse est dommageable pour l'homme. Aussi me garderais-je de souhaiter boire de mon plein gré [72] outre mesure et de conseiller à quelqu'un d'autre de le faire, surtout s'il a la tête encore lourde de la veille [73].

Phèdre

Quant à moi, interrompit Phèdre de Myrrhinonte [74], j'ai assurément l'habitude de suivre tes conseils surtout en matière de médecine [75] ; mais aujourd'hui, les autres aussi le feront, s'ils sont prêts à suivre un bon conseil.

Aristodème

Ces paroles furent entendues, et tout le monde **[176e]** convint qu'il ne fallait pas consacrer cette réunion à s'enivrer ; on ne boirait que pour le plaisir [76].

Éryximaque

Eh bien, reprit Éryximaque, puisqu'il est admis que chacun boira la quantité de vin qu'il lui plaira, sans rien d'imposé, j'introduis une nouvelle proposition [77] : c'est de dire « au revoir » à la joueuse d'*aulós* [78] qui

vient d'entrer dans cette pièce. Qu'elle joue de l'*aulós*
pour elle-même ou, si elle le souhaite, pour les femmes
de la maison [79]. Nous autres, nous emploierons le
temps que durera la réunion d'aujourd'hui à prononcer des discours. Et pour savoir sur quel sujet porte-
ront ces discours, je puis, si vous le souhaitez, vous
faire une proposition **[177a]**.

ARISTODÈME

Tous déclarèrent qu'ils étaient d'accord, raconta Aristodème, et ils l'invitèrent à faire sa proposition. Éryximaque reprit donc :

ÉRYXIMAQUE

J'emprunte les premiers mots de ce que j'ai à dire à
la *Mélanippe* d'Euripide [80]. « Non, il n'est pas de moi
le discours que je vais tenir [81] », mais de Phèdre ici
présent. En effet, Phèdre ne manque pas une occasion
de me dire avec indignation : « Éryximaque, n'est-il
pas intolérable que pour d'autres dieux les poètes aient
composé des hymnes et des péans [82], alors que, en
l'honneur d'Éros, qui est un dieu si ancien [83] et si
grand, jamais un seul poète, parmi un si grand
nombre, **[177b]** n'a composé le moindre éloge [84].
Tourne par ailleurs tes regards, si tu le préfères, vers
les sophistes qui comptent. Ils écrivent en prose [85] des
éloges en l'honneur d'Héraclès et d'autres dieux ; c'est
le cas de l'excellent Prodicos [86]. Et ceci encore n'est
pas trop extraordinaire. Ne suis-je pas déjà tombé sur
un texte écrit par un savant homme où il était question
du sel [87], dont on faisait un extraordinaire éloge pour
son utilité. Bien d'autres réalités du même ordre ont
fait l'objet d'un éloge. **[177c]** On s'est donc donné
beaucoup de peine pour célébrer des réalités de ce
genre, mais, jusqu'à ce jour il ne s'est trouvé aucun
être humain pour oser consacrer à l'amour l'hymne
qu'il mérite. Voilà comment on néglige un dieu aussi
important. » Je crois que Phèdre a bien raison de parler
ainsi.

Pour ma part, je désire donc faire plaisir à Phèdre en lui apportant ma contribution [88] ; et il me semble que, par la même occasion, nous qui sommes ici devons en profiter pour célébrer la divinité. Si donc vous aussi vous partagez cet avis, **[177d]** nous aurons de quoi nous tenir occupés en prononçant des discours. J'estime en effet que chacun d'entre nous, en allant de la gauche vers la droite [89], devrait prononcer un discours, qui soit un éloge à l'amour [90], le plus beau possible. C'est Phèdre qui parlera le premier, puisqu'il occupe la première place et qu'il est le père de ce discours [91].

SOCRATE

Personne, mon cher Éryximaque, reprit Socrate, ne votera contre ta proposition [92], car, je le suppose, elle ne rencontrera d'opposition ni chez moi, qui déclare ne rien savoir sauf sur les sujets qui relèvent d'Éros [93], ni chez Agathon ni chez Pausanias [94] **[177e]**, ni assurément chez Aristophane qui passe tout son temps à s'occuper de Dionysos et d'Aphrodite [95], ni chez aucun des autres que je vois ici. Il n'en reste pas moins que la partie n'est pas égale pour nous qui occupons les dernières places. Mais si ceux qui se trouvent avant nous prononcent de beaux discours qui soient ceux qu'il faut, nous serons satisfaits [96]. Sur ce, bonne chance à Phèdre qui doit être le premier à faire l'éloge d'Éros.

APOLLODORE

Ces propos recueillirent donc l'assentiment de tous les autres, qui invitèrent Phèdre à faire ce que venait de dire **[178a]** Socrate. Il faut dire qu'Aristodème n'avait pas un souvenir exact de ce que chacun avait dit, et moi non plus je ne me souviens pas de tout ce qu'il a raconté. Mais le plus important, ce qui m'a semblé le plus digne d'être rappelé, je vais vous le dire en rapportant le discours que chacun a prononcé [97].

Comme je viens de le dire [98], c'est bien Phèdre qui
prononça le premier discours en commençant à peu
près comme ceci [99].

PHÈDRE

Éros est un dieu important et qui mérite l'admiration chez les dieux comme chez les hommes, pour de
multiples raisons, dont la moindre n'est pas son origine. Il est parmi les dieux **[178b]** l'un des plus anciens,
ce qui est un honneur [100], disait Phèdre. De cette
ancienneté, voici la preuve. Éros n'a ni père ni mère
et aucun auteur, qu'il soit poète ou prosateur [101], ne
lui en attribue. Effectivement, Hésiode dit que d'abord
il y eut Chaos.

> *Et puis ensuite la Terre au large sein, assise*
> *sûre offerte à jamais à tous, et Éros* [102].

Par ailleurs, Acousilaos [103], qui manifeste son accord
avec Hésiode [104], dit que, après le Chaos, sont nés ces
deux êtres, la Terre et Éros. Pour sa part, Parménide
parle en ces termes de son origine [105] :

> *Le tout premier des dieux auquel pensa*
> *la déesse fut Éros* [106] **[178c]**.

Ainsi plusieurs autorités s'accordent pour reconnaître qu'Éros est l'une des divinités les plus
anciennes.

Et, puisqu'il est le plus ancien, Éros est pour nous
la source des biens les plus grands. Pour ma part, en
effet, je suis incapable de nommer un bien qui sur-
passe celui d'avoir dès sa jeunesse un amant de valeur,
et pour un amant, d'avoir un aimé de valeur [107]. Car
le principe qui doit inspirer pendant toute leur vie les
hommes qui cherchent à vivre comme il faut, cela ne
peut être ni les relations de famille, ni les honneurs, ni
la richesse, ni rien d'autre qui les produise, **[178d]** mais
cela doit être au plus haut point l'amour [108].

Eh bien, ce principe directeur quel est-il, je le
demande ? La honte liée à l'action laide, et la

recherche de l'honneur liée à l'action belle [109]. Sans
cela, en effet, ni cité ni individu ne peuvent réaliser de
grandes et belles choses. Cela admis, je déclare pour
ma part que tout homme qui est amoureux, s'il est
surpris à commettre une action honteuse ou s'il subit
un traitement honteux sans, par lâcheté, réagir, souf-
frira moins d'avoir été vu par son père, par ses amis
ou par quelqu'un d'autre que **[178e]** par son amant. Et
il en va de même pour l'aimé : c'est devant ses amants
qu'il éprouve le plus de honte, quand il est surpris à
faire quelque chose de honteux. S'il pouvait y avoir
moyen de constituer une cité ou de former une armée
avec des amants et leurs aimés [110], il ne pourrait y avoir
pour eux de meilleure organisation, que le rejet de tout
ce qui est laid, et l'émulation dans la recherche de
l'honneur. Et si des hommes comme ceux-là combat-
taient **[179a]** coude à coude, si peu nombreux fussent-
ils, ils pourraient vaincre l'humanité en son entier pour
ainsi dire. Car, pour un amant, il serait plus intolérable
d'être vu par son aimé en train de quitter son rang ou
de jeter ses armes [111] que de l'être par le reste de la
troupe, et il préférerait mourir plusieurs fois plutôt que
de faire cela. Et quant à abandonner son aimé sur le
champ de bataille ou à ne pas lui porter secours quand
il est en danger, nul n'est lâche au point qu'Éros, lui-
même, ne parvienne pas à lui inspirer une divine vaillance au point de le rendre aussi vaillant que celui qui
l'est **[179b]** par nature. Il ne fait aucun doute que ce
que Homère a évoqué en parlant de « la fougue qu'insuffle à certains héros la divinité [112] », c'est ce qu'Éros
accorde aux amants, ce qui vient de lui.

Oui et mourir pour autrui, c'est en tout cas ce à
quoi seuls consentent ceux qui sont amoureux, et pas
seulement les hommes, mais aussi les femmes [113].

C'est ce dont la fille de Pélias, Alceste [114], fournit
aux Grecs une preuve évidente qui appuie ce que
j'avance, elle qui fut la seule à consentir à mourir à la
place de son époux, alors que celui-ci avait encore son
père et sa mère, **[179c]** qu'elle surpassa par l'attachement né de son amour [115] au point de faire apparaître

ces gens pour des étrangers à l'égard de leur fils et
sans autre lien avec lui que le nom. Et, lorsqu'elle eut
agi de la sorte, son geste parut tellement admirable
non seulement aux hommes, mais aussi aux dieux, que
ces derniers réagirent de la façon suivante. Alors
même que, parmi tant de personnages qui ont accompli tant d'actions admirables, il est facile de compter
le nombre [116] de ceux auxquels les dieux ont accordé
comme privilège de faire remonter leur âme de
l'Hadès, eh bien, son âme à elle, les dieux la firent
remonter de l'Hadès, parce que son acte les avait rem-
plis d'admiration. Tant il est vrai que les dieux **[179d]**
honorent au plus haut point le dévouement et la vertu
que suscite Éros.

En revanche, ils ont renvoyé de l'Hadès Orphée [117],
le fils d'Œagre [118], sans qu'il soit arrivé à ses fins, car
ils lui montrèrent un fantôme de la femme qu'il était
venu chercher, sans la lui rendre vraiment. En effet,
les dieux considéraient Orphée comme un efféminé,
étant donné qu'il chantait des poèmes en s'accompagnant d'une cithare [119] ; ils estimaient que, au lieu
d'avoir, sous l'impulsion d'Éros, le courage de mourir
comme Alceste, il avait eu recours à un artifice pour
pénétrer vivant chez Hadès. C'est certainement pour
cette raison qu'ils lui infligèrent un châtiment, en faisant que sa mort fût l'œuvre des **[179e]** femmes [120].
Ils n'ont pas agi de même avec Achille, le fils de
Thétis, qu'ils ont honoré et qu'ils ont envoyé aux Îles
des bienheureux [121] pour la raison suivante : prévenu
par sa mère qu'il trouverait la mort s'il tuait Hector,
tandis que, s'il ne le tuait pas, il reviendrait au pays et
finirait ses jours âgé, il eut l'audace de choisir de faire
quelque chose pour Patrocle son amant et de le venger, **[180a]** non seulement en mourant pour lui, mais
aussi en le suivant par sa mort dans le trépas [122]. Voilà
pourquoi les dieux, pleins d'admiration, lui ont
accordé des honneurs exceptionnels, pour avoir ainsi
mis si haut son amant [123]. Eschyle raconte des
bêtises [124], quand il prétend qu'Achille était l'amant de
Patrocle. Achille surpassait en beauté non seulement

Patrocle, mais aussi tous les autres héros pris
ensemble. Il n'avait pas encore de barbe au men-
ton [125] ; et par conséquent il était le plus jeune, comme
le dit Homère [126].

En fait, s'il est vrai que les dieux honorent au plus
haut **[180b]** point la valeur qu'Éros inspire, ils
admirent, estiment et récompensent encore plus le
sentiment de l'aimé pour l'amant [127] que celui de
l'amant pour l'aimé, car l'amant est chose plus divine
que l'aimé, puisqu'un dieu l'inspire [128]. Voilà bien
pourquoi les dieux ont accordé plus d'honneur à
Achille qu'à Alceste, en l'envoyant aux Îles des bienheureux.

Ainsi donc, j'en conclus pour ma part qu'Éros est
le dieu le plus ancien, le plus vénérable, et qui a le plus
d'autorité s'agissant de l'acquisition de la vertu et du
bonheur [129] pour les êtres humains, aussi bien lorsqu'ils sont vivants qu'après leur mort.

ARISTODÈME

[180c] Tel fut à peu près le discours de Phèdre, dit
Aristodème.
Après Phèdre, d'autres prirent la parole dont il n'avait
pas gardé un souvenir précis. Il les laissa de côté, et
rapporta le discours de Pausanias qui s'était exprimé
ainsi.

PAUSANIAS

Je pense, Phèdre, que le thème que nous avons
retenu pour le discours est mal formulé : il a été pres-
crit tout simplement de faire l'éloge d'Éros. S'il n'y
avait qu'un seul Éros, cela irait bien, mais en fait il n'y
a pas un seul Éros. Et, comme il n'y a pas un seul
Éros, il convient d'indiquer au préalable **[180d]** lequel
doit être l'objet de l'éloge. Pour ma part, je vais donc
essayer d'opérer cette rectification. Dans un premier
temps, je vais indiquer de quel Éros on doit faire
l'éloge, puis je vais prononcer un éloge qui soit digne
de ce dieu.

Tout le monde sait bien qu'il n'y a pas d'Aphrodite sans Éros. Si donc il n'y avait qu'une seule Aphrodite, il n'y aurait qu'un seul Éros ; mais, puisqu'il y a bien deux Aphrodites, il s'ensuit nécessairement qu'il y a aussi deux Éros. Comment nier qu'il y ait deux Aphrodites ? L'une, qui est sans doute la plus ancienne et qui n'a pas de mère, c'est la fille d'Ouranos [130], celle que naturellement nous appelons la « Céleste ». L'autre, la plus jeune, qui est la fille de Zeus et de Dionè [131], c'est celle que nous appelons **[180e]** la « Vulgaire ». Tout naturellement, la correction impose que l'Éros qui coopère avec l'une soit appelé le « Vulgaire » et que celui qui coopère avec l'autre soit appelé le « Céleste » [132]. S'il faut certes faire l'éloge de toutes ces divinités, il n'en reste pas moins que l'on doit s'efforcer de déterminer quel lot est échu [133] à chacune des deux. Il en va en effet de toute action comme je vais le dire. Prise en elle-même, **[181a]** une action n'est ni belle ni honteuse [134]. Par exemple, ce que, pour l'heure, nous sommes en train de faire, boire, chanter, converser, rien de tout cela n'est en soi une action belle ; mais c'est dans la façon d'accomplir cette action que réside telle ou telle qualification. Lorsqu'elle est accomplie avec beauté et dans la rectitude, une action devient belle, et lorsque la même action est accomplie sans rectitude, elle devient honteuse. Et il en va de même à la fois pour l'amour et pour Éros [135] ; Éros n'est pas indistinctement beau et digne d'éloge, seul l'est l'Éros qui incite à l'amour qui est beau.

Cela dit, l'Éros qui relève de l'Aphrodite vulgaire est véritablement vulgaire **[181b]**, en ceci qu'il opère à l'aventure ; c'est ainsi qu'aiment les gens de peu [136]. L'amour de ces gens-là présente deux caractéristiques : premièrement il ne va pas moins aux femmes qu'aux garçons, pas moins aux corps qu'aux âmes ; et deuxièmement il recherche les partenaires les moins bien pourvus d'intelligence qu'il soit possible de trouver, car il n'a d'autre but que de parvenir à ses fins, sans se soucier de savoir si c'est de belle façon ou non. De là vient évidemment qu'il fait l'amour au hasard, sans se demander si son action est bonne ou si c'est le contraire. Cet Éros-là en effet se rattache à la déesse **[181c]** qui, des deux, est de beaucoup la plus jeune, et qui par son origine participe à la fois de la femelle et du mâle [137].

L'autre Éros, lui, se rattache à l'Aphrodite céleste. Celle-ci, premier point, participe non pas de la femelle, mais seulement du mâle [138], ce qui fait qu'elle s'adresse aux garçons [139] ; second point, elle est la plus ancienne des deux, ce qui fait que l'insolence [140] n'est pas son lot. De là vient que se tournent vers le sexe mâle ceux qu'un tel Éros inspire, chérissant [141] le sexe qui a naturellement le plus de vigueur et le plus d'intelligence. J'ajoute que, dans leur façon même d'aimer les jeunes garçons [142], il est possible de reconnaître ceux qui sans mélange sont **[181d]** mus par cet Éros-là, car pour aimer les jeunes garçons ils attendent que ces derniers aient déjà fait preuve d'intelligence [143] ; or cela arrive vers le temps où la barbe pousse. Ils sont prêts en effet, je pense, lorsqu'ils commencent à les aimer à cet âge, à rester avec eux toute la vie et à partager leur existence, au lieu d'abuser de celui qu'on aura pris jeune dans sa naïveté, et de se moquer de lui en allant courir après un autre [144]. Il faudrait même établir une règle [145] qui interdise d'aimer les jeunes garçons ; ainsi éviterait-on de se donner tant de peine **[181e]** pour une issue incertaine. Car, avec les jeunes garçons, on ne peut prévoir ce qu'ils deviendront pour ce qui est du vice et de la vertu, aussi bien sur le plan de l'âme que sur celui du corps. Sans doute, les hommes de bien s'astreignent-ils d'eux-mêmes de plein gré à cette règle, mais il faudrait que ceux que nous qualifions d'amants « vulgaires » soient eux aussi assujettis à une règle de ce genre, et qui soit semblable à celle par laquelle nous les contraignons, dans la mesure du possible, à s'abstenir de rechercher l'amour avec des femmes de condition libre [146]. **[182a]** En fait, ce sont eux qui sont responsables de ce discrédit qui va jusqu'à donner à certains l'audace de dire qu'il est honteux de céder aux avances d'un amant. Mais si l'on dit cela, c'est que portant ses regards sur ces gens, on observe leur conduite intempestive [147] et leur malhonnêteté, car de toute évidence aucun acte ne mérite d'être blâmé quand sont respectées la convenance et la règle.

Il est naturel que la règle de conduite en ce qui concerne l'amour soit facile à saisir dans certaines cités, car elle y est définie simplement, alors que chez nous [148] **[182b]** elle est compliquée.

En Élide et chez les Béotiens [149], de même qu'à Sparte [150], et là où il n'y a pas de sophistes [151], la règle est simple : il est bien de céder aux avances d'un amant, et personne, jeune ou vieux, ne dirait que c'est honteux, pour n'avoir pas, j'imagine, à se donner la peine de se lancer, eux qui sont inhabiles à discourir, dans un discours pour tenter de convaincre les jeunes gens. En Ionie [152], en revanche, et en bien d'autres endroits qui tous sont sous la domination des Barbares [153], la règle veut que ce soit honteux. C'est que chez les Barbares l'exercice du pouvoir tyrannique conduit à faire de cela en tout cas quelque chose de honteux [154], tout comme l'est la passion pour le savoir et **[182c]** pour l'exercice physique. En effet, ceux qui détiennent le pouvoir ne tirent aucun avantage, j'imagine, du fait que naissent chez leurs sujets de hautes pensées [155], ou même de solides amitiés et de fortes solidarités, ce que justement l'amour, plus que toute autre chose, se plaît à réaliser. Les tyrans de chez nous en ont aussi fait l'expérience. En effet, l'amour d'Aristogiton et l'affection d'Harmodios [156], sentiments solides, brisèrent le pouvoir de ces tyrans [157]. Ainsi là où la règle veut qu'il soit honteux de céder aux avances d'un amant, cette règle [158] vient de la dépravation de ceux qui l'ont instituée, qu'il s'agisse du désir de domination chez les dirigeants **[182d]** et de la lâcheté chez leurs sujets. Là en revanche où la règle a été posée de façon absolue que c'est beau, cette règle s'explique par la paresse d'esprit de ceux qui l'ont instituée.

Or chez nous la règle établie est beaucoup plus belle et, comme je l'ai dit [159], elle n'est pas facile à comprendre pour celui qui, en effet, prend en considération [160] les trois points suivants. Premièrement, il est plus convenable, dit-on, d'aimer ouvertement que d'aimer en cachette ; et il est au plus haut point convenable d'aimer les jeunes gens de meilleure famille et de plus haut mérite, fussent-ils moins beaux que d'autres. Deuxièmement, celui qui est amoureux reçoit de tous de chaleureux encouragements, comme s'il ne commettait aucun acte honteux : a-t-il fait une conquête, **[182e]** on juge que c'est pour lui une belle chose, et s'il y échoue, on estime que c'est là quelque chose de honteux. Troisièmement, la règle donne toute liberté d'entreprendre une conquête, puisqu'elle approuve un amant qui adopte des conduites extravagantes, qui exposeraient aux blâmes les plus sévères quiconque oserait se conduire de la sorte en poursuivant une autre fin et en cherchant à l'atteindre [161]. **[183a]** Supposons en effet que ce soit parce qu'il souhaite obtenir de l'argent de quelqu'un ou exercer une magistrature ou parce qu'il souhaite exercer une autre fonction qu'il consente à faire ce que précisément font les amants pour séduire leurs aimés, c'est-à-dire accompagner sa requête de supplications et d'embrassements, prononcer des serments, aller coucher sur le pas de leur porte [162], admettre une forme d'esclavage que n'accepterait aucun esclave, il en serait empêché aussi bien par ses amis que **[183b]** par ses ennemis ; les uns lui adresseraient des blâmes pour s'être livré aux flatteries et aux bassesses, alors que les autres tenteraient de le raisonner et de lui faire honte. En revanche, quand les mêmes conduites sont dans leur ensemble le fait de celui qui est amoureux, on lui en sait gré, et notre règle lui permet de se conduire de la sorte sans encourir le blâme, comme s'il accomplissait là quelque chose de tout à fait admirable. Et le plus étonnant [163], c'est en vérité que la plupart des gens admettent ceci : quand il fait un serment, l'amoureux est le seul à qui les dieux pardonnent de transgresser

son serment ; en effet, on dit qu'un serment d'amour
n'est pas un vrai serment [164]. Ainsi les dieux et les
hommes **[183c]** donnent-ils à l'amoureux une liberté
totale, comme le proclame la règle chez nous.

Ce qui vient d'être dit pourrait donner à penser que,
dans notre cité, la règle veut que l'amour et l'affection [165] qui récompensent les amants soient quelque
chose de tout à fait convenable [166]. Pourtant, quand
les pères imposent comme consigne aux péda-
gogues [167] d'empêcher les aimés de discuter avec leurs
amants – et telle est bien la consigne que reçoit le
pédagogue –, quand leurs camarades, des jeunes gens
du même âge, font aux aimés des reproches lorsqu'ils
voient se produire quelque chose du genre ; quand, de
leur côté, les jeunes gens plus âgés **[183d]** ne manifestent pas leur opposition à ces reproches et ne les blâ-
ment même pas en les considérant comme déplacés,
bref quand on prend en considération à leur tour tous
ces points, on peut croire que dans notre cité la règle
veut au contraire que cette sorte de conduite soit tenue
pour infamante.

Or voici, je crois, ce qu'il en est. Comme je l'ai dit
en commençant, la chose est loin d'être simple [168]. En
elle-même en effet, elle n'est ni belle ni honteuse, mais
elle est belle si on se conduit comme il faut, et honteuse si on se conduit de façon honteuse [169]. Or se
conduire de façon honteuse, c'est céder sans gloire à
quelqu'un qui n'en vaut pas la peine, alors que se bien
conduire, c'est céder de belle façon à quelqu'un qui le
mérite [170]. Et celui qui n'en vaut pas la peine, **[183e]**
c'est l'amant « vulgaire », celui qui aime le corps plutôt
que l'âme. En effet, cet amant-là n'a pas de constance,
puisque l'objet même de son amour n'a pas de
constance [171] ; oui, sitôt que se fane la fleur du corps
que précisément cet amant-là aimait, « il s'envole et
disparaît [172] », et il trahit sans vergogne tant de beaux
discours et de promesses. En revanche, celui qui aime
un caractère qui en vaut la peine reste un amant toute
sa vie, car il s'est fondu [173] avec quelque chose de
constant. La règle chez nous entend **[184a]** soumettre

les amants à une épreuve sérieuse [174] et honnête pour que l'aimé sache à qui céder et qui fuir. Pour cette raison, la règle qui est la nôtre encourage les uns à poursuivre et les autres à fuir en instaurant une compétition qui permette de reconnaître à quelle espèce appartiennent et l'amant et l'aimé. Voilà bien pourquoi on estime d'abord qu'il est honteux d'être vite conquis ; on veut que du temps passe, ce qui effectivement, dans la plupart des cas, paraît constituer un excellent révélateur. On estime ensuite qu'il est honteux de se laisser conquérir par l'appât de l'argent et du pouvoir politique, **[184b]** soit qu'on tremble devant les représailles et qu'on ne puisse y résister, soit qu'on ne dédaigne pas les avantages de la fortune ou le succès politique [175]. En effet, rien de tout cela ne paraît stable et solide, sans compter qu'il ne peut en sortir un noble sentiment.

Dès lors, il ne reste donc, selon notre règle, qu'une seule voie, qui permette à l'aimé de céder de belle façon aux avances de son amant. Chez nous en effet la règle est la suivante : de même, on vient de le dire, que les amants peuvent être les esclaves consentants de l'aimé, sous quelque forme que ce soit, **[184c]** sans tomber dans la flatterie ni donner prise à la réprobation, de même aussi il n'existe qu'une seule autre forme d'esclavage volontaire qui échappe au blâme ; celle qui a la vertu pour objet. En effet, chez nous, la règle est la suivante : si l'on accepte d'être au service de quelqu'un en pensant que par son intermédiaire on deviendra meilleur dans une forme de savoir quelconque ou dans un autre domaine de l'excellence, quel que soit ce domaine, cet esclavage accepté n'a rien de honteux et ne relève pas de la flatterie. Il faut dès lors réunir en une seule ces deux règles, celle qui concerne l'amour des jeunes garçons [176] **[184d]** et celle qui concerne l'aspiration au savoir et à toute autre vertu, s'il doit résulter un bien du fait que l'aimé cède à l'amant. Quand en effet l'amant et l'aimé tendent vers le même but, l'un et l'autre suivant une règle, le premier de rendre à l'aimé qui lui a cédé tous les ser-

vices compatibles avec la justice, le second d'accorder
à celui qui cherche à le rendre bon et sage toutes les
formes d'assistance compatibles avec la justice, l'un
pouvant contribuer à faire avancer sur le chemin de
l'intelligence et de la vertu, et l'autre ayant besoin
[184e] de gagner en éducation et en savoir, dans ce cas
seulement, lorsque les règles convergent vers un même
but, cette coïncidence fait qu'il est beau pour l'aimé
d'accorder ses faveurs à l'amant ; autrement, ce ne
l'est pas. À cette condition, il n'y a rien de déshonorant
à être la victime d'une tromperie ; en revanche, dans
tous les autres cas de figure, dupe ou non, on encourt
le déshonneur. Si **[185a]** en effet quelqu'un qui a cédé
à un amant riche pour obtenir de l'argent est victime
d'une tromperie et n'obtient pas d'argent, parce que
l'amant en question se révèle être pauvre, l'affaire n'en
reste pas moins honteuse. De toute évidence, un tel
homme fait montre de son véritable caractère ; pour
de l'argent, il est prêt à se mettre de toutes les manières
au service de n'importe qui, et cela n'est pas beau. En
vertu du même raisonnement, si l'on cède à quelqu'un
en croyant qu'il est plein de qualités et que l'on
deviendra meilleur en obtenant l'affection d'un tel
amant et que, dupé, on découvre qu'il est mauvais
[185b] et qu'il ne possède pas la vertu, il n'en reste pas
moins que la duperie est une belle duperie. De toute
évidence en effet, cet aimé-là lui aussi a manifesté le
fond de sa nature ; à savoir que la vertu et le progrès
moral sont l'objet en tout et pour tout de son effort
passionné ; et rien n'est plus beau. Ainsi donc il est
beau en toutes circonstances de céder pour atteindre à
la vertu. Cet Éros relève de l'Aphrodite céleste et lui-
même il est céleste, et sa valeur est grande aussi bien
pour la cité que pour les particuliers, car il oblige
l'amant **[185c]** en question et son aimé à prendre eux-
mêmes soin d'eux-mêmes pour devenir vertueux.
Tous les autres amours relèvent de l'autre Aphrodite,
la Vulgaire.

Voilà, mon cher Phèdre, ma contribution impro-
visée sur Éros.

APOLLODORE

Après la pause de Pausanias – je dois ce genre de symétrie et d'assonance à l'enseignement des sophistes [177] –, c'était, racontait Aristodème, au tour d'Aristophane [178] de prononcer un discours. Mais le hasard voulut que, soit parce qu'il avait trop mangé soit pour une autre raison, un hoquet le prît et qu'il ne fût pas capable de parler. Ce qui ne l'empêcha pas de s'adresser à Éryximaque qui occupait la place au-dessous de lui [179] **[185d]**.

ARISTOPHANE

Tu ferais bien, Éryximaque, soit de m'aider à arrêter mon hoquet [180] soit de parler à ma place, avant que je n'aie moi-même réussi à l'arrêter.

ÉRYXIMAQUE

Eh bien, répondit Éryximaque, je vais faire les deux choses. Je vais, moi, parler à ta place et toi tu parleras à la mienne quand ton hoquet aura cessé. Pendant que je parlerai, si tu arrives à retenir ton souffle assez longtemps, le hoquet s'arrêtera. Si tu n'obtiens pas de résultat, gargarise-toi avec de l'eau. Et si ton hoquet **[185e]** persiste toujours, prends quelque chose pour te gratter le nez et éternue. Quand tu auras fait cela une ou deux fois, si tenace que puisse être ton hoquet, il s'arrêtera.

ARISTOPHANE

Dépêche-toi de parler, répondit Aristophane, et moi je vais faire ce que tu dis.

ÉRYXIMAQUE

Alors Éryximaque prit la parole.

À mon avis, nécessité m'est faite, puisque Pausanias, après avoir bien **[186a]** commencé son discours, ne l'a pas mené comme il le faut à son terme, de tenter de donner un terme à ce discours [181]. C'est fort bien à mon avis d'avoir distingué deux Éros ; mais cette distinction ne concerne pas seulement les âmes des êtres humains qui recherchent de beaux êtres humains [182] ; elle se retrouve aussi dans les autres choses qui recherchent toute sorte d'autres choses, que ce soit dans le corps des vivants dans leur ensemble, dans les plantes qui poussent dans la terre et pour ainsi dire en toutes choses. La médecine, notre art, nous permet, me semble-t-il, de constater à quel point il est grand et étonnant ce dieu **[186b]** et comment il étend son pouvoir à toutes choses, aussi bien aux choses humaines qu'aux choses divines.

C'est par la médecine que je commencerai mon discours, de façon à donner à cet art la place d'honneur. En effet, la nature des corps comporte le double Éros [183] que je viens d'évoquer. Car, dans le corps, ce qui est sain et ce qui est malade, c'est, tout le monde l'admet, quelque chose de différent et de dissemblable. Or le dissemblable recherche et aime le dissemblable [184]. Ainsi donc, l'amour inhérent à la partie saine est différent de l'amour inhérent à la partie malade. Dès lors, de même qu'il est beau – Pausanias le disait à l'instant [185] – **[186c]** d'accorder ses faveurs aux êtres humains [186] qui le méritent, et honteux d'accorder ses faveurs aux débauchés [187], de même, quand il s'agit des corps eux-mêmes, favoriser ce qu'il y a de bon et de sain dans chaque corps est beau et c'est ce qu'il faut faire, et c'est cela que l'on appelle médecine, tandis que cela est honteux pour ce qui est mauvais et malsain et qu'il faut défavoriser, si l'on veut suivre les règles de l'art [188]. Car, pour le dire en un mot, la médecine est la science des opérations de remplissage et d'évacuation du corps que provoque Éros ; et celui qui sait distinguer dans ces cas quel est le bon Éros et quel est le mauvais, **[186d]** celui-là est le médecin le plus accompli. De même, celui qui sait opérer les changements qui permettent d'acquérir un Éros à la place de l'autre, qui donc sait comment faire naître Éros dans les corps où il ne se trouve pas, alors qu'il devrait s'y trouver, et qui dans le cas contraire sait comment l'en faire partir quand il s'y trouve, celui-là est sans doute un bon praticien [189]. Il doit bien sûr être en mesure de faire apparaître l'affection et l'amour mutuels [190] entre les choses qui dans le corps sont le plus en conflit. Or les choses qui sont le plus en conflit, ce sont celles qui sont au plus haut point des opposés : le froid et le chaud, le piquant et le doux, le sec et l'humide et toutes choses analogues. C'est parce qu'il a su établir entre ces choses **[186e]** amour et concorde que notre ancêtre, Asclépios, a fondé notre art [191], comme vous le rapportez, vous les poètes [192], et comme j'en suis persuadé, moi.

La médecine est donc, comme je viens de le dire, tout entière gouvernée par ce dieu, et il en va de même pour la gymnastique [193] et pour l'agriculture [194] **[187a]**.

La musique [195] est dans le même cas, la chose est claire pour quiconque y consacre un minimum de réflexion. C'est sans doute aussi ce que veut dire Héraclite, même si son expression n'est pas celle qui convient. « L'unité, dit-il en effet, se constitue en s'opposant elle-même à elle-même, comme c'est le cas pour l'accord [196] de l'arc et celui de la lyre [197]. » Or il n'est vraiment pas raisonnable de dire que l'accord consiste en une opposition ou qu'elle résulte d'une opposition qui continue de subsister. En fait, Héraclite voulait sans doute dire la chose suivante : à partir d'une opposition antérieure **[187b]** entre l'aigu et le grave, un accord se réalise ultérieurement grâce à l'art musical. Car, si effectivement l'aigu et le grave continuaient de s'opposer, il ne pourrait y avoir accord. L'accord est consonance, et une consonance est une sorte de conciliation. Or, la conciliation de ce qui s'oppose est impossible tant que l'opposition subsiste ; par ailleurs, on ne peut réaliser un accord avec ce qui s'oppose et qui refuse toute conciliation. Oui, et il en va de même pour le rythme qui naît du rapide et du lent, **[187c]** lesquels, d'abord opposés, s'accordent par la suite. Et de même que tout à l'heure c'était la médecine, c'est à présent la musique qui introduit l'accord entre tous ces termes en produisant l'amour mutuel et la concorde. Autrement dit, la musique est elle aussi, dans l'ordre de l'harmonie et du rythme, une science des phénomènes qui ressortissent à l'amour [198].

Il n'en reste pas moins que, même si, dans la constitution d'un accord et d'un rythme, on arrive sans aucune difficulté à discerner l'intervention de l'amour, le double Éros, lui, n'y intervient pas encore [199]. Mais, quand il faut, à l'usage des hommes **[187d]**, mettre en œuvre le rythme et l'harmonie soit en composant (ce que nous appelons composition lyrique) [200], soit en utilisant de façon correcte des chants et des poèmes déjà composés (ce que nous appelons éducation) [201], c'est alors que les choses deviennent difficiles et que nous avons besoin de quelqu'un qui sache bien son métier [202].

On voit en effet revenir ici le même argument [203] : s'il faut céder, ce doit être à des êtres humains dont les mœurs sont bien réglés [204] et dans le but de devenir meilleur si ce n'est pas encore le cas ; et c'est l'amour de ces hommes-là dont il faut assurer la sauvegarde, c'est-à-dire le bel Éros, l'Éros céleste, l'Éros de la Muse Ouranie [205]. L'autre est celui de la Muse **[187e]** Polymnie, l'Éros vulgaire qu'il faut offrir avec prudence à ceux à qui on l'offre, de manière à en cueillir le plaisir sans provoquer aucun dérèglement [206].

De même, dans notre art, c'est une affaire importante que de bien user des désirs relatifs à l'art culinaire, de manière à en cueillir le plaisir sans se rendre malade [207].

Ainsi donc en musique, en médecine et partout ailleurs, aussi bien dans les choses humaines que dans les choses divines, pour autant que cela est permis, il faut sauvegarder l'un et l'autre amour, **[188a]** puisqu'ils s'y trouvent tous les deux.

Étant donné que l'arrangement des saisons de l'année est aussi plein de ces deux Éros, chaque fois que les attributs dont je viens de parler – le chaud et le froid, le sec et l'humide – rencontrent dans leurs rapports mutuels l'Éros qui est bien réglé, chaque fois qu'ils s'accordent et qu'ils se mêlent [208] de façon raisonnable, ils viennent apporter l'abondance et la santé aux hommes, aux animaux et aux plantes ; ils ne leur causent aucun dommage. Mais, chaque fois que l'Éros qui s'accompagne de démesure [209] prévaut en ce qui concerne les saisons de l'année, **[188b]** il provoque de nombreuses destructions et de nombreux dommages [210]. En effet, les épidémies se plaisent à provenir de tels phénomènes, et il en va de même pour la masse disparate des maladies qui frappent les animaux et les plantes : gelée, grêle, nielle du blé, proviennent du déséquilibre et du dérèglement qui s'installent dans les relations mutuelles qu'entretiennent de tels phéno-mèmes qui relèvent d'Éros. Il est une science de ces phénomènes, qui s'intéresse aux mouvements des astres et des saisons de l'année ; elle a pour nom astro-nomie [211].

Il y a plus. Les sacrifices dans leur ensemble et ce qui ressortit à la divination – c'est-à-dire ce qui permet la communication entre les dieux **[188c]** et les hommes [212] – n'ont d'autre but que ceux-là : sauve-garder Éros et le guérir [213]. En effet, toute impiété se plaît à naître ainsi : au lieu de céder à l'Éros dont les mœurs sont bien réglées, de l'honorer et de le révérer en toute action, c'est à l'autre Éros que l'on cède dans les rapports que l'on entretient avec ses parents, vivants ou morts, et avec les dieux. D'où précisément la tâche qui a été prescrite à la divination : soumettre à un examen les Éros [214] et les soigner. Dès lors, la divination a pour métier d'établir un lien d'amour entre les dieux et les hommes, **[188d]** parce qu'elle sait quels sont chez les hommes tous les rapports amou-reux qui tendent à assurer l'observation des lois divines, c'est-à-dire la piété [215].

Telle est la multiple, l'immense ou plutôt l'univer-selle puissance que, considéré dans sa totalité, possède Éros dans toutes ses manifestations. Et celui qui tra-vaille, avec modération et avec justice, à réaliser des œuvres bonnes que ce soit chez nous ou chez les dieux, c'est lui qui détient la puissance la plus grande ; il nous procure toute espèce de bonheur et il nous rend capables d'avoir commerce et amitié les uns avec les autres et même avec ces êtres qui nous sont supérieurs, les dieux. **[188e]** Cela dit, dans mon éloge d'Éros je laisse sans doute beaucoup de choses de côté, mais ce n'est pas de mon gré. Au reste, si j'ai oublié quelque chose, c'est ton affaire, Aristophane, de combler la lacune. Ou bien, si tu as dans la tête de faire de ce dieu un autre type d'éloge, fais-le, puisque aussi bien ton hoquet a cessé.

APOLLODORE

[189a] Alors, racontait Aristodème, Aristophane prit à son tour la parole.

ARISTOPHANE

Le fait est que mon hoquet s'est bien arrêté, mais pas avant de lui avoir appliqué la contrainte de l'éternuement [216]. Belle occasion de m'émerveiller du fait que, pour recouvrer le bon ordre, le corps a besoin de bruits et de chatouillements, comme quand on éternue [217]. Toujours est-il que sur-le-champ mon hoquet s'est arrêté, alors que je l'y ai contraint en éternuant.

ÉRYXIMAQUE

Et Éryximaque de répliquer :
Attention à ce que tu fais, mon bon Aristophane. Tu cherches à faire rire au moment où tu vas parler, et tu me forces **[189b]** à rester sur mes gardes durant le discours que tu vas toi-même prononcer, de crainte que tu ne dises quelque chose qui fasse rire, alors qu'il est en ton pouvoir de discourir paisiblement.

ARISTOPHANE

Aristophane éclata de rire.
Tu as raison, Éryximaque, reprit-il, mettons que je n'aie rien dit. Mais ne monte pas la garde autour de moi. Dans les propos que je vais tenir, je crains de raconter non pas des choses qui fassent rire – car ce

serait un avantage et ma Muse y trouverait un terrain
de prédilection –, mais des choses ridicules [218].

ÉRYXIMAQUE

Alors, répliqua Éryximaque, tu t'imagines, Aristophane que, après avoir décoché ton trait d'esprit, tu
vas t'en tirer. Mais tu devrais plutôt faire attention et
parler comme quelqu'un **[189c]** qui va rendre des
comptes [219]. Mais peut-être t'en ferai-je grâce, si cela
me dit [220].

ARISTOPHANE

Il est exact, Éryximaque, reprit Aristophane, que j'ai
bien l'intention de parler autrement que vous l'avez
fait, toi et Pausanias. À mon avis en effet, les êtres
humains ne se rendent absolument pas compte du
pouvoir d'Éros, car s'ils avaient vraiment conscience
de l'importance de ce pouvoir, ils lui auraient élevé les
temples les plus imposants, dressé des autels, et offert
les sacrifices les plus somptueux ; ce ne serait pas
comme aujourd'hui où aucun de ces hommages ne lui
est rendu, alors que rien ne s'imposerait davantage.
Parmi les dieux en effet, **[189d]** nul n'est mieux disposé
à l'égard des humains [221] : il vient à leur secours, il est
leur médecin, les guérissant de maux dont la guérison
constitue le bonheur le plus grand pour le genre
humain. Je vais donc tenter de vous exposer quel est
son pouvoir, et vous en instruirez les autres [222].

Mais, d'abord, il vous faut apprendre ce qu'était la
nature de l'être humain et ce qui lui est arrivé [223]. Au
temps jadis, notre nature n'était pas la même qu'aujourd'hui, mais elle était d'un genre différent.

Oui, et premièrement, il y avait trois catégories
d'êtres humains et non pas deux comme maintenant,
à savoir le mâle et la femelle. Mais il en existait encore
une **[189e]** troisième qui participait des deux autres,
dont le nom subsiste aujourd'hui, mais qui, elle, a dis-
paru. En ce temps-là en effet il y avait l'androgyne,
un genre distinct qui, pour le nom comme pour la

forme, faisait la synthèse des deux autres, le mâle et la femelle. Aujourd'hui, cette catégorie n'existe plus, et il n'en reste qu'un nom tenu pour infamant [224].

Deuxièmement, la forme de chaque être humain était celle d'une boule, avec un dos et des flancs arrondis. Chacun avait quatre mains, un nombre de jambes égal à celui des mains, deux visages sur un cou rond avec, **[190a]** au-dessus de ces deux visages en tout point pareils et situés à l'opposé l'un de l'autre, une tête unique pourvue de quatre oreilles. En outre, chacun avait deux sexes et tout le reste à l'avenant, comme on peut se le représenter à partir de ce qui vient d'être dit. Ils se déplaçaient, en adoptant une station droite comme maintenant, dans la direction qu'ils désiraient [225] ; et, quand ils se mettaient à courir vite, ils faisaient comme les acrobates qui font la culbute en soulevant leurs jambes du sol pour opérer une révolution [226] avant de les ramener à la verticale ; comme à ce moment-là ils prenaient appui sur huit membres, ils avançaient vite en faisant la roue.

La raison qui explique pourquoi il y avait ces trois catégories et pourquoi elles **[190b]** étaient telles que je viens de le dire, c'est que, au point de départ, le mâle était un rejeton du soleil, la femelle un rejeton de la terre, et le genre qui participait de l'un et de l'autre un rejeton de la lune [227], car la lune participe des deux. Et si justement eux-mêmes et leur démarche avaient à voir avec le cercle, c'est qu'ils ressemblaient à leur parent.

Cela dit, leur vigueur et leur force étaient redoutables, et leur orgueil [228] était immense. Ils s'en prirent aux dieux, et ce que Homère raconte au sujet d'Éphialte et d'Otos, à savoir qu'ils entreprirent **[190c]** l'escalade du ciel dans l'intention de s'en prendre aux dieux, c'est à ces êtres qu'il convient de le rapporter [229].

C'est alors que Zeus et les autres divinités délibérèrent pour savoir ce qu'il fallait en faire ; et ils étaient bien embarrassés. Ils ne pouvaient en effet ni les faire périr et détruire leur race comme ils l'avaient fait pour

les Géants en les foudroyant [230] – car c'eût été la dis-
parition des honneurs et des offrandes qui leur
venaient des hommes [231] –, ni supporter plus longtemps leur impudence [232]. Après s'être fatigué à réfléchir, Zeus déclara : « Il me semble, dit-il, que je tiens
un moyen pour que, tout à la fois, les êtres humains
continuer d'exister et que, devenus plus faibles, ils
mettent un terme à leur conduite déplorable. En effet,
dit-il, je vais sur-le-champ les couper chacun en deux ;
en même temps **[190d]** qu'ils seront plus faibles, ils
nous rapporteront davantage, puisque leur nombre
sera plus grand. Et ils marcheront en position verticale
sur deux jambes ; mais, s'ils font encore preuve
d'impudence, et s'ils ne veulent pas rester tranquilles,
alors, poursuivit-il, je les couperai en deux encore une
fois, de sorte qu'ils déambuleront sur une seule jambe
à cloche-pied [233]. » Cela dit, il coupa les hommes en
deux **[190e]** [234], ou comme on coupe les œufs avec un
crin [235].

Quand il avait coupé un être humain, il demandait
à Apollon [236] de lui retourner du côté de la coupure le
visage et la moitié du cou, pour que, ayant cette coupure sous les yeux, cet être humain devînt plus
modeste ; il lui demandait aussi de soigner les autres
blessures. **[191a]** Apollon retournait le visage et, rame-
nant de toutes parts la peau sur ce qu'on appelle à
présent le ventre, procédant comme on le fait avec les
bourses à cordons, il l'attachait fortement au milieu du
ventre en ne laissant qu'une cavité, ce que précisément
on appelle le « nombril ». Puis il effaçait la plupart des
autres plis en les lissant et il façonnait la poitrine, en
utilisant un outil analogue à celui qu'utilisent les cordonniers pour lisser sur la forme les plis du cuir [237]. Il
laissa pourtant subsister quelques plis, ceux qui se
trouvent dans la région du ventre, c'est-à-dire du
nombril, comme un souvenir de ce qui était arrivé
dans l'ancien temps [238].

Quand donc l'être humain primitif eut été dédoublé
par cette coupure, chaque morceau, regrettant sa moitié, tentait de s'unir de nouveau à elle. Et, passant leurs

bras autour l'un de l'autre, ils s'enlaçaient mutuellement, parce qu'ils désiraient se confondre en un même
être, et ils finissaient par mourir de faim et **[191b]** de
l'inaction causée par leur refus de rien faire l'un sans
l'autre. Et, quand il arrivait que l'une des moitiés était
morte tandis que l'autre survivait, la moitié qui survivait cherchait une autre moitié, et elle s'enlaçait à
elle, qu'elle rencontrât la moitié d'une femme entière,
ladite moitié étant bien sûr ce que maintenant nous
appelons une « femme », ou qu'elle trouvât la moitié
d'un « homme ». Ainsi l'espèce s'éteignait.

Mais, pris de pitié, Zeus s'avise d'un autre expédient : il transporte les organes sexuels [239] sur le devant
du corps de ces êtres humains. Jusqu'alors en effet, ils
avaient ces organes eux aussi sur la face extérieure de
leur corps ; aussi ce n'est pas en s'unissant les uns les
autres, qu'ils s'engendraient et se reproduisaient mais,
à la façon des cigales en surgissant **[191c]** de la terre [240].
Il transporta donc leurs organes sexuels à la place où
nous les voyons, sur le devant, et ce faisant il rendit
possible un engendrement mutuel, l'organe mâle pouvant pénétrer dans l'organe femelle. Le but de Zeus
était le suivant. Si, dans l'accouplement, un homme
rencontrait une femme, il y aurait génération et l'espèce se perpétuerait ; en revanche, si un homme tombait sur un homme, les deux êtres trouveraient de
toute façon la satiété [241] dans leur rapport, ils se cal-
meraient, ils se tourneraient vers l'action et ils se pré-
occuperaient d'autre chose dans l'existence.

C'est donc d'une époque aussi lointaine que date
l'implantation dans les êtres humains **[191d]** de cet
amour, celui qui rassemble les parties de notre antique
nature, celui qui de deux êtres tente de n'en faire
qu'un seul pour ainsi guérir la nature humaine. Chacun d'entre nous est donc la moitié complémentaire [242]
d'un être humain, puisqu'il a été coupé, à la façon des
soles [243], un seul être en produisant deux ; sans cesse
donc chacun est en quête de sa moitié complémentaire. Aussi tous ceux des mâles qui sont une coupure
de ce composé qui était alors appelé « androgyne »

recherchent-ils l'amour des femmes et c'est de cette espèce que proviennent la plupart des maris qui trompent leur femme **[191e]**, et pareillement toutes les femmes [244] qui recherchent l'amour des hommes et qui trompent leur mari [245]. En revanche, toutes les femmes qui sont une coupure de femme ne prêtent pas la moindre attention aux hommes ; au contraire, c'est plutôt vers les femmes qu'elles sont tournées, et c'est de cette espèce que proviennent les lesbiennes [246]. Tous ceux enfin qui sont une coupure de mâle recherchent aussi l'amour des mâles. Aussi longtemps qu'ils restent de jeunes garçons, comme ce sont des petites tranches [247] de mâle, ils recherchent l'amour des mâles et prennent plaisir à coucher avec des mâles et à s'unir à eux. **[192a]** Parmi les garçons et les adolescents [248] ceux-là sont les meilleurs, car ce sont eux qui, par nature, sont au plus haut point des mâles [249]. Certaines personnes bien sûr disent que ce sont des impudiques [250], mais elles ont tort. Ce n'est pas par impudicité qu'ils se comportent ainsi ; non c'est leur hardiesse, leur virilité et leur allure mâle qui font qu'ils recherchent avec empressement ce qui leur ressemble. En voici une preuve éclatante : les mâles de cette espèce sont les seuls en effet qui, parvenus à maturité, s'engagent dans la politique. **[192b]** Lorsqu'ils sont devenus des hommes faits, ce sont de jeunes garçons qu'ils aiment et ils ne s'intéressent guère par nature au mariage et à la procréation d'enfants, mais la règle les y contraint [251] ; ils trouveraient plutôt leur compte dans le fait de passer leur vie côte à côte en y renonçant [252]. Ainsi donc, de manière générale, un homme de ce genre cherche à trouver un jeune garçon pour amant et il chérit son amant [253], parce que dans tous les cas il cherche à s'attacher à ce qui lui est apparenté [254].

Chaque fois donc que le hasard met sur le chemin de chacun la partie qui est la moitié de lui-même, tout être humain, et pas seulement celui qui cherche un jeune garçon pour amant [255], est alors frappé par un extraordinaire sentiment **[192c]** d'affection, d'apparentement et d'amour ; l'un et l'autre refusent, pour ainsi dire, d'être séparés, ne fût-ce que pour un peu de temps.

Et ces hommes qui passent toute leur vie l'un avec l'autre ne sauraient même pas dire ce qu'ils attendent l'un de l'autre. Nul ne pourrait croire que ce soit la simple jouissance que procure l'union sexuelle [256], dans l'idée que c'est là, en fin de compte, le motif du plaisir et du grand empressement que chacun prend à vivre avec l'autre. **[192d]** C'est à l'évidence une autre chose que souhaite l'âme, quelque chose qu'elle est incapable d'exprimer. Il n'en est pas moins vrai que ce qu'elle souhaite elle le devine et le laisse entendre. Supposons même que, au moment où ceux qui s'aiment reposent sur la même couche, Hephaïstos se dresse devant eux avec ses outils [257], et leur pose la question suivante : « Que désirez-vous, vous autres, qu'il vous arrive l'un par l'autre [258] ? » Supposons encore que, les voyant dans l'embarras, il leur pose cette nouvelle question : « Votre souhait n'est-il pas de vous fondre le plus possible l'un avec l'autre en un même être, de façon à ne vous quitter l'un l'autre ni le jour ni la nuit ? Si c'est bien cela que vous souhaitez, **[192e]** je consens à vous fondre ensemble et à vous transformer en un seul être [259], de façon à faire que de ces deux êtres que vous êtes maintenant vous deveniez un seul, c'est-à-dire pour que, durant toute votre vie, vous viviez l'un avec l'autre une vie en commun comme si vous n'étiez qu'un seul être, et que, après votre mort, là-bas chez Hadès, au lieu d'être deux vous ne formiez qu'un seul être, après avoir connu une mort commune. Allons ! voyez si c'est là ce que vous désirez et si ce sort vous satisfait. » En entendant cette proposition, il ne se trouverait personne, nous le savons, pour dire non et pour souhaiter autre chose. Au contraire, chacun estimerait tout bonnement qu'il vient d'entendre exprimer un souhait qu'il avait depuis longtemps : celui de s'unir avec l'être aimé et se fondre en lui, de façon à ne faire qu'un seul être au lieu de deux. Ce souhait s'explique par le fait que la nature

humaine qui était la nôtre dans un passé reculé se présentait ainsi, c'est-à-dire que nous étions d'une seule
pièce : aussi est-ce au souhait de retrouver cette totalité, à sa recherche, que nous donnons le nom
d'« amour [260] ».

[193a] Oui, je le répète, avant l'intervention de Zeus,
nous formions un seul être. Maintenant, en revanche,
conséquence de notre conduite injuste, nous avons été
coupés en deux par le dieu, tout comme les Arcadiens
l'ont été par les Lacédémoniens [261]. Il est donc à
craindre que, si nous ne faisons pas preuve de respect
à l'égard des dieux, nous ne soyons une fois de plus [262]
fendus en deux, et que nous ne déambulions pareils
aux personnages que sur les stèles nous voyons figurés
en relief [263], coupés en deux suivant la ligne du nez,
devenus pareils à des jetons qu'on a coupés par moitié [264]. Voilà bien pour quels motifs il faut recomman-
der à tout homme de faire preuve en toute chose de
piété à l'égard des dieux [265], [193b] pour éviter l'alter-
native qui vient d'être évoquée, et pour parvenir, en
prenant Éros pour notre guide et pour notre chef [266],
à réaliser la première. Que nul ne fasse rien qui contra-
rie Éros – et c'est s'opposer à lui que de se rendre
odieux à la divinité. En effet, si nous vivons en entre-
tenant des relations d'amitié avec le dieu et en restant
en paix avec lui, nous découvrirons les bien-aimés qui
sont véritablement les nôtres et nous aurons
commerce avec eux, ce que peu d'hommes font
aujourd'hui.

Ah, qu'Éryximaque, prêtant à mes propos une
intention comique, n'aille pas supposer que je parle de
Pausanias et d'Agathon [267]. Sans doute, se trouvent-ils
être de ce nombre, et ont-ils l'un et l'autre une nature
de mâle. [193c] Quoi qu'il en soit, je parle, moi des
hommes et des femmes dans leur ensemble, pour dire
que notre espèce peut connaître le bonheur, si nous
menons l'amour à son terme, c'est-à-dire si chacun de
nous rencontre le bien-aimé qui est le sien, ce qui
constitue un retour à notre ancienne nature. Si cela est
l'état le meilleur, il s'ensuit nécessairement que, dans

l'état actuel des choses, ce qui se rapproche le plus de cet état est le meilleur ; et cela, c'est de rencontrer un bien-aimé dont la nature corresponde à notre attente.

Si par nos hymnes nous souhaitons célébrer le dieu qui est le responsable de ces biens, **[193d]** c'est en toute justice Éros que nous devons célébrer, lui qui à l'heure qu'il est nous rend les plus grands services en nous conduisant vers ce qui nous est apparenté, et qui, pour l'avenir, suscite les plus grands espoirs, en nous promettant, si nous faisons preuve de piété envers les dieux, de nous rétablir dans notre ancienne nature, de nous guérir et ainsi de nous donner félicité et bonheur.

Voici, dit-il, quel est, Éryximaque, le discours qui est le mien sur Éros [268] ; il est différent du tien [269]. Tout comme je t'en ai prié, ne le tourne pas en dérision [270], de façon à nous permettre d'entendre ce que va dire **[193e]** chacun de ceux qui restent, ou mieux chacun des deux qui restent, car seuls doivent encore parler Agathon et Socrate.

ÉRYXIMAQUE

À ce que disait Aristodème, Éryximaque répondit :

Eh bien, je t'obéirai. C'est qu'en effet j'ai eu du plaisir à entendre ton discours ; et, même si je n'avais pas conscience du fait que Socrate et Agathon sont redoutables sur les sujets qui relèvent d'Éros [271], j'aurais vraiment peur qu'ils ne se trouvent dans l'embarras pour parler après la variété et la diversité des choses qui ont été dites. Avec eux pourtant, je ne laisse pas d'avoir confiance.

SOCRATE

Socrate **[194a]** intervint alors :

Tu as bien tenu ta partie dans ce concours [272], Éryximaque. Mais, si tu te trouvais dans la situation où je me trouve maintenant, ou plutôt dans celle où selon toute vraisemblance je me trouverai quand Agathon, lui aussi, aura fait un beau discours, tu aurais

vraiment peur et tu serais dans tous tes états, comme
je le suis moi-même à présent.

AGATHON

Tu veux me jeter un sort [273], Socrate, reprit Agathon, pour que je sois troublé à l'idée que, comme au
théâtre [274], mon public est dans une grande attente du
beau discours que je suis censé devoir prononcer.

SOCRATE

Il faudrait, répliqua Socrate, que je sois bien
oublieux [275], Agathon, moi qui ai été témoin de ta vaillance et **[194b]** de ton assurance, quand tu montais sur
l'estrade avec tes acteurs [276], et que tu regardais en face
un aussi large public, devant lequel tu allais présenter
une œuvre de toi, sans être ému le moins du monde,
si maintenant je m'imaginais que tu allais être troublé
par le petit public que nous constituons.

AGATHON

Qu'est-ce à dire Socrate, répliqua Agathon. Tu ne me
crois tout de même pas obsédé par le public du théâtre,
au point d'ignorer que, aux yeux d'un homme de bon
sens, un petit nombre de gens avertis est plus à craindre
qu'un grand nombre de gens qui ne le sont pas [277].

SOCRATE

Ce serait **[194c]** effectivement bien mal de ma part,
Agathon, rétorqua Socrate, de te tenir pour un
rustre [278]. Je sais bien, au contraire, que si tu tombes
sur des gens que tu estimes être des gens avertis, tu
leur accorderas plus d'attention qu'au grand
nombre [279]. Mais j'ai bien peur que nous ne soyons
pas ces gens-là, car nous aussi nous nous trouvions là-
bas et faisions partie de la foule. Mais s'il t'arrivait de
trouver d'autres gens, des gens avertis ceux-là, tu
aurais sans doute honte devant eux à l'idée que tu
pourrais faire quelque chose de laid. Qu'en dis-tu ?

AGATHON

C'est vrai, répondit-il.

SOCRATE

Mais devant la foule tu n'aurais pas honte si tu faisais **[194d]** quelque chose de laid [280].

PHÈDRE

Alors, racontait Aristodème, Phèdre prit la parole et tint ces propos.

Mon cher Agathon, si tu réponds à Socrate, il va tenir pour rien le fait que ce qui se passe ici tourne d'une manière ou d'une autre, dès lors qu'il a trouvé quelqu'un avec qui discuter, surtout si c'est un beau garçon. J'éprouve pour ma part beaucoup de plaisir à écouter Socrate quand il discute, mais je suis obligé de veiller à ce que soit prononcé l'éloge en l'honneur d'Éros, et d'obtenir de chacun de vous son discours [281]. Il faut donc que vous vous acquittiez, l'un et l'autre, auprès du dieu ; ensuite vous pourrez discuter.

AGATHON

Tu as raison, **[194e]** Phèdre, dit Agathon, et rien ne m'empêche de parler, puisque j'aurai encore bien des occasions, dans l'avenir, de discuter avec Socrate.

Eh bien, je souhaite d'abord dire comment il me faut régler mon dire, et ensuite j'en viendrai à ce dire [282]. Il me semble en effet que ceux qui ont parlé avant moi n'ont pas fait l'éloge du dieu. Ils ont plutôt félicité les hommes des biens dont ce dieu est le responsable pour eux. Mais ce qu'est ce dieu lui-même pour leur avoir accordé ces biens, personne ne l'a dit. **[195a]** Or le seul procédé correct pour tout éloge concernant toute chose est d'expliquer la nature de l'être dont on parle et la nature de ce dont il est responsable. C'est exactement de cette façon qu'il est juste de procéder dans l'éloge d'Éros : en montrant d'abord sa nature, et ensuite les dons dont il est responsable [283].

Je déclare donc que, parmi les dieux, qui tous sont heureux [284], Éros, s'il est permis de le dire sans inciter au ressentiment [285], est le plus heureux, car il est le plus beau et le meilleur [286]. Il est le plus beau, car telle est sa nature [287]. D'abord c'est, parmi les dieux, le plus jeune, Phèdre [288]. **[195b]** Un bon indice qui vient appuyer ce que je viens de dire se trouve fourni par lui-même ; voyez de quelle fuite il fuit la vieillesse [289], laquelle évidemment est rapide et vient en tout cas à nous plus rapidement qu'il ne faudrait. La vieillesse, c'est clair, il est tout à fait naturel à Éros de la haïr et de ne même pas l'approcher fût-ce de loin [290], tandis qu'il se trouve toujours en compagnie de jeunes garçons et qu'il est toujours jeune. Oui, l'antique adage est juste qui dit : « Ce qui se ressemble s'assemble [291]. »

Et, même si je suis d'accord avec Phèdre sur beaucoup d'autres points, je ne lui accorde pas qu'Éros soit plus ancien que Kronos et que Japet [292]. **[195c]** Je déclare, au contraire, qu'il est le plus jeune des dieux, que toujours il reste jeune et que les vieilles querelles entre les dieux que racontent Hésiode et Parménide [293] relèvent de Nécessité et non d'Éros, à supposer que ces gens-là aient dit la vérité. Car ni ces mutilations ni même ces enchaînements mutuels, sans parler d'une foule d'autres actes violents, ne se seraient produits, si Éros s'était trouvé parmi eux ; c'est plutôt la concorde et la paix qui eussent régné comme à présent et comme ce fut le cas à partir du moment où sur les dieux régna Éros [294].

Donc [295], Éros est jeune ; et en plus d'être jeune, il est délicat. **[195d]** Mais il manque un poète, tel Homère, pour mettre en évidence la délicatesse du dieu. En effet, Homère dit d'Atè [= l'Égarement de l'esprit] à la fois qu'elle est une déesse et qu'elle est délicate – que ses pieds du moins sont délicats –, lorsqu'il dit :

> *Ses pieds sont délicats, et sans fouler le sol,*
> *elle avance en marchant sur la tête des hommes* [296].

C'est par un bel indice, me semble-t-il, que se manifeste sa délicatesse : la déesse pose le pied non sur ce qui est dur, mais sur ce qui est tendre. **[195e]** C'est le

même indice que nous utiliserons dans le cas d'Éros,
pour montrer qu'il est délicat ; il ne pose le pied ni
sur la terre ni même sur des crânes – ce qui n'est
pas tout à fait quelque chose de tendre –, mais il
chemine dans ce qu'il y a de plus tendre dans la
réalité et il y établit sa résidence. C'est en effet dans
les caractères et dans les âmes des dieux et des
hommes qu'il s'établit ; encore n'est-ce point indistinctement dans toutes les âmes. S'il tombe sur une
âme qui ait un caractère dur, il s'en éloigne, tandis
qu'il réside dans celle dont le caractère est tendre.
Étant donné donc que, par ses pieds [297] et par tout le
reste, il est toujours en contact avec les réalités qui sont
les plus tendres de toutes, il est doué de la plus grande
délicatesse, nécessairement.

[196a] Éros, on le voit, est le plus jeune et le plus
délicat. À cela, il faut ajouter que, par sa constitution [298], il est ondoyant [299]. En effet, s'il était rigide,
il ne pourrait en toute âme ni se faire totalement
enveloppant ni passer inaperçu, d'abord en y
entrant, puis en en sortant. De sa constitution har-
monieuse et ondoyante, sa grâce donne un indice
important, cette grâce qu'Éros possède au suprême
degré, comme on s'entend à le reconnaître, car,
entre le manque de grâce et l'amour, l'antagonisme
est incessant. Le fait que le dieu vive au milieu des
fleurs explique la beauté de son teint. [196b] Sur ce
qui ne fleurit pas, sur ce qui a passé fleur, corps,
âme ou quoi que ce soit d'autre, Éros ne se pose
point. Mais s'il se trouve un lieu bien fleuri et bien
parfumé, là Éros se pose et demeure.

Sur la beauté du dieu donc, voilà qui suffit, même
s'il reste beaucoup à dire. C'est la vertu [300] d'Éros qu'il
faut ensuite évoquer.

Le point le plus important c'est qu'Éros ne commet
ni subit d'injustice ; que ce soit de la part d'un dieu ou
à l'égard d'un dieu, de la part d'un homme ou à l'égard
d'un homme [301]. C'est que, s'il lui arrive de subir
quelque chose, il ne subit rien sous l'effet de la violence,
car la violence n'atteint pas Éros. [196c] La violence

n'intervient pas non plus dans son action lorsqu'il fait quelque chose, car tout le monde et en toute circonstance prête, de son plein gré, son concours à l'amour [302]. Or les choses sur lesquelles on tombe mutuellement d'accord de bon gré, ce sont celles que proclament justes les « Lois, reines de la cité [303] ».

En plus de la justice, Éros a en partage la modération la plus grande. On est d'accord pour dire que la modération réside dans le fait de dominer plaisirs et désirs [304]. Or il n'est pas de plaisir plus puissant que celui dispensé par Éros. Si les plaisirs et les désirs inférieurs sont dominés par Éros, et si Éros domine, puisqu'il domine les plaisirs et les désirs, Éros est au suprême degré tempérant [305].

[196d] Et si effectivement nous passons au courage, il est certain qu'« avec Éros même Arès [306] ne peut rivaliser [307] ». En effet, ce n'est pas Arès qui possède Éros, mais Éros, c'est-à-dire à ce qu'on raconte [308] l'amour [309] pour Aphrodite, qui possède Arès. Or celui qui possède est plus fort que celui qui est possédé ; et celui qui domine celui qui est plus courageux que les autres, celui-là est le plus courageux de tous [310].

Puis donc que j'ai parlé de la justice, de la modération et du courage du dieu, il me reste à évoquer sa science : autant que faire se peut, il ne faut être en reste de rien. **[196e]** Et tout d'abord – en effet, je tiens à mon tour à mettre à l'honneur l'art qui est le mien, comme l'a fait Éryximaque pour l'art qui le sien [311] –, le dieu est un poète si savant qu'il peut produire un autre poète [312]. Il n'est du moins personne qui ne devienne poète, « même s'il était auparavant étranger à la Muse [313] », une fois qu'Éros l'a touché. De toute évidence, le fait suivant témoigne en ce sens : Éros est, de façon générale, un bon créateur en tout domaine de la création qui ressortit aux Muses [314]. En effet, ce que l'on ne possède point ou ce que l'on ne sait pas, on ne peut ni le donner à un autre ni le lui enseigner [315].

[197a] Mieux encore, pour ce qui est de la fabrication [316] des êtres vivants, de tous les êtres vivants, qui osera nier qu'Éros possède un savoir grâce auquel naît et grandit tout ce qui vit ? Par ailleurs, en ce qui concerne la pratique des arts, ne savons-nous pas que celui dont ce dieu a été l'instructeur devient célèbre et illustre, tandis que reste obscur celui qu'Éros n'a pas touché ? Une chose est certaine en tout cas : c'est sous l'instigation du désir et de l'amour [317] qu'Apollon a découvert l'art du tir à l'arc, de la médecine et de la divination [318], **[197b]** si bien que même Apollon est disciple d'Éros, tout comme le sont aussi les Muses dans le domaine qui est le leur, Hephaïstos pour le travail du bronze [319], Athéna pour le tissage [320], et Zeus pour ce qui est « du gouvernement aussi bien des dieux que des hommes [321] ». C'est bien sûr ce qui explique aussi que les querelles [322] entre les dieux furent réglées, après la naissance [323] d'Éros et son apparition parmi eux, lui qui est amour de la beauté, car il n'est pas incité par la laideur. Or, avant cet événement, comme je l'ai dit en commençant, toutes sortes de choses terribles, à ce qu'on raconte, se passaient chez les dieux, parce que c'était le règne de la Nécessité [324]. Mais dès que ce dieu-là fut né, de l'amour des belles choses résultèrent tous les biens, pour les dieux comme pour les hommes.

[197c] Ainsi me semble-t-il Phèdre [325], Éros est le premier, car il est, lui, le plus beau et le meilleur ; par suite, il est cause pour le reste des êtres d'autres effets de cet ordre. Me viennent à l'esprit ces vers :

C'est lui qui produit
La paix chez les humains, le calme sur la mer.
Pas de souffle, vents couchés, et la peine s'endort [326].

C'est ce dieu [327] qui nous vide de la croyance que nous sommes des étrangers l'un pour l'autre, tandis que c'est lui qui nous emplit du sentiment d'appartenir à une même famille, **[197d]** lui qui a institué toutes les réunions du genre de celle qui nous rassemble, qui dans les fêtes, dans les chœurs et dans les sacrifices, se fait notre guide [328], qui apporte la douceur, alors qu'il écarte l'agressivité, qui est généreux en bienveillance, alors qu'il est avare en malveillance, qui se montre propice à ceux qui font preuve de bonté, qui se voit contemplé par les sages et admiré des dieux, qui est envié de qui s'en voit privé, tandis qu'il est précieux à qui s'en voit comblé, lui qui est le père de la Mollesse, de la Délicatesse, de la Volupté, des Grâces, de la Passion, du Désir, lui qui s'intéresse aux bons et qui se désintéresse des méchants, c'est lui qui, dans la peine, le désir et le discours, est notre pilote **[197e]**, notre défenseur [329] ; c'est lui notre soutien [330] et notre défenseur [331] le plus efficace, c'est l'honneur de tous les dieux et de tous les hommes, notre guide le plus beau et le meilleur, lui que tout homme doit suivre en le célébrant par de beaux hymnes et en prenant part au chant dont il enchante [332] l'esprit de tous les dieux et de tous les hommes.

Que ce discours qui est le mien [333], dit-il, soit mon offrande [334] au dieu, ce discours qui, autant que faire se peut, participe de façon mesurée aussi bien au jeu qu'au sérieux [335].

ARISTODÈME

[198a] Lorsque Agathon eut fini de parler, racontait Aristodème, tous ceux qui étaient là acclamèrent [336] le jeune homme [337], pour s'être exprimé d'une façon qui convenait et à lui-même et au dieu.
Alors Socrate se tourna vers Éryximaque et lui adressa la parole en ces termes :

SOCRATE

Ne crois-tu pas, fils d'Acoumène [338], que je n'avais pas raison tout à l'heure d'être plongé dans l'effroi [339] ? N'est-ce pas plutôt à la façon d'un devin que je viens [340] de parler, en disant qu'Agathon allait s'exprimer de façon admirable, tandis que moi j'allais me trouver dans l'embarras ?

ÉRYXIMAQUE

Sur le premier point, répondit Éryximaque, tu as bien deviné, semble-t-il, en disant qu'Agathon parlerait bien, mais non pas, je pense, en disant que tu serais dans l'embarras.

SOCRATE

[198b] Et comment, bienheureux [341] Éryximaque, répondit Socrate, éviterais-je, moi comme n'importe qui d'autre, de me trouver dans l'embarras, alors que je dois parler après un discours d'une telle beauté et d'une telle virtuosité. Certes, tout n'y est pas admirable au même degré, mais dans la péroraison, qui n'aurait été frappé par la beauté des mots aussi bien que des expressions ? Pour ma part, j'avais le sentiment que je n'étais en mesure de rien dire dont la beauté approchât de cela, **[198c]** et pour un peu je me serais enfui, si j'avais pu le faire. C'est que ce discours me rappelait Gorgias [342], au point de me faire éprouver ni plus ni moins l'impression qu'évoque Homère [343]. J'avais peur qu'à la fin de son discours Agathon n'envoyât Gorgias, le redoutable [344] orateur, chercher le mien, et que sa tête ne me transformât en pierre me rendant par le fait même muet.

C'est alors, oui, que j'ai compris que j'étais ridicule, lorsque je vous promettais de faire à mon tour de conserve avec vous un éloge d'Éros, et **[198d]** quand je déclarais que j'étais redoutable sur les sujets qui relèvent d'Éros [345], alors je ne savais rien sur la manière dont il convient de faire un éloge. Dans ma sottise, je m'imaginais en effet qu'il fallait dire la vérité sur chacune des choses dont on fait l'éloge [346], que cela servait de point de départ et qu'il fallait, parmi ces vérités, choisir les plus belles pour les disposer dans l'ordre qui convient le mieux. Et j'étais naturellement tout fier à la pensée que j'allais bien parler, puisque je connaissais la vraie manière de faire un éloge de n'importe quoi. Mais en fait, selon toute apparence, ce n'est pas la bonne façon de faire l'éloge de quelque chose ; il faut plutôt doter l'être considéré des qualités les plus grandes **[198e]** et les plus belles possibles, qu'il se trouve les posséder ou non ; et même s'il ne les présente pas, cela n'a aucune importance. En effet, nous sommes convenus d'avance, à ce qu'il paraît, que chacun de nous ferait semblant de faire l'éloge d'Éros, et non pas qu'il en ferait vraiment l'éloge. Voilà bien pourquoi, j'imagine, vous remuez ciel et terre dans vos discours, pour doter Éros de tous les attributs, pour proclamer **[199a]** l'excellence de sa nature et l'importance de ses bienfaits, de façon à faire apparaître qu'il est le plus beau et le meilleur possible – aux ignorants cela va sans dire, mais non point en tout cas, j'imagine, à ceux qui savent à quoi s'en tenir. Et certes, c'est une chose belle et solennelle [347] que l'éloge. Mais moi évidemment j'ignorais de quelle façon on faisait un éloge, et, comme je l'ignorais, je vous ai promis de faire à mon tour un éloge d'Éros :

Ma langue l'a promis, mais nullement mon cœur [348].

Au revoir donc [349] ! Je ne veux plus faire un éloge de cette façon, j'en serais bien incapable. Pourtant, à condition de m'en tenir à la vérité, j'accepte de prendre la parole, à ma manière **[199b]** et sans rivaliser avec les discours qui furent les vôtres, car je ne veux pas m'exposer au ridicule. Vois donc, Phèdre, s'il est besoin d'un discours de ce genre, qui fasse entendre des choses vraies au sujet d'Éros, mais avec des mots et un ordonnancement des expressions qui me viendront au fil du discours.

ARISTODÈME

Alors, racontait Aristodème, Phèdre et les autres lui enjoignirent de parler comme il croyait devoir le faire.

SOCRATE

Encore un moment Phèdre, poursuivit Socrate, laisse-moi poser quelques petites questions à Agathon, **[199c]** pour que je me mette bien d'accord avec lui avant de commencer mon discours [350].

PHÈDRE

Je te laisse faire, répliqua Phèdre, vas-y, pose tes questions.

SOCRATE

Après quoi, racontait Aristodème, Socrate commença à parler à peu près en ces termes.

Assurément, mon cher Agathon, tu as, selon toute vraisemblance, donné un bel exorde à ton discours, en disant qu'il fallait d'abord montrer quelle est la nature d'Éros, puis ce en quoi consiste son action ; cette entrée en matière me plaît beaucoup. Poursuivons donc, je te prie, sur Éros ; puisque d'une façon belle et grandiose tu t'es expliqué sur sa nature, dis-moi encore ceci : est-il dans la nature d'amour d'être l'amour de **[199d]** quelqu'un ou de quelque chose, ou de personne ou de rien [351] ?

Je ne te demande pas si Éros est le fils d'une mère ou d'un père, car il serait ridicule de poser la question de savoir si Éros est un Éros qui a une mère ou un père [352]. Mais il en va comme si, à propos du père en tant que tel, je posais la question suivante : « Le père est-il père de quelqu'un ou de personne ? » ; tu ne manquerais pas de me répondre, si tu voulais me faire une réponse correcte : « En tout cas, le père est le père d'un fils ou d'une fille », n'est-ce pas ?

AGATHON

Bien sûr, répondit Agathon.

SOCRATE

Ne dirais-tu pas la même chose de la mère ? **[199e]** Agathon convint aussi de cela.

Réponds encore, reprit Socrate, à quelques questions de plus, pour que tu comprennes mieux où je veux en venir. Si je te posais la question suivante : « Eh bien, le frère, en tant qu'il est frère, est-il le frère de quelqu'un oui ou non ? »
Il répondit que oui.
Il est donc frère d'un frère ou d'une sœur.
Il acquiesça.

Alors essaie, reprit Socrate, d'appliquer la même question à Éros : « Éros est-il amour de rien ou de quelque chose [353] ? »

AGATHON

De quelque chose évidemment **[200a]**.

SOCRATE

Eh bien, voilà un point auquel tu dois veiller avec soin, en te remettant en mémoire ce dont il est amour [354]. Tout ce que je veux savoir, c'est si Éros éprouve oui ou non le désir de ce dont il est amour.

AGATHON

Assurément, il en éprouve le désir, répondit-il.

SOCRATE

Est-ce le fait de posséder ce qu'il désire et ce qu'il aime qui fait qu'il le désire et qu'il l'aime, ou le fait de ne pas le posséder ?

AGATHON

Le fait de ne pas le posséder, cela du moins est vraisemblable, répondit-il.

SOCRATE

Examine donc, reprit Socrate, si au lieu d'une vraisemblance il ne s'agit pas d'une nécessité : il y a désir de ce qui manque, et il n'y a pas désir de ce qui ne manque pas [355] ? Il me semble à moi, Agathon, que cela est une nécessité qui crève les yeux ; **[200b]** que t'en semble-t-il ?

AGATHON

C'est bien ce qu'il me semble, répondit-il.

SOCRATE

Tu dis vrai. Est-ce qu'un homme qui est grand souhaiterait être grand, est-ce qu'un homme qui est fort souhaiterait être fort ?

AGATHON

C'est impossible, suivant ce que nous venons d'admettre [356].

SOCRATE

Cet homme ne saurait manquer de ces qualités, puisqu'il les possède.

AGATHON

Tu dis vrai.

SOCRATE

Supposons en effet, dit Socrate, qu'un homme qui est fort souhaite être fort, qu'un homme qui est rapide souhaite être rapide, qu'un homme qui est en bonne santé souhaite être en bonne santé, car quelqu'un estimerait peut-être que, en ce qui concerne ces qualités et toutes celles qui ressortissent au même genre, les hommes qui sont tels et qui possèdent ces qualités, désirent encore **[200c]** les qualités qu'ils possèdent. C'est pour éviter de tomber dans cette erreur, que je m'exprime comme je le fais. Si tu considères, Agathon, le cas de ces gens-là [357], il est forcé [358] qu'ils possèdent présentement les qualités qu'ils possèdent, qu'ils le souhaitent ou non. En tout cas, on ne saurait désirer ce que précisément l'on possède. Mais supposons que quelqu'un nous dise : « Moi, qui suis en bonne santé, je n'en souhaite pas moins être en bonne santé, moi, qui suis riche, je n'en souhaite pas moins être riche ; cela même que je possède, je ne désire pas moins le posséder. » Nous lui ferions cette réponse : « Toi, bonhomme, qui est doté de richesse, de santé **[200d]** et de force, c'est pour l'avenir que tu souhaites en être doté [359], puisque, présentement en tout cas, bon gré mal gré, tu possèdes tout cela. Ainsi, lorsque tu dis éprouver le désir de ce que tu possèdes à présent, demande-toi si ces mots ne veulent pas tout simplement dire ceci : "Ce que j'ai à présent, je souhaite l'avoir aussi dans l'avenir." » Il en conviendrait, n'est-ce pas ?

ARISTODÈME

Agathon, racontait Aristodème, reconnut qu'il en était ainsi, et Socrate poursuivit.

SOCRATE

Dans ces conditions, aimer ce dont on n'est pas encore pourvu et qu'on ne possède pas, n'est-ce pas souhaiter que, dans l'avenir, ces choses-là nous soient conservées **[200e]** et nous restent présentes ?

AGATHON

Assurément, répondit-il.

SOCRATE

Aussi l'homme qui est dans ce cas, et quiconque éprouve le désir de quelque chose, désire ce dont il ne dispose pas et ce qui n'est pas présent ; et ce qu'il n'a pas, ce qu'il n'est pas lui-même, ce dont il manque, tel est le genre de choses vers quoi vont son désir et son amour.

AGATHON

Assurément, dit-il.

SOCRATE

Poursuivons donc, dit Socrate, et récapitulons les points sur lesquels nous sommes tombés d'accord dans la discussion. N'est-il pas vrai premièrement qu'Éros porte sur quelque chose et deuxièmement qu'il porte sur quelque chose dont on [360] est dépourvu dans le moment présent ? **[201a]**

AGATHON

Oui, répondit-il.

SOCRATE

Rappelle-toi maintenant à quoi tu as, dans ton discours, déclaré que se rapportait Éros. Si tu le souhaites, je vais te le rappeler moi-même. Tu nous racontais à peu près, je crois, que les dieux avaient réglé leurs différends grâce à l'amour du beau, car il ne saurait y avoir d'amour du laid [361]. C'est à peu près ce que tu as dit, n'est-ce pas ?

AGATHON

C'est bien ce que j'ai dit, répondit Agathon.

SOCRATE

Ta réponse est correcte, mon ami, reprit Socrate ; et, s'il en est comme tu le déclares, Éros ne devrait-il pas être amour de la beauté, et non de la laideur ?

AGATHON

Il acquiesça.

SOCRATE

N'avons-nous pas admis qu'il aime ce dont il manque et ce qu'il n'a pas ? **[201b]**

AGATHON

Oui, répondit-il.

SOCRATE

Par conséquent, Éros manque de beauté et il n'en a pas.

AGATHON

Forcément, répondit-il.

SOCRATE

Mais quoi ! Vas-tu appeler beau ce qui manque de beauté et qui en est complètement dépourvu ?

AGATHON

Non, assurément.

SOCRATE

Dès lors, accordes-tu encore qu'Éros est beau, s'il en va ainsi ?

AGATHON

Et Agathon de répliquer :
Je risque fort, Socrate, d'avoir parlé sans savoir ce que je disais.

SOCRATE

Pourtant, Agathon, dit-il, tu as magnifiquement parlé [362]. **[201c]** Mais encore une petite question : pour toi, les choses bonnes ne sont-elles pas en même temps belles [363] ?

AGATHON

À mon avis, oui.

SOCRATE

Par conséquent, si Éros manque de ce qui est beau, et si les choses bonnes sont belles, alors il doit manquer de ce qui est bon.

AGATHON

En ce qui me concerne, Socrate, dit-il, je ne suis pas de taille à engager avec toi la controverse ; qu'il en soit comme tu le dis [364].

SOCRATE

Non, très cher Agathon[365], c'est avec la vérité que tu ne peux engager la controverse ; avec Socrate, ce n'est vraiment pas difficile. Je vais maintenant te laisser la paix.

[201d] Écoutez plutôt le discours sur Éros que j'ai entendu un jour de la bouche d'une femme de Mantinée[366], Diotime, qui était experte en ce domaine[367] comme en beaucoup d'autres, et qui à un moment donné, dix ans avant la peste, avait amené les Athéniens à offrir des sacrifices qui ont permis de reculer de dix ans la date du fléau[368]. Oui, c'est elle qui m'a instruit des choses concernant l'amour[369]. Je vais essayer de vous rapporter le discours que tenait cette femme, sur la base des conventions acceptées par Agathon et par moi : c'est-à-dire par mes seuls moyens[370] et comme je le pourrai. Il faut absolument, Agathon, comme tu l'as toi-même expliqué, **[201e]** exposer dans un premier temps ce qu'est Éros lui-même et quels sont ses attributs, puis dire ce qu'il fait. Dès lors, le plus facile, me semble-t-il, est de suivre dans mon exposé l'ordre que suivait jadis l'étrangère[371] quand elle posait des questions. Mes réponses en effet étaient à peu de choses près celles qu'Agathon vient de faire.

Je soutenais qu'Éros était un grand dieu, et qu'il faisait partie de ce qui est beau[372]. Et elle me réfutait[373] en faisant valoir les mêmes arguments précisément que ceux que je viens d'utiliser avec Agathon, à savoir qu'Éros n'est ni beau ni bon, comme je viens de le dire. Je lui répliquai : Que dis-tu là, Diotime ? Si tel est le cas, Éros est laid et mauvais[374].

DIOTIME

Pas de blasphème, reprit-elle. T'imagines-tu que ce qui n'est pas beau doive nécessairement être laid ? **[202a]**

SOCRATE

Certainement.

DIOTIME

T'imagines-tu de même que celui qui n'est pas un expert est stupide ? N'as-tu pas le sentiment que, entre science et ignorance [375], il y a un intermédiaire [376] ?

SOCRATE

Lequel ?

DIOTIME

Avoir une opinion droite, sans être à même d'en rendre raison [377]. Ne sais-tu pas, poursuivit-elle, que ce n'est là ni savoir – car comment une activité, dont on n'arrive pas à rendre raison, saurait-elle être une connaissance sûre ? – ni ignorance – car ce qui atteint la réalité ne saurait être ignorance. L'opinion droite est bien quelque chose de ce genre, quelque chose d'intermédiaire entre le savoir et l'ignorance [378].

SOCRATE

Tu dis vrai, répondis-je.

DIOTIME

Ne force donc ni ce qui n'est pas beau **[202b]** à être laid, ni non plus ce qui n'est pas bon à être mauvais. Éros est dans le même cas. Etant donné, disait-elle, que toi-même tu conviens qu'il n'est ni bon ni beau, tu dois de façon analogue estimer non pas qu'il est laid et mauvais, mais qu'il est quelque chose d'intermédiaire entre les deux.

SOCRATE

Pourtant, repris-je, tout le monde convient qu'Éros est un grand dieu.

DIOTIME

Quand tu dis « tout le monde », parles-tu seulement des ignorants, ou de ceux qui savent à quoi s'en tenir aussi ?

SOCRATE

Je parle de tous ces gens à la fois.

DIOTIME

Elle éclata de rire :
Socrate, reprit-elle, comment Éros serait-il reconnu comme un grand dieu **[202c]** par ceux qui déclarent qu'il n'est même pas un dieu ?

SOCRATE

Qui sont ces gens, demandai-je ?

DIOTIME

En voici un, dit-elle, c'est toi ; et une autre, c'est moi.

SOCRATE

Et moi de répliquer :
Que veux-tu dire ?

DIOTIME

C'est tout simple, répondit-elle. Dis-moi. Ne soutiens-tu pas que les dieux sont heureux et beaux [379] ? Ou oserais-tu soutenir que parmi les dieux tel ou tel n'est ni beau ni heureux ?

SOCRATE

Je n'oserais pas, par Zeus.

DIOTIME

Oui, et ceux que tu déclares heureux, ce sont ceux qui possèdent les bonnes et les belles choses [380] ?

SOCRATE

Oui, bien sûr.

DIOTIME

Il n'en reste pas moins vrai **[202d]** que tu as reconnu [381] qu'Éros, parce qu'il est dépourvu des choses bonnes et des choses belles, a le désir de ces choses qui lui manquent.

SOCRATE

Oui, je l'ai reconnu.

DIOTIME

Comment dès lors pourrait-il être un dieu, si effectivement il est dépourvu des choses belles et des choses bonnes ?

SOCRATE

Apparemment, c'est bien impossible.

DIOTIME

Tu vois bien, reprit-elle, que toi non plus tu ne considères pas Éros comme un dieu [382].

SOCRATE

Dès lors, que pourrait bien être Éros, un mortel ?

DIOTIME

Certainement pas !

SOCRATE

Alors quoi ?

DIOTIME

Comme le montrent les exemples évoqués précédemment, reprit-elle, Éros est un intermédiaire entre le mortel et l'immortel.

Socrate

Que veux-tu dire, Diotime ?

Diotime

C'est un grand démon [383], Socrate. En effet, tout ce qui présente la nature d'un démon est **[202e]** intermédiaire entre le divin et le mortel.

Socrate

Quel pouvoir est le sien ?, demandai-je.

Diotime

Il interprète et il communique aux dieux ce qui vient des hommes, et aux hommes ce qui vient des dieux ; d'un côté les prières et les sacrifices, et de l'autre les prescriptions et les faveurs que les sacrifices permettent d'obtenir en échange [384]. Et, comme il se trouve à mi-chemin entre les dieux et les hommes, il contribue à remplir l'intervalle, pour faire en sorte que chaque partie soit liée aux autres dans l'univers [385]. De lui, procède la divination dans son ensemble, l'art des prêtres touchant les sacrifices, les initiations, les incantations, **[203a]** tout le domaine des oracles et de la magie [386]. Le dieu n'entre pas en contact direct avec l'homme ; mais c'est par l'intermédiaire de ce démon, que de toutes les manières possibles les dieux entrent en rapport avec les hommes et communiquent avec eux, à l'état de veille ou dans le sommeil [387]. Celui qui est un expert en ce genre de choses est un homme démonique, alors que celui, artisan ou travailleur manuel, qui est un expert dans un autre domaine, celui-là n'est qu'un homme de peine [388]. Bien entendu, ces démons sont nombreux et variés, et l'un d'eux est Éros.

Socrate

Quel est son père, repris-je, et quelle est sa mère [389] ?

DIOTIME

C'est une assez longue histoire, **[203b]** répondit-elle.
Je vais pourtant te la raconter. Il faut savoir que, le
jour où naquit Aphrodite [390], les dieux festoyaient ;
parmi eux, se trouvait le fils de Mètis [391], Poros [392]. Or,
quand le banquet fut terminé, arriva Pénia [393], qui était
venue mendier comme cela est naturel un jour de
bombance, et elle se tenait sur le pas de la porte. Or
Poros, qui s'était enivré de nectar [394], car le vin n'existait pas encore à cette époque [395], se traîna dans le jardin de Zeus et, appesanti par l'ivresse [396], s'y endormit.
Alors, Pénia, dans sa pénurie, eut le projet de se faire
faire un enfant par Poros ; **[203c]** elle s'étendit près de
lui et devint grosse d'Éros [397]. Si Éros est devenu le
suivant d'Aphrodite et son servant, c'est bien parce
qu'il a été engendré lors des fêtes données en l'honneur de la naissance de la déesse ; et si en même temps
il est par nature amoureux du beau, c'est parce
qu'Aphrodite est belle [398].

Puis donc qu'il est le fils de Poros et de Pénia, Éros
se trouve dans la condition que voici. D'abord, il est
toujours pauvre, et il s'en faut de beaucoup qu'il soit
délicat et beau, comme le croient la plupart des
gens [399]. Au contraire, il est rude, malpropre, va-
nu-pieds et **[203d]** il n'a pas de gîte, couchant toujours
par terre et à la dure, dormant à la belle étoile sur le
pas des portes et sur le bord des chemins, car, puisqu'il tient de sa mère, c'est l'indigence qu'il a en partage. À l'exemple de son père en revanche, il est à
l'affût de ce qui est beau et de ce qui est bon, il est
viril, résolu, ardent, c'est un chasseur redoutable ; il ne
cesse de tramer des ruses, il est passionné de savoir et
fertile en expédients, il passe tout son temps à philosopher, c'est un sorcier redoutable, un magicien et un
expert [400]. Il faut ajouter que par nature il n'est ni
immortel **[203e]** ni mortel. En l'espace d'une même
journée, tantôt il est en fleur, plein de vie, tantôt il est
mourant ; puis il revient à la vie quand ses expédients
réussissent en vertu de la nature qu'il tient de son

père ; mais ce que lui procurent ses expédients [401] sans cesse lui échappe ; aussi Éros n'est-il jamais ni dans l'indigence ni dans l'opulence.

Par ailleurs, il se trouve à mi-chemin entre le savoir et l'ignorance. Voici en effet ce qui en est. Aucun dieu ne tend vers le savoir ni ne **[204a]** désire devenir savant, car il l'est [402] ; or, si l'on est savant, on n'a pas besoin de tendre vers le savoir. Les ignorants ne tendent pas davantage vers le savoir ni ne désirent devenir savants [403]. Mais c'est justement ce qu'il y a de fâcheux dans l'ignorance : alors que l'on n'est ni beau ni bon ni savant, on croit l'être suffisamment. Non, celui qui ne s'imagine pas en être dépourvu ne désire pas ce dont il ne croit pas devoir être pourvu.

SOCRATE

Qui donc, Diotime, demandai-je, sont ceux qui tendent vers le savoir, si ce ne sont ni les savants ni les ignorants ?

DIOTIME

D'ores et déjà, répondit-elle, il est parfaitement clair **[204b]** même pour un enfant, que ce sont ceux qui se trouvent entre les deux, et qu'Éros doit être du nombre. Il va de soi, en effet, que le savoir compte parmi les choses qui sont les plus belles ; or Éros est amour du beau. Par suite, Éros doit nécessairement tendre vers le savoir, et, puisqu'il tend vers le savoir, il doit tenir le milieu entre celui qui sait et l'ignorant. Et ce qui en lui explique ces traits, c'est son origine : car il est né d'un père doté de savoir et plein de ressources, et d'une mère dépourvue de savoir et de ressources. Telle est bien, mon cher Socrate, la nature de ce démon.

Mais l'idée que tu te faisais d'Éros, il n'est pas surprenant que tu t'y sois laissé prendre. **[204c]** Cette idée qui était la tienne, dans la mesure où ce que tu dis en fournit un indice, c'est que l'amour est le bien-aimé et non l'amant [404]. Voilà la raison pour laquelle, j'ima-

gine, Éros te paraissait être doté d'une beauté sans
bornes. Et de fait ce qui attire l'amour, c'est ce qui est
réellement beau, délicat, parfait, c'est-à-dire ce qui dis-
pense le bonheur le plus grand. Mais autre est la
nature de ce qui aime, et je t'ai exposé ce qu'elle est.

SOCRATE

Et moi de reprendre :
   Eh bien poursuis, Étrangère, ce que tu dis est admirable. Mais si telle est la nature d'Éros, quelle est son
utilité [405] pour les êtres humains ?

DIOTIME

   Voilà justement, Socrate, reprit-elle **[204d]** ce que
dans ce qui suit je vais tenter de te faire comprendre.
Prenons pour acquis que telle est la nature d'Éros et
que telle est son origine. Il est en outre amour de ce
qui est beau [406], prétends-tu. Or, si l'on nous demandait : « Socrate et Diotime, en quoi consiste l'amour
de ce qui est beau ? », ou en termes plus clairs : « Celui
qui aime les belles choses, aime ; qu'est-ce qu'il
aime ? »

SOCRATE

   Qu'elles deviennent siennes, répondis-je.

DIOTIME

   Cette réponse, reprit-elle, appelle encore la question
que voici : « Qu'en sera-t-il de l'homme dont il s'agit
quand les belles choses seront devenues siennes ? »

SOCRATE

Je déclarai que je me trouvais dans l'incapacité absolue
de répondre à cette question sur-le-champ. **[204e]**

DIOTIME

   Eh bien, reprit-elle, suppose que l'on remplace beau
par bon, et que l'on te demande : « Voyons, Socrate,

celui qui aime aime ce qui est bon ; mais qu'est-ce qu'il aime ? »

SOCRATE

Qu'elles deviennent siennes, répondis-je.

DIOTIME

Qu'en sera-t-il de l'homme dont il s'agit quand ce qui est bon sera devenu sien ?

SOCRATE

Voici, répliquai-je, une réponse que je suis en mesure de faire plus facilement : il sera heureux [407].

DIOTIME

Effectivement, répondit-elle, la possession [205a] de choses bonnes c'est ce qui explique que les gens heureux sont heureux ; et il n'est plus besoin de poser cette nouvelle question : « Pourquoi [408] celui qui souhaite être heureux souhaite-t-il l'être ? » Avec cette réponse, nous touchons bien au terme de nos peines [409].

SOCRATE

C'est vrai, dis-je.

DIOTIME

Eh bien ce souhait, cet amour, les crois-tu communs à tous les êtres humains ? Crois-tu que tous les êtres humains souhaitent posséder toujours ce qui est bon ; si non, quel est ton avis ?

SOCRATE

Il en est bien ainsi ; ce souhait est commun à tous les êtres humains.

DIOTIME

Mais alors, Socrate, reprit-elle, pourquoi ne déclarons-nous pas de tous les êtres humains qu'ils aiment, s'il est bien vrai que tous aiment **[205b]** toujours les mêmes choses ? Pourquoi disons-nous plutôt que les uns aiment alors que les autres n'aiment pas ?

SOCRATE

Cela m'étonne moi aussi, répliquai-je.

DIOTIME

Eh bien, reprit-elle, il ne faut pas que tu t'en étonnes. Je t'explique : après avoir mis à part une espèce particulière d'amour, nous lui donnons un nom, et ce nom que nous lui donnons est celui qui désigne l'amour en général. Mais, pour les autres espèces, nous employons d'autres noms.

SOCRATE

Y a-t-il un autre cas pareil ?, demandai-je.

DIOTIME

Celui que voici. Tu sais bien que la fabrication (*poíēsis*) [410] présente de multiples aspects. Bien entendu, tout ce qui est cause du passage du non-être vers l'être pour quoi que ce soit, voilà en quoi consiste la fabrication (*poíēsis*) ; aussi les ouvrages réalisés par tous les arts sont-ils des fabrications (*poiéseis*) **[205c]**, de même que les artisans [411] qui les réalisent sont tous des fabricants (*poiētaí*).

SOCRATE

Tu dis vrai.

DIOTIME

Mais pourtant, reprit-elle, tu sais bien qu'on ne donne pas à ces gens le nom de « poètes » (*poiētaí*), mais qu'ils portent d'autres noms. De la fabrication (*poíēsis*) dans son ensemble, on a distingué une partie, celle qui se rapporte à la musique et à la métrique [412], et on lui donne le nom du tout. Cette partie seulement s'appelle « poésie » (*poíēsis*), et ceux qui ont pour domaine la poésie (*poíēsis*) seulement sont appelés « poètes » (*poiētaî*).

SOCRATE

Tu dis vrai, répliquai-je.

DIOTIME

Eh bien, il en va de même pour l'amour. En résumé, **[205d]** tout ce qui est désir de ce qui est bon, tout ce qui est désir du bonheur [413], voilà en quoi consiste pour tout le monde « le très puissant Éros, l'Éros perfide [414] ». Tandis que les uns y tendent par des voies diverses, en s'intéressant soit aux richesses, soit aux exercices du corps soit à l'acquisition du savoir [415], sans qu'on dise qu'ils « aiment » (*erân*) ou qu'ils méritent le nom d'« amoureux » (*erastaí*), les autres, qui se tournent vers une espèce particulière d'amour et qui s'y adonnent, réservent pour eux les noms qui s'appliquent à l'amour en général : « amour » (*érōs*), « aimer » (*erân*) et « amoureux » (*erastaí*).

SOCRATE

Tu as des chances de dire vrai, répondis-je.

DIOTIME

Il y a bien aussi un récit qui raconte que chercher la moitié **[205e]** de soi-même, c'est aimer [416]. Ce que je dis moi, c'est qu'il n'est d'amour ni de la moitié ni du tout, à moins par hasard que ce soit, mon ami, une bonne chose, car les gens acceptent de se faire couper [417] les mains et les pieds, quand ces parties d'eux-mêmes leur semblent mauvaises. Je ne crois pas en effet que chacun s'attache à ce qui lui appartient, sauf si l'on s'entend pour appeler « bon » ce qui nous appartient, ce qui est à nous, et « mauvais » ce qui nous est étranger. En effet, **[206a]** les êtres humains n'aiment rien d'autre que ce qui est bon. N'est-ce pas ton avis ?

SOCRATE

Si, bien sûr, par Zeus, répondis-je.

DIOTIME

Alors, reprit-elle, ne peut-on dire tout simplement que ce que les hommes aiment, c'est ce qui est bon ?

SOCRATE

Oui, dis-je.

DIOTIME

Mais quoi ! ne faut-il pas ajouter qu'ils aiment avoir à eux ce qui est bon.

SOCRATE

Il le faut.

DIOTIME

Et dès lors, reprit-elle, non seulement l'avoir à eux, mais aussi l'avoir toujours à eux.

SOCRATE

Cela aussi, il faut l'ajouter.

DIOTIME

Alors, l'objet de l'amour c'est, en somme, d'avoir à soi ce qui est bon, toujours.

SOCRATE

C'est parfaitement vrai, repris-je.

DIOTIME

Puisque, à présent, poursuivit-elle, il est clair que l'amour **[206b]** consiste toujours en cela, quel genre d'existence mènent ceux qui poursuivent cette fin et à quel type d'activité se livrent-ils, si l'on est prêt à donner au sérieux dont ils font preuve et à l'effort qu'ils consentent le nom d'« amour [418] » ? De quelle sorte de besogne s'agit-il ? Saurais-tu me le dire ?

SOCRATE

Certainement pas Diotime, repris-je, si je le savais, je ne serais pas en admiration devant ton savoir et je ne te fréquenterais [419] pas pour m'instruire sur ce sujet précisément.

DIOTIME

Alors, poursuivit-elle, je vais te le dire. Il s'agit d'un accouchement à terme, que ce soit selon le corps ou selon l'âme [420].

SOCRATE

Il faudrait être devin, répliquai-je, pour comprendre ce que tu veux dire, et je ne sais pas deviner [421].

DIOTIME

Eh bien, reprit-elle, je vais m'expliquer plus clairement. **[206c]** Socrate, dit-elle, tous les êtres humains sont gros dans leur corps et dans leur âme [422], et, quand nous avons atteint le terme, notre nature éprouve le désir d'enfanter. Mais elle ne peut accoucher prématurément, elle doit le faire à terme [423]. En effet, l'union de l'homme et de la femme permet l'enfantement, et il y a dans cet acte quelque chose de divin [424]. Et voilà bien en quoi, chez l'être vivant mortel réside l'immortalité : dans la grossesse et dans la procréation. Mais grossesse et procréation ne peuvent advenir dans la discordance. Or il y a discordance **[206d]** entre ce qui est laid et tout ce qui est divin [425],

tandis que le beau s'accorde avec ce qui est divin.
Ainsi ce qui dans la génération joue le rôle de la Moire
et d'Ilithyie [426], c'est la Beauté. Par suite, quand l'être
gros approche de son terme, il éprouve du bien-être [427]
et, submergé par la joie, il se dilate, il accouche et il
procrée. En revanche, quand ce n'est pas le bon
moment, il devient sombre et chagrin, il se contracte,
il se détourne, il se replie sur soi, il ne procrée pas et
gardant pour lui son fœtus il souffre. D'où précisément chez l'être gros, tout gonflé déjà par sa grossesse,
le transport violent qui le pousse **[206e]** vers son terme,
car celui qui y est arrivé se trouve délivré d'une grande
douleur [428]. En définitive, Socrate, poursuivit-elle,
l'amour de ce qui est beau n'est pas tel que tu l'imagines.

SOCRATE

Eh bien, qu'est-il donc ?

DIOTIME

L'amour de la procréation et de l'accouchement
dans de belles conditions.

SOCRATE

Admettons que ce soit le cas, répondis-je.

DIOTIME

C'est exactement cela, reprit-elle. Mais pourquoi
« de la procréation » ? Parce que, pour un être mortel,
la génération équivaut à la perpétuation dans l'existence, c'est-à-dire à l'immortalité. Or le désir d'immortalité **[207a]** accompagne nécessairement celui du
bien, d'après ce que nous sommes convenus [429], s'il est
vrai que l'amour a pour objet la possession éternelle
du bien. De cette argumentation, il ressort que l'amour
a nécessairement pour objet aussi l'immortalité.

SOCRATE

Voilà donc tout ce qu'elle m'enseignait, quand il lui arrivait de parler des questions relatives à Éros. Et un jour, elle me posa la question suivante.

DIOTIME

À ton avis, Socrate, quelle est la cause de cet amour et de ce désir ? Ne perçois-tu pas l'état terrible dans lequel se trouvent toutes les bêtes, chaque fois que l'envie les prend de procréer, celles qui marchent aussi bien que **[207b]** celles qui volent ? Toutes elles sont malades, quand elles se trouvent sous l'emprise de l'amour, d'abord quand elles sont sur le point de s'unir les unes aux autres, puis quand le moment vient de nourrir leur progéniture. Elles sont même prêtes à se battre pour leurs petits et à se sacrifier pour eux, les bêtes les plus faibles n'hésitant pas à affronter les plus fortes [430] ; elles sont aussi prêtes à souffrir les tortures de la faim pour arriver à nourrir leurs rejetons, et elles se dévouent de toutes les façons. Chez les êtres humains, poursuivait-elle, on pourrait imaginer que cette conduite est la conséquence d'un calcul. Mais, chez les bêtes, d'où vient que l'amour **[207c]** les met dans cet état, peux-tu me le dire ?

SOCRATE

Une fois de plus, je répondis que je ne savais pas. Elle reprit alors.

DIOTIME

Tu penses vraiment devenir un jour redoutable sur les questions relatives à Éros, et tu ne sais pas à quoi t'en tenir sur ce point ?

SOCRATE

Mais Diotime, je viens te le dire [431], c'est bien pour cela, que je suis venu te consulter, car je sais que j'ai besoin de maîtres. Allons, dis-moi quelle est la cause de ces comportements et de tous les autres que suscite l'amour.

DIOTIME

Si tu es vraiment convaincu, reprit-elle, que l'objet [432] de l'amour est par nature celui sur lequel nous sommes plusieurs fois tombés d'accord [433], tu n'as pas à t'en étonner. Car, dans le monde animal, **[207d]** la nature mortelle obéit au même impératif que celui qui vient d'être formulé [434] quand elle cherche, dans la mesure du possible, à perpétuer son existence c'est-à-dire à être immortelle. Or, elle ne le peut qu'en engendrant, de façon à toujours laisser un être nouveau à la place d'un ancien. En effet, quand on dit de chaque être vivant qu'il vit et qu'il reste le même – par exemple, on dit qu'il reste le même de l'enfance à la vieillesse –, cet être en vérité n'a jamais en lui les mêmes choses [435]. Même si l'on dit qu'il reste le même, il ne cesse pourtant, tout en subissant certaines pertes, de devenir nouveau, par ses cheveux, par sa chair, **[207e]** par ses os, par son sang, c'est-à-dire par tout son corps [436].

Et cela est vrai non seulement de son corps, mais aussi de son âme. Dispositions, caractères, opinions, désirs, plaisirs, chagrins, craintes, aucune de ces choses n'est jamais identique en chacun de nous ; bien au contraire, il en est qui naissent, alors que d'autres meurent. Mais il y a beaucoup plus déroutant encore. En outre, en effet, certaines sciences **[208a]** naissent en nous tandis que d'autres meurent, ce qui fait que, en ce qui concerne les sciences, nous ne sommes jamais les mêmes ; qui plus est, chaque science en particulier subit le même sort. Car ce que l'on appelle « recherche [437] » suppose que la connaissance peut nous quitter. L'oubli réside dans le fait qu'une connaissance s'en va, alors que la recherche, en cherchant à produire un souvenir nouveau qui remplace celui qui s'en est allé, sauvegarde la connaissance en faisant qu'elle paraît rester la même. C'est en effet de cette façon que se trouve assurée la sauvegarde de tout ce qui est mortel ; non pas parce que cet être reste toujours exactement le même à l'instar de ce qui est divin [438], mais parce que **[208b]** ce qui s'en va et qui vieillit laisse place à un être nouveau, qui ressemble à ce qu'il était [439]. Voilà, poursuivit-elle, par quel moyen, Socrate, ce qui est mortel participe de l'immortalité [440], tant le corps que tout le reste. Pour ce qui est immortel [441], il en va différemment. Il ne faut donc pas t'étonner du fait que, par nature, tout être fasse grand cas de ce qui est un rejeton de lui-même. Car c'est pour assurer leur immortalité que cette activité sérieuse qu'est l'amour [442] ressortit à tous les êtres.

SOCRATE

Et moi, en entendant ce discours, je fus submergé par l'émerveillement, et je répliquai :

Un instant, m'écriai-je, en est-il vraiment ainsi, Diotime, toi qui sais tant de choses ?

DIOTIME

[208c] Et elle, comme le ferait tout sophiste accompli [443], de me répondre :

N'en doute point [444], Socrate, car, chez les êtres humains en tout cas [445], si tu prends la peine d'observer ce qu'il en est de la poursuite des honneurs [446], tu seras confondu par son absurdité, à moins de te remettre en l'esprit ce que je viens de dire, à la pensée du terrible état [447] dans lequel la recherche de la renommée et le désir « de s'assurer pour l'éternité une gloire impérissable [448] » mettent les êtres humains. Oui, pour atteindre ce but, ils sont prêts à prendre tous les risques, plus encore que pour défendre leurs enfants. Ils sont prêts à dilapider leurs richesses et **[208d]** à endurer toutes les peines, et même à donner leur vie. T'imagines-tu, en effet, poursuivit-elle, qu'Alceste serait morte pour Admète [449], qu'Achille aurait suivi Patrocle dans la mort [450], que votre Codros serait allé au-devant de la mort pour conserver la royauté à ses

enfants [451], si tous ils ne s'étaient imaginé laisser de
leur excellence un souvenir immortel, celui que nous
conservons encore d'eux ? Tant s'en faut, poursuivit-
elle. C'est plutôt, j'imagine, pour que leur excellence
reste immortelle et pour obtenir une telle renommée
glorieuse que les êtres humains dans leur ensemble
font tout ce qu'ils font, et cela d'autant plus que **[208e]**
leurs qualités sont plus hautes. Car c'est l'immortalité
qu'ils aiment [452].

Cela dit, poursuivit-elle, ceux qui sont féconds selon
le corps se tournent de préférence vers les femmes ; et
leur façon d'être amoureux, c'est de chercher, en
engendrant des enfants, à s'assurer, s'imaginent-ils,
l'immortalité, le souvenir et le bonheur, « pour la totalité du temps à venir [453] ». Il y a encore ceux qui sont
féconds selon l'âme ; **[209a]** oui, précisa-t-elle, il en est
qui sont plus féconds dans leur âme que dans leur
corps, cherchant à s'assurer ce dont la gestation et
l'accouchement reviennent à l'âme. Et cela, qu'est-ce
donc ? La pensée et toute autre forme d'excellence.
Dans cette classe, il faut ranger tous les poètes qui sont
des procréateurs et tous les artisans que l'on qualifie
d'inventeurs. Mais, poursuivit-elle, la partie la plus
haute et la plus belle de la pensée, c'est celle qui
concerne l'ordonnance des cités et des domaines ; on
lui donne le nom de modération et de justice [454].

Quand, par ailleurs, parmi ces hommes, il s'en
trouve un qui est fécond selon l'âme depuis son jeune
âge **[209b]**, parce qu'il est divin [455], et que, l'âge venu,
il sent alors le désir d'engendrer et de procréer, bien
entendu il cherche, j'imagine, en jetant les yeux de
tous côtés, la belle occasion pour procréer ; jamais, en
effet, il ne voudra procréer dans la laideur. Aussi
s'attache-t-il, en tant qu'il est gros, aux beaux corps
plutôt qu'aux laids, et, s'il tombe sur une âme qui est
belle, noble et bien née, il s'attache très fortement à
l'une et à l'autre de ces beautés, et, devant un individu
de cette sorte, il sait sur-le-champ parler avec aisance
de la vertu, c'est-à-dire des devoirs **[209c]** et des occupations de l'homme de bien, et il entreprend de faire

l'éducation du jeune homme [456]. C'est que, j'imagine, au contact avec le bel objet et dans une présence assidue auprès de lui, il enfante et il procrée ce qu'il portait en lui depuis longtemps ; qu'il soit présent ou qu'il soit absent, sa pensée revient à lui et de concert avec lui il nourrit ce qu'il a procréé. Ainsi une communion bien plus intime que celle qui consiste à avoir ensemble des enfants, une affection bien plus solide, s'établissent entre de tels hommes ; plus beaux en effet et plus assurés de l'immortalité sont les enfants qu'ils ont en commun. Tout homme préférera avoir des enfants de ce genre **[209d]** plutôt que des enfants qui appartiennent au genre humain. Et, en considérant Homère, Hésiode et les autres grands poètes, il les envie [457] de laisser d'eux-mêmes des rejetons qui sont à même de leur assurer une gloire, c'est-à-dire un souvenir éternel [458], parce que leurs poèmes sont immortels ; ou encore, poursuivit-elle, envie-t-il le genre d'enfants que Lycurgue a laissés à Lacédémone, et qui assurèrent le salut de Lacédémone et, pour ainsi dire, celui de la Grèce tout entière [459]. Et chez vous, c'est Solon qui est honoré, comme le père de vos lois [460]. Il ne faut pas oublier les autres hommes qui, dans bien d'autres endroits, **[209e]** que ce soit chez les Grecs ou chez les Barbares, ont accompli plein de belles choses, en engendrant des formes variées d'excellence ; à ceux-là de tels enfants ont valu de nombreux sanctuaires [461], alors que les enfants qui appartiennent à l'espèce humaine n'ont encore valu rien de tel à personne.

Voilà sans doute, Socrate, en ce qui concerne les mystères relatifs à Éros, les choses auxquelles tu peux, toi aussi, être initié [462]. Mais la révélation suprême et la contemplation [463], **[210a]** qui en sont également le terme quand on suit la bonne voie, je ne sais si elles sont à ta portée. Néanmoins, dit-elle, je vais parler sans ménager mon zèle. Essaie de me suivre, toi aussi, si tu en es capable.

Il faut en effet, reprit-elle, que celui qui prend la bonne voie pour aller à ce but commence dès sa jeunesse à rechercher les beaux corps. Dans un premier temps, s'il est bien dirigé par celui qui le dirige, il n'aimera qu'un seul corps et alors il enfantera de beaux discours ; puis il constatera que la beauté qui réside en un corps quelconque **[210b]** est sœur de la beauté qui se trouve dans un autre corps, et que, si on s'en tient à la beauté de cette sorte, il serait insensé de ne pas tenir pour une et identique la beauté qui réside dans tous les corps[464]. Une fois que cela sera gravé dans son esprit, il deviendra amoureux de tous les beaux corps et son impérieux amour pour un seul être se relâchera ; il le dédaignera et le tiendra pour peu de chose. Après quoi, c'est la beauté qui se trouve dans les âmes qu'il tiendra pour plus précieuse que celle qui se trouve dans le corps, en sorte que, même si une personne ayant une âme admirable[465] se trouve n'avoir pas un charme physique éclatant, **[210c]** il se satisfait d'aimer un tel être, de prendre soin de lui, d'enfanter pour lui des discours susceptibles de rendre la jeunesse meilleure[466], de telle sorte par ailleurs qu'il soit contraint de discerner la beauté qui est dans les actions et dans les lois, et de constater qu'elle est toujours semblable à elle-même, en sorte que la beauté du corps compte pour peu de chose à son jugement. Après les actions, c'est aux sciences que le mènera son guide[467], pour qu'il aperçoive dès lors la beauté qu'elles recèlent et que, les yeux fixés sur la vaste étendue déjà occupée par le beau, il cesse, comme le ferait un serviteur[468] attaché à **[210d]** un seul maître, de s'attacher exclusivement à la beauté d'un unique jeune homme, d'un seul homme fait ou d'une seule occupation, servitude qui ferait de lui un être minable et à l'esprit étroit[469] ; pour que, au contraire, tourné vers l'océan du beau et le contemplant, il enfante de nombreux discours qui soient beaux et sublimes, et des pensées qui naissent dans un élan vers le savoir, où la jalousie n'a point part[470], jusqu'au moment où, rempli alors de force et grandi, il aperçoive enfin une science qui soit unique et qui appartienne au genre de celle qui a pour objet la beauté dont je vais parler.

Efforce-toi, poursuivit-elle, de m'accorder **[210e]** toute l'attention dont tu es capable. En effet, celui qui a été guidé jusqu'à ce point[471] par l'instruction[472] qui concerne les questions relatives à Éros, lui qui a contemplé les choses belles dans leur succession et dans leur ordre correct[473], parce qu'il est désormais arrivé au terme suprême des mystères d'Éros, apercevra soudain[474] quelque chose de merveilleusement beau par nature, cela justement, Socrate, qui était le but de tous ses efforts antérieurs, une réalité qui tout d'abord n'est pas soumise au changement, **[211a]** qui ne naît ni ne périt[475], qui ne croît ni ne décroît, une réalité qui par ailleurs n'est pas belle par un côté et laide par un autre, belle à un moment et laide à un autre, belle sous un certain rapport et laide sous un autre, belle ici et laide ailleurs, belle pour certains et laide pour d'autres. Et cette beauté ne lui apparaîtra pas davantage comme un visage, comme des mains ou comme quoi que ce soit d'autre qui ressortisse au corps, ni même comme un discours ou comme une connaissance certaine ; elle ne sera pas non plus, je suppose, située dans un être différent d'elle-même, par exemple dans un vivant, dans la terre ou dans le ciel, **[211b]** ou dans n'importe quoi d'autre. Non, elle lui apparaîtra en elle-même et pour elle-même, perpétuellement unie à elle-même dans l'unicité de son aspect, alors que toutes les autres choses qui sont belles participent[476] de cette beauté d'une manière telle que ni leur naissance ni leur mort ne l'accroît ni ne la diminue en rien, et ne produit aucun effet sur elle.

Toutes les fois donc que, en partant des choses d'ici-bas, on arrive à s'élever par une pratique correcte de l'amour des jeunes garçons[477], on commence à contempler cette beauté-là, on n'est pas loin de toucher au but. Voilà donc quelle est la droite voie qu'il faut suivre dans le domaine des choses de l'amour ou sur laquelle il faut se laisser conduire par un autre[478] : **[211c]** c'est, en prenant son point de départ dans les beautés d'ici-bas pour aller vers cette beauté-là, de s'élever toujours, comme au moyen d'échelons, en passant d'un seul beau corps à deux, de deux beaux corps à tous les beaux corps, et des beaux corps aux belles occupations, et des occupations vers les belles connaissances qui sont certaines, puis des belles connaissances qui sont certaines vers cette connaissance qui constitue le terme, celle qui n'est autre que la science du beau lui-même, dans le but de connaître finalement la beauté en soi.

[211d] C'est à ce point de la vie, mon cher Socrate, reprit l'étrangère de Mantinée [479], plus qu'à n'importe quel autre, que se situe le moment où, pour l'être humain, la vie vaut d'être vécue [480], parce qu'il contemple la beauté en elle-même. Si un jour tu parviens à cette contemplation, tu reconnaîtras que cette beauté est sans rapport avec l'or, les atours, les beaux enfants et les beaux adolescents dont la vue te bouleverse à présent. Oui, toi et beaucoup d'autres, qui souhaiteriez toujours contempler vos bien-aimés et toujours profiter de leur présence si la chose était possible, vous êtes tout prêts à vous priver de manger et de boire, en vous contentant de contempler vos bien-aimés et de jouir de leur compagnie [481]. À ce compte, quels sentiments, à notre avis, pourrait bien éprouver, poursuivit-elle, un homme qui arriverait à voir la beauté en elle-même, **[211e]** simple, pure, sans mélange, étrangère à l'infection des chairs humaines, des couleurs et d'une foule d'autres futilités mortelles, qui parviendrait à contempler la beauté en elle-même, celle qui est divine, dans l'unicité de sa Forme ? Estimes-tu, poursuivit-elle, qu'elle est minable la vie de l'homme **[212a]** qui élève les yeux vers là-haut [482], qui contemple cette beauté par le moyen qu'il faut [483] et qui s'unit à elle ? Ne sens-tu pas, dit-elle, que c'est à ce moment-là uniquement, quand il verra la beauté par le moyen de ce qui la rend visible [484], qu'il sera en mesure d'enfanter non point des images de la vertu, car ce n'est pas une image qu'il touche, mais des réalités véritables, car c'est la vérité qu'il touche [485]. Or, s'il enfante la vertu véritable et qu'il la nourrit, ne lui appartient-il pas d'être aimé des dieux ? Et si, entre tous les hommes, il en est un qui mérite de devenir immortel, n'est-ce pas lui ?

SOCRATE

Voilà Phèdre, et vous tous qui m'écoutez, **[212b]** ce qu'a dit Diotime ; et elle m'a convaincu. Et, comme elle m'a convaincu, je tente de convaincre les autres aussi que, pour assurer à la nature humaine la possession de ce bien, il est difficile de trouver un meilleur aide qu'Éros. Aussi, je le déclare, tout être humain doit-il honorer Éros. J'honore moi-même ce qui relève d'Éros et je m'y adonne plus qu'à tout ; j'exhorte aussi les autres à faire de même. Maintenant et en tout temps, je fais l'éloge de la puissance d'Éros, de sa vaillance [486], autant qu'il est en mon pouvoir.

Voilà quel est mon **[212c]** discours, Phèdre. Considère-le, si tu le souhaites, comme un éloge adressé à Éros. Sinon, donne-lui le nom qu'il te plaira de lui donner.

ARISTODÈME

Tel fut le discours que tint Socrate. On le félicitait, tandis qu'Aristophane tentait de prendre la parole, car Socrate avait en parlant fait allusion à son discours [487]. Soudain, on frappa à la porte de la cour [488] qui rendit un grand bruit ; ce devait être des participants à un *kômos* [489], car on entendait le son d'une joueuse d'*aulós* [490].

AGATHON

Alors Agathon intervint :

Serviteurs, **[212d]** dit-il, allez vite voir. Et, si c'est l'une de mes connaissances [491], invitez-le. Sinon, dites que nous ne sommes plus en train de boire et que nous commençons à dormir.

ALCIBIADE

Un instant plus tard, on entendit dans la cour la voix d'Alcibiade, qui complètement ivre criait à tue-tête. Il demandait où était Agathon, il voulait être conduit auprès d'Agathon. On le conduit auprès des convives, soutenu par la joueuse d'*aulós* et par quelques-uns de ses compagnons. Il s'arrête sur le seuil de la pièce **[212e]** portant une couronne touffue de lierre et de violettes [492], et la tête couverte d'un tas de bandelettes [493], et il dit :

Messieurs, bien le bonsoir. Accepterez-vous qu'un homme complètement ivre se joigne à votre banquet ? Ou devrons-nous partir, en nous bornant à couronner Agathon, ce pour quoi nous sommes venus exprès ? Hier [494] en effet, dit-il, je me suis trouvé dans l'impossibilité de venir. J'arrive maintenant avec ces bandelettes sur la tête, pour les faire passer de ma tête sur celle de l'homme qui a le plus de talent et qui est le plus beau – si cette expression m'est permise [495] –, et l'en couronner. N'allez-vous pas vous moquer de moi sous le prétexte que je suis ivre ? Vous avez beau rire, **[213a]** je sais parfaitement bien, moi, que je dis la vérité [496]. Répondez-moi sur-le-champ. Je vous ai dit mes conditions. Puis-je entrer oui ou non, puis-je me joindre à vous pour boire ?

ARISTODÈME

Tout le monde l'acclama, et lui demanda d'entrer et de prendre place sur un lit. Agathon l'appelle. Alcibiade se dirige vers lui, conduit par ses compagnons et se met à dénouer de son front les bandelettes pour en couronner Agathon. Comme il a ces bandelettes devant les yeux, il n'aperçoit pas Socrate [497] et il va s'asseoir à côté d'Agathon, entre Socrate et lui, car Socrate s'est écarté **[213b]** lorsqu'il a aperçu Alcibiade [498]. Il s'assied donc près d'eux, embrasse Agathon et lui met la couronne sur la tête.

AGATHON

C'est alors qu'Agathon prend la parole :

Serviteurs, déchaussez Alcibiade pour qu'il soit le troisième [499] à cette table.

ALCIBIADE

Parfait, répondit Alcibiade. Mais qui avons-nous comme troisième convive ?

En disant cela, il se retourne et aperçoit Socrate. À cette vue, il a un mouvement de recul.

Par Héraclès [500], lance-t-il, qu'est-ce qui arrive ? Socrate ici ? Encore une embûche que tu me tends, couché à cette place. **[213c]** À ton habitude, tu surgis à l'improviste, là où je m'attendais le moins à te trouver. Et maintenant que viens-tu faire ici ? Et de plus, pour quelle raison occupes-tu cette place ? Bien sûr ce n'est pas auprès d'Aristophane que tu t'es étendu [501], ni auprès d'un autre farceur qui fait rire et qui a l'intention de faire rire. Non, tu as trouvé le moyen de te placer auprès du plus bel homme de la compagnie [502].

SOCRATE

Vois à me défendre, Agathon, reprit Socrate, car aimer cet homme ce n'est pas pour moi une mince affaire. Depuis le moment où je suis tombé amoureux de lui, il ne m'est plus permis **[213d]** de tourner mon regard vers un seul beau garçon ou de parler avec lui, sans que cet homme-là devienne envieux et jaloux [503], sans qu'il me fasse des scènes extraordinaires et qu'il m'injurie ; pour un peu il en viendrait même aux mains. Vois donc si, à l'heure qu'il est, tu peux l'empêcher de me faire une scène. Tâche plutôt de nous réconcilier ou, s'il lève la main sur moi, défends-moi, car sa fureur et sa passion amoureuse me font frémir d'effroi.

ALCIBIADE

Non, intervint Alcibiade, ce n'est pas possible. Entre toi et moi, il n'y a pas place pour la réconciliation. Pourtant, j'attendrai une autre fois pour me venger de tout cela. Pour l'heure, Agathon, reprit-il, passe-moi quelques-unes de ces bandelettes ; **[213e]** j'ai l'intention d'en ceindre la tête de cet homme-là, cette tête merveilleuse, car je crains de l'entendre me reprocher de t'avoir couronné toi, tandis que lui, qui, par ses discours [504], remporte la victoire sur tout le monde – tout le temps, et pas seulement hier comme toi –, je ne l'ai pas couronné.

ARISTODÈME

Sur ce, Alcibiade prend les bandelettes, il en couronne Socrate et il s'installe sur le lit.

ALCIBIADE

Une fois installé, il déclara :
Voyons mes amis, vous me faites l'effet d'être bien sobres. Vous ne devez pas vous laisser aller comme cela : il faut boire. C'est convenu entre nous [505]. En conséquence, pour présider la beuverie [506], jusqu'à ce que vous ayez assez bu, c'est moi-même que je choisis. Allons, Agathon, qu'on apporte une coupe [507], une grande s'il y en a. Non, ce n'est vraiment pas la peine. Garçon, ordonna-t-il, tu n'as qu'à m'apporter ce récipient où refroidit le vin [508]. **[214a]**
Il venait d'en apercevoir un dont la contenance était de huit cotyles [509] pour le moins. Il le fit remplir et il le vida le premier, puis il ordonna de servir Socrate en disant :
Avec Socrate, messieurs, mon astuce ne fonctionnera pas ; autant on lui ordonnera de boire autant il boira, et il n'en sera pas ivre pour autant [510].

ARISTODÈME

Le serviteur sert alors Socrate qui se met à boire.

ÉRYXIMAQUE

C'est alors qu'Éryximaque demande :
Qu'allons-nous donc faire maintenant, Alcibiade ? Nous restons comme cela, la coupe [511] à la main, **[214b]** sans tenir aucun discours, sans rien chanter, à boire tout bonnement comme les gens qui ont soif ?

ALCIBIADE

Alors Alcibiade fit cette réponse :

Éryximaque, excellent fils d'un père excellent et fort expérimenté [512], je te salue.

ÉRYXIMAQUE

Moi de même, je te salue Alcibiade, reprit-il. Mais qu'allons-nous faire ?

ALCIBIADE

Ce que tu ordonneras, car il faut t'obéir.

Un médecin à lui seul vaut une masse d'hommes [513].

Ordonne donc à ton gré.

ÉRYXIMAQUE

Eh bien, écoute-moi, dit Éryximaque. Nous avions, avant ton arrivée, décidé que, chacun à son tour devrait, en allant de la gauche vers la droite [514], prononcer un discours **[214c]** sur Éros, le plus beau qui se puisse, et qui serait un éloge. Or, nous autres, nous avons tous parlé. Mais, toi puisque que tu n'as pas parlé et que tu viens de boire, il est juste [515] que tu parles, et qu'après avoir parlé tu ordonnes à Socrate ce qu'il te plaira d'ordonner, qu'il fasse de même avec son voisin de droite, et ainsi de suite.

ALCIBIADE

Voilà qui est fort bien parlé, Éryximaque, reprit Alcibiade. Mais, quand on a trop bu, la comparaison avec des gens qui parlent à jeun [516] risque de n'être pas équitable. Et avec cela, bienheureux [517], crois-tu un seul mot de ce que Socrate **[214d]** vient de dire ? Tu sais bien que c'est tout le contraire de ce qu'il disait qu'il voulait dire. Car, si, en sa présence, je fais l'éloge de quelqu'un, que ce soit un dieu ou un homme qui ne soit pas lui-même, il n'hésitera pas, lui, à en venir aux mains [518].

SOCRATE

Pas de paroles de mauvais augure [519], répliqua Socrate.

ALCIBIADE

Par Poséidon [520], s'écria Alcibiade, je te défends de protester, car, en ta présence, je ne ferai l'éloge de personne d'autre que toi.

ÉRYXIMAQUE

Eh bien, fais comme tu dis, répliqua Éryximaque, si tel est ton souhait. Prononce un éloge de Socrate.

ALCIBIADE

Que me chantes-tu là, **[214e]** reprit Alcibiade ? Il est convenu que c'est ce que je dois faire, Éryximaque. Je dois m'attaquer à ce personnage et lui infliger la punition qu'il mérite, devant vous.

SOCRATE

Mon garçon, répliqua Socrate, qu'as-tu en tête ? Tu vas faire mon éloge en faisant rire à mes dépens ? Ou alors quoi ?

ALCIBIADE

Je dirai la vérité ; à toi de voir si tu me le permets [521].

SOCRATE

La vérité, mais bien sûr que je te permets de la dire ; c'est même ce que je t'ordonne de faire.

ALCIBIADE

Je ne saurais m'en faire faute [522], rétorqua Alcibiade. Quant à toi, voici en tout cas ce qu'il faut faire. S'il m'arrive de dire quelque chose qui n'est pas vrai, coupe-moi la parole quand tu le souhaiteras, et fais-moi savoir que sur ce point je suis dans l'erreur ; en effet, ce n'est pas de mon plein gré **[215a]** que je proférerai une erreur [523]. Si cependant il m'arrive en brassant mes souvenirs de passer du coq à l'âne, n'en sois pas surpris, car il n'est pas facile, dans l'état où je me trouve, de donner sans achopper et de façon ordonnée une description détaillée de l'excentricité qui est la tienne.

Pour faire l'éloge de Socrate, messieurs, j'aurai recours à des images. Lui croira sans doute que c'est pour faire rire à ses dépens, et pourtant c'est pour dire la vérité et non pour faire rire, que je vais me servir d'images. Je maintiens donc [524] que Socrate est on ne peut plus pareil à ces silènes [525] qui se dressent dans les ateliers de sculpteurs [526], **[215b]** et que les artisans représentent avec un *syrinx* ou un *aulós* à la main [527] ; si on les ouvre par le milieu, on s'aperçoit qu'ils contiennent en leur intérieur des figurines de dieux. Je maintiens par ailleurs que cet homme ressemble au satyre Marsyas [528]. Une chose est sûre, pour ce qui est de l'aspect physique, tu leur ressembles bien [529], Socrate ; ce n'est pas toi, je le suppose, qui vas contester la chose. Pour ce qui est des autres points de ressemblance, prête l'oreille à ce qui va suivre. Tu es un insolent [530] n'est-ce pas ? Si tu exprimes ton désaccord, je produirai des témoins [531].

Mais, diras-tu, tu n'es pas joueur d'*aulós*. Si, et bien plus extraordinaire que Marsyas. Lui, effectivement, **[215c]** il se servait d'un instrument, pour charmer les êtres humains [532] à l'aide de la puissance de son souffle, et c'est ce qu'on fait encore à présent quand on joue ses airs sur l'*aulós* ; en effet, ce que jouait Olympos, je dis que c'était du Marsyas, puisque ce dernier avait été son maître [533]. Et les airs de Marsyas, qu'ils soient interprétés par un bon joueur d'*aulós* ou par une joueuse minable, ce sont les seuls capables de nous mettre dans un état de possession [534] et, parce que ce sont des airs divins, de faire voir quels sont ceux qui ont besoin des dieux et d'initiations [535]. Toi, tu te distingues de Marsyas sur un seul point : tu n'as pas besoin d'instruments, et c'est en proférant de simples [536] paroles que tu produis le même effet. Une chose est sûre ; quand nous prêtons l'oreille à quelqu'un **[215d]** d'autre, même si c'est un orateur particulièrement doué, qui tient d'autres discours, rien de cela n'intéresse, pour ainsi dire, personne. En revanche, chaque fois que c'est toi que l'on entend, ou que l'on prête l'oreille à une autre personne en train de rapporter tes propos, si minable que puisse être cette personne, et même si c'est une femme, un homme ou un adolescent qui lui prête l'oreille, nous sommes troublés et possédés.

Pour ma part, messieurs, si je ne risquais pas de passer à vos yeux pour quelqu'un de complètement ivre, je vous dirais, sous la foi du serment, quelles impressions j'ai ressenties et ressens encore maintenant à l'écoute des discours de cet individu. Quand je **[215e]** lui prête l'oreille, mon cœur bat beaucoup plus fort que celui des Corybantes [537] et ses paroles me tirent des larmes ; et je vois un très grand nombre d'autres personnes qui éprouvent les mêmes impressions. Or, en écoutant Périclès et d'autres bons orateurs [538], j'admettais sans doute qu'ils s'exprimaient bien, mais je n'éprouvais rien de pareil, mon âme n'était pas troublée, et elle ne s'indignait pas de l'esclavage auquel j'étais réduit. Mais lui, ce Marsyas, il m'a bien souvent mis dans un état **[216a]** tel qu'il me paraissait impossible de vivre comme je le fais ; et cela Socrate tu ne diras pas que ce n'est pas vrai. En ce moment encore, et j'en ai conscience, si j'acceptais de lui prêter l'oreille, je ne pourrais pas rester insensible, et j'éprouverais les mêmes émotions. En effet, il m'oblige à admettre que, en dépit de tout ce qui me manque, je continue à n'avoir pas souci de moi-même, alors que je m'occupe des affaires d'Athènes [539]. Je me fais donc violence, je me bouche les oreilles comme pour échapper aux Sirènes [540], je m'éloigne en fuyant, pour éviter de rester assis là à attendre la vieillesse auprès de lui. Il est le seul être humain devant qui j'éprouve un sentiment, **[216b]** qu'on ne s'attendrait

pas à trouver en moi : éprouver de la honte devant
quelqu'un. Il est le seul devant qui j'ai honte. Car il
m'est impossible, j'en ai conscience, de ne pas être
d'accord avec lui et de dire que je ne dois pas faire ce
qu'il me recommande de faire. Mais chaque fois que
je le quitte, je cède à l'attrait des honneurs que confère
le grand nombre [541]. Alors je déserte et je m'enfuis [542] ;
et quand je l'aperçois, j'ai honte de mes concessions
passées. Souvent j'aurais plaisir **[216c]** à le voir dispa-
raître du nombre des hommes, mais si cela arrivait je
serais beaucoup plus malheureux encore, de sorte que
je ne sais comment m'y prendre avec cet homme-là.

Oui, tels sont bien les effets que produisent sur moi
et sur beaucoup d'autres personnes les airs que, sur
son *aulós*, module ce satyre. Mais prêtez-moi encore
l'oreille : je vais vous montrer à quel point il ressemble
à ceux à qui je l'ai comparé, et à quel point son pouvoir est étonnant. Sachez-le bien en effet, aucun de
vous ne connaît vraiment cet homme-là **[216d]**. Mais
moi je vais continuer à vous montrer ce qu'il est,
puisque j'ai déjà commencé à le faire. Vous observez
en effet qu'un penchant amoureux mène Socrate vers
les beaux garçons : il ne cesse de tourner autour d'eux,
il est troublé par eux. D'un autre côté, il ignore tout
et il ne sait rien, c'est du moins l'air qu'il se donne.
N'est-ce point là un trait qui l'apparente au silène ?
Oui, tout à fait, car l'enveloppe extérieure du personnage s'apparente à celle d'un silène sculpté. Mais, à
l'intérieur, une fois que le silène sculpté a été ouvert,
avez-vous une idée de toute la modération dont il
regorge, messieurs les convives ? Laissez-moi vous le
dire : que le garçon soit beau, cela ne l'intéresse en
rien, et même **[216e]** il a un mépris inimaginable pour
cela, tout comme il méprise le fait que le garçon soit
riche ou qu'il possède quelque avantage [543] jugé
enviable par le grand nombre. Pour lui, tous ces biens
n'ont aucune valeur, et nous ne sommes rien à ses
yeux, je vous l'assure. Il passe toute sa vie à faire le
naïf et à plaisanter avec les gens [544]. Mais quand il est
sérieux et que le silène s'ouvre, je ne sais si quelqu'un

a vu les figurines qu'il recèle. Moi, il m'est arrivé de
les voir, et elles m'ont paru si divines, si précieuses, si
parfaitement belles **[217a]** et si extraordinaires, que je
n'avais plus qu'à exécuter sans retard ce que me
recommandait Socrate.

Or, comme je croyais qu'il était sérieusement épris
de la fleur de ma jeunesse, je crus que c'était pour moi
une aubaine et une chance étonnante ; je m'étais mis
dans l'idée qu'il me serait possible, en accordant mes
faveurs à Socrate, d'apprendre de lui tout ce qu'il
savait [545] ; car, bien entendu, j'étais extraordinairement
fier de ma beauté. Ayant donc réfléchi là-dessus, moi
qui jusqu'alors n'avais pas l'habitude de me trouver
seul avec lui sans être accompagné d'un serviteur,
cette fois-là, je renvoyai le serviteur et me trouvai tout
seul avec lui. **[217b]** Oui, je vous dois toute la vérité ;
alors prêtez-moi toute votre attention, et toi, Socrate,
si je mens, inscris-toi en faux. Me voilà donc, messieurs, seul à seul avec lui. J'imaginais qu'il allait aussitôt me tenir les propos que précisément un amant
tient en tête à tête à son bien-aimé, et je m'en réjouis-
sais. Or, il n'en fut absolument rien ; en revanche, il
me tint les propos qu'il me tenait d'habitude, et après
avoir passé toute la journée avec moi, il sortit et s'en
alla. En suite de quoi, je l'invitai à partager mes exercices physiques **[217c]** et je m'entraînai avec lui pensant que j'arriverais ainsi à quelque chose. Il partageait
donc avec moi les exercices physiques et souvent il
luttait avec moi [546], sans témoin. Eh bien, que faut-il
dire ? Je n'en fus pas plus avancé. Puisque je n'abou-
tissais à rien en m'y prenant ainsi, il me sembla que je
devais avoir recours à la force avec cet homme, et ne
point abandonner ; puisque je m'étais lancé dans cette
entreprise, je devais en avoir le cœur net. Je l'invite
donc à dîner avec moi, tout comme un amant qui veut
tenter quelque chose sur son bien-aimé [547]. J'ajoute
qu'il **[217d]** ne mit même pas d'empressement à l'accepter. Pourtant, au bout d'un certain temps, il finit
par accepter. La première fois qu'il vint, il souhaita
partir après avoir dîné. Alors j'eus honte, et le laissai

partir. Mais je fis une nouvelle tentative ; quant il eut fini de dîner, je prolongeai la conversation jusqu'à fort tard dans la nuit, et, lorsqu'il souhaita s'en aller, je fis observer qu'il était tard, et je le forçai à rester.

Il reposait donc sur le lit qui touchait le mien, et où il avait dîné ; personne ne dormait dans la pièce que nous deux. **[217e]** Jusqu'ici, ce que j'ai dit pourrait fort bien se raconter devant tout le monde. Mais, pour ce qui va suivre vous ne me l'auriez pas entendu raconter si, comme le dit le proverbe, ce n'était dans le vin (faut-il parler ou non de la bouche des enfants ?) que se trouve la vérité [548]. Qui plus est, ne pas faire connaître une action de Socrate aussi superbe [549], quand on est en train de faire son éloge, cela me paraît injuste. Ce n'est pas tout ; mon état est aussi celui de l'homme qu'une vipère mâle a mordu ; on raconte, je crois, que celui à qui l'accident est arrivé se refuse à décrire son état, sauf à ceux qui ont déjà été mordus, **[218a]** sous prétexte qu'eux seuls peuvent comprendre et excuser tout ce qu'il a osé faire ou dire sous le coup de la souffrance. Moi donc, qui ai subi une morsure plus douloureuse encore et qui ai été mordu là où, selon toute vraisemblance, il est le plus douloureux de l'être, car c'est au cœur ou à l'âme – peu importe le terme que l'on utilise [550] – que j'ai été frappé et mordu par les discours de la philosophie, lesquels blessent plus sauvagement que la vipère quand ils s'emparent d'une âme jeune qui n'est pas dépourvue de talent, et qu'ils lui font commettre et dire n'importe quelle extravagance. Moi qui par ailleurs voit des Phèdre, des Agathon, **[218b]** des Éryximaque, des Pausanias, des Aristodème et des Aristophane, sans parler de Socrate, et de tant d'autres [551], tous atteints comme moi du délire et des transports bacchiques produits par la philosophie [552], je vous demande donc à tous de m'écouter. Car vous me pardonnerez ce qu'alors j'ai fait, et ce qu'aujourd'hui je dis. Vous, les serviteurs, et tous les profanes et les rustres, s'il en est ici, refermez sur vos oreilles des portes épaisses [553].

Lors donc, messieurs, que la lampe fut éteinte et que les serviteurs furent partis, **[218c]** j'estimai qu'avec lui il ne fallait pas y aller par quatre chemins, mais lui faire savoir en toute liberté ce que j'estimais avoir à lui faire savoir. Et, en le poussant, je lui dis :

ALCIBIADE

Socrate, tu dors ?

SOCRATE

Pas du tout, me répondit-il.

ALCIBIADE

Sais-tu à quoi je pense ?

SOCRATE

À quoi donc au juste ?

ALCIBIADE

Je pense, repris-je, que tu es un amant digne de moi, le seul qui le soit, et je vois bien que tu hésites à m'en parler. En ce qui me concerne, voici ce qui en est. J'estime qu'il est tout à fait déraisonnable de ne point céder à tes vœux sur ce point aussi, comme en toute autre occasion où tu aurais besoin de ma fortune ou de mes **[218d]** amis [554]. Rien à mes yeux ne présente plus d'importance que de devenir le meilleur possible [555] et j'imagine que, dans cette voie, je ne puis trouver maître qui soit mieux en mesure de m'aider que toi. Dès lors, devant ceux qui savent à quoi s'en tenir, je serais beaucoup plus honteux de ne point céder aux vœux d'un homme comme toi, que je ne le serais, devant le grand nombre qui ne sait pas à quoi s'en tenir, de céder à ses vœux.

Il m'écouta, prit son air de faux naïf qui est lui est si caractéristique et, dans le style qui lui est habituel, il me fit cette réponse :

SOCRATE

Mon cher Alcidiade, il y a des chances pour que, en réalité, tu ne sois pas si maladroit, à supposer toutefois que ce que tu dis sur mon compte est vrai **[218e]** et que j'ai le pouvoir que j'ai de te rendre meilleur. Tu vois sans doute en moi une beauté inimaginable et bien différente de la grâce que revêt ton aspect physique. Si donc, l'ayant aperçue, tu entreprends de la partager avec moi et d'échanger beauté contre beauté, le profit que tu comptes faire à mes dépens n'est pas mince ; à la place de l'apparence de la beauté, c'est la beauté véritable que tu entreprends d'acquérir, **[219a]** et, en réalité, tu as dans l'idée de troquer de l'or contre du cuivre [556]. Mais, bienheureux ami, fais bien attention, de peur que tu n'ailles t'illusionner sur mon compte, car je ne suis rien. La vision de l'esprit ne commence à être perçante, que quand celle des yeux commence à perdre de son acuité ; et tu en es encore assez loin [557].

ALCIBIADE

Ce à quoi je répondis :

En ce qui me concerne, c'est bien cela, et il n'y a rien dans ce que j'ai dit qui ne soit conforme à ce que je pense. À toi dès lors de délibérer sur ce que tu juges le meilleur pour toi comme pour moi.

SOCRATE

Mais oui, répliqua-t-il, voilà qui est bien parler. Employant en effet le temps qui vient à la délibération, **[219b]** nous agirons de la manière qui nous paraîtra la meilleure à nous deux, sur ce point comme sur bien d'autres.

ALCIBIADE

Point de doute pour moi après ses paroles et les miennes, je m'imaginais l'avoir blessé par les traits que je lui avais en quelque sorte décochés. Je me soulevai donc, et, sans lui laisser la possibilité d'ajouter le

moindre mot, j'étendis sur lui mon manteau – en effet
c'était l'hiver –, je m'allongeai sous son grossier manteau [558], j'enlaçai de mes bras cet être véritablement
divin et extraordinaire, **[219c]** et je restai couché contre
lui toute la nuit. Là-dessus non plus, Socrate, tu ne
diras pas que je mens. Au vu des efforts que moi
j'avais consentis, sa supériorité à lui s'affirmait d'autant : il dédaigna ma beauté, il s'en moqua et se mon-
tra insolent à son égard. Et c'était précisément là que
je m'imaginais avoir quelque chance, messieurs les
juges [559], car vous êtes juges de la superbe de Socrate.
Sachez-le bien. Je le jure par les dieux, par les
déesses [560], je me levai après avoir dormi aux côtés de
Socrate, **[219d]** sans que rien de plus ne se fût passé
que si j'avais dormi auprès de mon père ou de mon
frère aîné.

Imaginez, après cela, quel était mon état d'esprit.
D'un côté je m'estimais méprisé, et de l'autre j'admi-
rais le naturel de Socrate, sa modération et sa fermeté.
J'étais tombé sur un homme doué d'une intelligence et
d'une force d'âme que j'aurais cru introuvables. Par
suite, il n'y avait pour moi moyen ni de me fâcher et
de me priver de sa fréquentation, ni de découvrir par
quelle voie je l'amènerais à mes fins. En effet, je savais
bien que, **[219e]** en matière d'argent, il était plus totalement invulnérable encore qu'Ajax ne l'était au fer [561],
et que sur le seul point où je m'imaginais qu'il se lais-
serait prendre [562], il m'avait échappé. Aucune issue [563]
donc. J'étais asservi à cet homme comme personne ne
l'avait été par personne, et je tournais en rond.

De fait, tout cela m'était arrivé quand nous prîmes
part ensemble à l'expédition contre Potidée [564], au
cours de laquelle nous prenions nos repas en
commun [565]. D'abord, ce qui est sûr, c'est que pour
affronter les peines [566], il était plus fort non seulement
que moi, mais aussi que tous les autres. Lorsque les
communications étaient coupées en quelque point, ce
qui arrive en campagne, **[220a]** et que nous devions
rester sans manger, nul autre ne le valait en endurance
pour supporter cette épreuve. En revanche, quand

nous étions bien ravitaillés, il n'avait pas son pareil pour en profiter, notamment pour boire. Il n'y était pas porté, mais, si on le forçait, il buvait plus que tout le monde, et le plus étonnant, c'est que personne n'a vu Socrate ivre [567]. De cela, la preuve [568] sera donnée tout à l'heure. Par ailleurs, pour supporter les rigueurs de l'hiver – les hivers sont terribles là-bas [569] –, il faisait merveille. **[220b]** Ainsi, par exemple, un jour de gel, ce qu'on peut imaginer de plus terrible dans le genre, quand tout le monde évitait de sortir ou ne sortait qu'emmitouflé d'étonnante façon, chaussé, les pieds enveloppés de feutre et de peaux d'agneau, Socrate, lui, dans ces conditions-là, sortait revêtu du même manteau qu'il avait l'habitude de porter auparavant, et marchait pieds nus sur la glace plus facilement que les autres avec leurs chaussures. Les soldats le regardaient de travers, convaincus qu'il cherchait à les narguer.

Voilà ce qui en est : **[220c]**

> *Ce que fit d'autre part, ce que sut endurer,*
> *ce héros énergique* [570]

là-bas, un jour en campagne, cela vaut la peine d'être entendu. Concentré en effet sur ses pensées, il était, à l'endroit même où il se trouvait au point du jour, resté debout à examiner un problème. Et, comme cela n'avançait pas, il n'abandonnait pas, et il restait là debout à chercher. Il était déjà midi. Les hommes l'observaient, tout étonnés ; ils se faisaient savoir les uns aux autres que Socrate, depuis le petit matin, se tenait là debout en train de réfléchir. En fin de compte, le soir venu, certains de ceux qui le regardaient [571], une fois qu'ils eurent fini de dîner, **[220d]** sortirent leurs paillasses dehors, car on était alors en été [572], et ils couchèrent au frais, tout en le surveillant pour voir s'il passerait la nuit debout. Or, il resta debout jusqu'à l'aurore, jusqu'au lever du soleil. Puis, après avoir adressé sa prière au soleil [573], il s'en alla.

Maintenant, si vous le souhaitez, passons à sa conduite au combat ; car, sur ce point aussi, il faut lui rendre justice. Lors du combat [574] à la suite duquel les généraux [575] me décernèrent le prix de courage [576], je n'ai dû mon salut à personne d'autre qu'à cet homme. **[220e]** J'étais blessé, et il refusa de m'abandonner ; et il réussit à sauver tout à la fois mes armes [577] et moi-même. Et c'est alors, Socrate, que je recommandai aux généraux de te décerner le prix de courage ; et là-dessus tu ne pourrais me faire de reproche ou dire que je mens. Eh bien non, comme les généraux considéraient ma situation sociale [578] et qu'ils souhaitaient me donner le prix de courage, tu montras plus d'empressement qu'eux pour que ce soit moi qui reçoive ce prix à ta place.

Ce n'est pas tout, messieurs. Il valait la peine d'observer Socrate, lorsque l'armée, quittant Délion [579], **[221a]** se repliait en déroute. Je m'y trouvais à ses côtés, moi à cheval, et lui avec son armement d'hoplite [580]. Il se repliait donc, en compagnie de Lachès [581], au milieu de nos hommes qui déjà se débandaient. Je tombe donc sur eux, et, dès que je les vois, je les encourage à tenir bon, et je leur dis que je ne les abandonnerai point. À cette occasion-là, j'ai pu observer Socrate mieux encore qu'à Potidée, car j'avais moins à craindre, puisque j'étais à cheval. D'abord, Socrate faisait preuve d'un sang-froid [582] plus grand que Lachès, et de beaucoup. **[221b]** Ensuite, j'avais l'impression – ce sont tes propres termes, Aristophane – que là-bas il déambulait comme il le fait ici,

se rengorgeant et regardant de côté [583]

observant d'un œil tranquille amis et ennemis, et faisant savoir à tous, même de fort loin, que si l'on s'avisait de se frotter à cet homme, il riposterait avec vigueur. Voilà pourquoi il se repliait sans être inquiété, lui et celui qui l'accompagnait ; car, en règle générale, les soldats qui se comportent ainsi au combat, on ne s'y frotte même pas, **[221c]** alors que l'on pourchasse ceux qui fuient en désordre [584].

Sans doute, y aurait-il beaucoup d'autres traits que l'on pourrait louer chez Socrate, et ce sont des traits admirables. Certes, si on prend en considération sa conduite en d'autres domaines, peut-être un autre homme mériterait-il des éloges du même genre. Mais le fait que Socrate ne ressemble à aucun homme, ni d'avant ni d'aujourd'hui [585], c'est cela qui est digne d'une admiration sans bornes. En effet, de ce que fut Achille on peut trouver une image chez Brasidas [586] et chez d'autres, et de ce que fut Périclès on peut trouver une image chez Nestor et chez Anténor [587]. **[221d]** Et ces cas ne sont pas les seuls ; on pourrait établir des comparaisons semblables entre tous les autres hommes. Mais de cet homme-là, avec ce qu'il y a de déconcertant dans sa personne et dans ses discours, on ne trouverait rien, même en cherchant bien, qui tant soit peu en approche, ni pour le présent ni pour le passé, à moins bien sûr de le comparer à ceux que je dis [588] : non pas à un être humain, mais aux silènes et aux satyres, qu'il s'agisse de sa personne ou de ses discours.

C'est en effet qu'il est une chose que j'ai omis de dire en commençant, à savoir que ses discours aussi sont tout à fait pareils aux silènes que l'on ouvre. Car, si **[221e]** l'on se donne la peine d'écouter les discours de Socrate, ces discours donnent au premier abord l'impression d'être parfaitement ridicules ; ces mots et ces phrases [589] qui forment une enveloppe extérieure, on dirait la peau d'un satyre insolent [590]. En effet, il parle d'ânes bâtés, de forgerons, de cordonniers, de tanneurs, et il a toujours l'air de dire la même chose en utilisant les mêmes termes [591], si bien que n'importe qui, ignorant ou imbécile, peut tourner ses discours en dérision. **[222a]** Mais, une fois ces discours ouverts, si on les observe et si on pénètre en leur intérieur, on découvrira d'abord qu'ils sont dans le fond les seuls à avoir du sens, et ensuite qu'ils sont on ne peut plus divins, qu'ils recèlent une multitude de figurines de l'excellence [592], que leur portée est on ne peut plus large, ou plutôt qu'ils mènent à tout ce qu'il convient d'avoir devant les yeux si l'on souhaite devenir un homme accompli [593].

Tel est, messieurs, le discours qui constitue mon éloge de Socrate. Pour ce qui est par ailleurs des griefs que j'ai contre lui, je les ai mêlés au récit de ses insolences envers moi. Du reste, je ne suis pas le seul **[222b]** qu'il ait traité de cette manière. Il s'est conduit de même avec Charmide, le fils de Glaucon [594], avec Euthydème, le fils de Dioclès [595], et avec beaucoup d'autres qu'il dupe en se donnant l'air d'un amant, alors qu'il tient le rôle du bien-aimé plutôt que celui de l'amant. Et je te mets bien en garde, Agathon ; ne te laisse pas duper par cet homme-là. Instruit par nos propres mésaventures, sache plutôt prendre tes précautions, de peur, comme dit le proverbe, de ressembler « au marmot qui apprend à ses dépens [596] ».

ARISTODÈME

Quand Alcibiade eut tenu ce discours, **[222c]** un éclat de rire salua sa franchise, car il avait vraiment l'air d'être dans des dispositions amoureuses à l'égard de Socrate.

SOCRATE

Alors Socrate prit la parole :
Alcibiade, dit-il, tu ne donnes pas l'impression d'avoir bu. Autrement, tu n'aurais pas déguisé aussi subtilement tes intentions pour essayer de cacher l'objet de tous tes discours : tu en parles à la façon d'une chose accessoire, en lui réservant une place tout à la fin, comme si tous tes propos n'avaient pas pour but de nous brouiller, moi et Agathon, **[222d]** parce que tu t'imagines que c'est toi que je dois aimer et personne d'autre, et parce qu'Agathon doit être aimé par toi et par personne d'autre. Mais ta manœuvre ne nous a pas échappé. Tout au contraire, ton drame satyrique [597] et ton histoire de Silène, nous y voyons très clair. Allons, mon cher Agathon, Alcibiade ne doit pas gagner à ce jeu, fais en sorte que personne ne puisse me brouiller avec toi.

AGATHON

Agathon répliqua :

Il pourrait bien se faire, Socrate, que tu dises vrai. J'en vois un indice dans le fait qu'il est venu prendre place entre **[222e]** toi et moi, pour nous séparer. Mais il n'y gagnera rien. C'est moi au contraire qui vais aller m'étendre près de toi.

SOCRATE

D'accord, dit Socrate, viens t'installer ici, à la place qui se trouve au-dessous de moi [598].

ALCIBIADE

Zeus, dit Alcibiade, que me faut-il encore souffrir de la part de cet homme ! Il s'imagine qu'il doit l'emporter sur moi en toutes circonstances. Pourtant, à défaut d'autre chose, homme extraordinaire, laisse Agathon se placer entre nous deux.

SOCRATE

Mais c'est impossible, rétorqua Socrate. Car tu viens de faire mon éloge, et je dois pour ma part faire celui de la personne qui se trouve à ma droite [599]. Au cas où Agathon occuperait la place qui se trouve au-dessous de toi, il n'irait certainement pas, je suppose, faire une seconde fois mon éloge, avant que j'aie moi-même fait le sien. Laisse-le plutôt où il est, divin ami, et ne sois pas jaloux **[223a]** de cet adolescent [600], si je fais son éloge, car j'ai grande envie de faire son éloge.

AGATHON

Bravo [601], s'écria Agathon. Tu vois, Alcibiade, qu'il ne m'est pas possible de rester à cette place. Mais je veux à toute force en changer, pour que Socrate fasse mon éloge.

ALCIBIADE

Voilà, rétorqua Alcibiade, c'est toujours ainsi.
Lorsque Socrate est présent quelque part, il est impossible pour un autre de tenter quelque chose du côté
des beaux garçons. Maintenant encore, voyez avec
quelle aisance il a trouvé même un motif plausible,
pour faire installer celui-ci près de lui.

ARISTODÈME

Alors **[223b]** qu'Agathon se lève pour aller s'installer
près de Socrate, soudain toute une bande constituant
un *kômos* [602] arrive devant les portes, et, les ayant trou-
vées ouvertes – quelqu'un était en train de sortir –, ils
entrent directement, viennent vers nous et s'installent
sur les lits. Un tumulte général emplit la salle : et sans
aucune règle, on fut obligé de boire une grande quantité de vin.
Alors, racontait Aristodème, Éryximaque, Phèdre et
quelques autres se levèrent et partirent. Lui-même,
disait Aristodème, fut pris de sommeil, et il dormit très
longtemps, car **[223c]** les nuits étaient longues [603]. Il ne
se réveilla qu'à l'approche du jour, alors que les coqs
chantaient déjà.
Quand il fut réveillé, il vit que les autres dormaient ou
s'en étaient allés, et que seuls Agathon, Aristophane et
Socrate étaient encore éveillés et buvaient dans une
grande coupe qu'ils se passaient de gauche à droite [604].
Socrate discutait avec eux.
De cette discussion, Aristodème disait ne pas **[223d]** se
souvenir, car il ne l'avait pas suivie depuis le début, et
il avait la tête lourde. En gros cependant, Socrate les
forçait de convenir que c'est au même homme qu'il
convient de savoir composer des comédies et des tragédies, et que l'art qui fait le poète tragique est aussi
celui qui fait le poète comique. Ils se trouvaient forcés
de l'admettre, même s'ils ne suivaient pas très bien la
discussion [605] ; ils dodelinaient de la tête. Le premier
à s'endormir fut Aristophane, puis ce fut le tour
d'Agathon, alors qu'il faisait grand jour déjà.

Alors Socrate, après les avoir de la sorte endormis, se leva et partit. Aristodème [606] le suivit comme à son habitude. Socrate se rendit au Lycée [607], se lava [608] et passa le reste de la journée comme s'il s'agissait de n'importe quelle autre journée. À la fin de la journée, vers le soir, il rentra chez lui pour se reposer [609].

CHAPITRE II

NOTES

1. Les manuscrits de Platon nous sont parvenus dans un classement tétralogique (groupes de quatre dialogues), celui qui se retrouve dans le catalogue de Thrasylle, qui fut l'astrologue de Tibère. Aussi bien dans ce catalogue que dans les manuscrits médiévaux, dont les plus anciens remontent à la fin du IXᵉ siècle ap. J.-C., on trouve, pour chaque dialogue, un titre et deux sous-titres. Le titre correspond en général au nom de l'interlocuteur principal ; en ce qui concerne le *Banquet*, il s'agit de l'occasion. Le premier sous-titre indique le sujet du dialogue et le second son caractère (son orientation philosophique générale). Suivant Diogène Laërce (*Vies et opinions des philosophes*, III, 50 & 58), le *Banquet* (*Sumpósion*) faisait partie, avec le *Parménide*, le *Philèbe* et le *Phèdre*, de la troisième tétralogie. Le dialogue avait pour premier sous-titre *Sur l'amour* (*Perì érōtos*), sous-titre que l'on trouve dans les manuscrits : pourtant Diogène Laërce (III, 58), se fondant sur le catalogue de Thrasylle qui donne comme premier sous-titre au *Phèdre* : *Sur l'amour* (*Perì érōtos*), donne pour sous-titre au *Banquet* : *Sur le bien* (*Perì agathoû*), sous-titre que l'on retrouve dans une note en marge du plus ancien et du meilleur des manuscrits, le *Bodleianus Clarkianus* 39, qui fut fini d'être recopié en 895. Il semble donc y avoir eu une inversion que l'on pourrait expliquer par le fait que le premier sous-titre du *Phèdre* était discuté ; dans ses notes qu'il avait prises au cours donné par Syrianus (Vᵉ siècle ap. J.-C.), Hermias (*In Phaedr.*, p. 8.15-9.10) évoque en effet cinq sous-titres différents pour le *Phèdre* (pour plus de détail, cf. ma traduction du *Phèdre*, Paris, GF-Flammarion, 1989, p. 63-64, et la note 1 à l'Introduction). Le *Banquet* est, comme le *Phèdre* d'ailleurs, classé sous l'étiquette « éthique » (sur les rapports que le *Phèdre* entretient avec le *Banquet*, cf. l'Introduction, p. 15, note 2).

2. Sur Apollodore, cf. l'Introduction, p. 18.

3. Littéralement *próiēn* signifie au sens strict le jour « avant hier », et plus généralement « l'autre jour ».

4. Phalère se situait sur la côte orientale du Pirée à trois kilomètres environ au sud-est des murs d'Athènes. C'était l'un des cent soixante-dix dèmes de l'Attique, celui dont est originaire Apollodore. Cf. la carte 2.

5. Le terme *gnórimos* n'implique pas un lien très fort entre deux personnes.

6. La plaisanterie est liée à la façon d'interpeller en évoquant l'appartenance au dème.

7. Sur Agathon, cf. l'Introduction, p. 24-25.

8. Lors de son procès en 399 av. J.-C., Socrate est âgé de soixante-dix ans environ (*Apologie* 17d). Cela situe sa naissance vers 469 av J.-C. En 416 av. J.-C., il a donc aux alentours de cinquante-deux ou de cinquante-trois ans.

9. Sur Alcibiade, cf. l'Introduction, p. 32-34.

10. Sur ce qu'est un *súndeipnon*, un *sumpósion*, cf. l'Introduction, p. 34-36. On notera qu'aucun signe n'est donné pour reconnaître de quel banquet en particulier il s'agit ici.

11. Sur le thème de l'*érōs*, cf. l'Introduction, p. 38 sq.

12. Sur Phénix, cf. l'Introduction, p. 17.

13. Sur Philippe, cf. l'Introduction, p. 17.

14. Il s'agit bien évidemment de Socrate. En grec, on trouve le terme *hetaîros*. Être l'*hetaîros* de quelqu'un, c'est partager les convictions de cette personne, que ces convictions ressortissent à la philosophie (Platon et Socrate, *Lettre* VII 325b ; Platon et les pythagoriciens de Tarente, *Lettre* VII 339e), à la religion (Dion et les deux frères, Callippe et Philostrate, *Lettre* VII 333e) ou à la politique (Platon et Dion, *Lettre* VII 333d, Platon et Denys le jeune [en apparence], *Lettre* VII 348a). En ce qui concerne Apollodore, l'association avec Socrate se situe sur un plan philosophique.

15. Glaucon est un nom porté par un frère de Platon (celui qui intervient dans la *République*) et par son grand-oncle, le père de Charmide. En fait, il ne s'agit ici d'aucun de ces deux personnages, cf. l'Introduction, p. 17-18.

16. Agathon avait quitté Athènes en 407 av. J.-C. pour la cour du roi de Macédoine, Archélaos, le père de Philippe, qui se trouvait à Pella (cf. Aristophane, *Grenouilles*, v. 83).

17. On se trouve donc entre 407 av. J.-C., date du départ d'Agathon, et 399 av. J.-C., date de la mort de Socrate. Sur la personnalité d'Apollodore, cf. l'Introduction, p. 18.

18. C'est là le thème majeur développé par Socrate dans l'*Apologie de Socrate* (notamment, à partir de 29b).

19. Le terme *paîs* désigne, au sens premier, une classe d'âge se situant entre sept et quatorze ans. Si cette interprétation est la bonne, cela signifie qu'il faut placer la naissance d'Apollodore (et donc de Glaucon en raison de la première personne du pluriel) entre 423 et 430 av. J.-C. Entre 407 av. J.-C. et 399 av. J.-C., Apollodore et Glaucon ont entre vingt et trente ans, cf. l'Introduction, p. 12-13.

20. Ceux qui composaient le chœur dans la tragédie.

21. En grec, on trouve le terme *epinikia*, fête qui fait suite (*epí*) à la victoire (*níkē*). La chair des animaux sacrifiés pour l'occasion fournissait la viande consommée durant le banquet ; lors du sacrifice, on brûlait les os recouverts de graisse.

22. Le juron *mà tòn Día* est le juron le plus fréquent chez Platon.

23. Sur cet Aristodème, cf. l'Introduction, p. 16-17.

24. Pour la localisation de ce dème, cf. la carte 2.

25. À l'instar d'Apollodore, Aristodème est un « fanatique » qui imite Socrate, même dans son comportement extérieur. Xénophon (*Mémorables*, IV, 2, 39-40) raconte qu'Euthydème faisait de même.

26. Aristodème est qualifié ici d'*erastēs* de Socrate. Ce terme fait référence, dans le cadre d'une relation homosexuelle masculine, à l'amant qui est le plus âgé et qui a séduit l'aimé (*erṓmenos*). Cette remarque semble indiquer qu'Aristodème était très certainement plus âgé que Socrate qui, à l'époque, avait plus de cinquante ans (cf. l'Introduction, p. 13) ; il est cependant très difficile de se prononcer sur l'existence effective de rapports sexuels entre les deux hommes ; l'éloge de Socrate par Alcibiade vient brouiller les pistes sur ce plan.

27. La qualité de la transmission du récit reste imparfaite. Pour une description, cf. l'Introduction, p. 16-18. Comparer avec *Théétète* 143a.

28. Reprise de la première phrase.

29. Ce personnage anonyme n'est pas le seul à avoir sollicité Apollodore. De même dans le *Phédon*, Échécrate, qui est le seul interlocuteur, n'est pas le seul auditeur (*Phédon* 58d, 102a).

30. L'avantage, l'utilité auxquels fait référence le terme *khrḗsimon* doivent être considérés dans la morale populaire comme le critère du bien. Les deux premiers discours du *Phèdre* appliquent ce critère à la relation amoureuse. Un peu plus loin (en 178c), Phèdre reprend la même idée.

31. Cela donne une indication sur le type de personnages auxquels s'adresse Apollodore. Ce sont, semble-t-il, des marchands. On notera la proximité de Phalère par rapport au Pirée, le port où les marchands étaient nombreux et actifs.

32. C'est une espèce de slogan socratique, cf. *supra*, 173a.

33. Cette sévérité d'Apollodore à l'égard de lui-même et à l'égard des autres s'explique dans le cadre du thème socratique suivant lequel « seul le sage est heureux ». Même s'il tend vers la sagesse, Apollodore qui n'y est pas encore parvenu ne peut se déclarer heureux, mais il est sûr que ceux qui s'occupent exclusivement d'argent ne peuvent l'être. Cette position radicale devait indisposer ses interlocuteurs ; on peut donc penser qu'Apollodore fait partie de ces imitateurs qu'évoque Socrate dans l'*Apologie de Socrate* (23c-e).

34. Je retiens la leçon *manikós*, « fou furieux », au lieu de la leçon *malakós*, « tendre, mou ». Dans la seconde hypothèse, il faudrait donner à *malakós* le sens d'« impressionnable » et non de « dépravé », comme c'est le cas habituellement. La leçon *manikós* me semble

confirmée par la réponse d'Apollodore qui va utiliser le verbe *maínomai* « je déraisonne », « je suis fou ».

35. Je me permets de traduire ainsi *parapaiō* qui signifie « frapper », *paiō*, « à côté », *pará*.

36. Ce sera le récit d'un récit, celui fait par Aristodème, cf. l'Introduction, p. 16-18.

37. Dans les *Oiseaux* (v. 1554), Aristophane qualifie aussi Socrate d'*áloutos*. Cela ne veut pas dire que Socrate était sale et qu'il manquait d'hygiène. En 223d, on apprend qu'il se lave (les mains et les pieds très probablement) avant de commencer la journée. Platon et Aristophane veulent très probablement dire que Socrate ne fréquentait pas les bains publics, où l'on était frotté et oint d'huile, après avoir pris un bain. Ces lieux n'avaient pas bonne réputation ; on passait le plus clair de son temps à y faire des conquêtes sexuelles. Sur le sujet, cf. René Ginouvès, *Balaneutikè. Recherches sur le bain dans l'Antiquité grecque*, Bibliothèque de l'École française d'Athènes 200, Paris, de Boccard, 1962. On peut aussi penser à un bain complet à la maison.

38. Agathon est qualifié de *kalós* en 213c. L'adjectif *kalós* qualifie notamment l'objet qui suscite le désir sexuel. La suite montrera que le sens que Socrate accorde à ce terme est plus complexe, cf. l'Introduction, p. 55 sq.

39. Socrate intervertit les membres de ce proverbe cité par Hésiode (frag. 264) et par Bacchylide (frag. 22.46) ; ainsi il le transforme. Jeu de mots sur « Agathon », par le moyen de *agathoi* et *agathôn*.

40. *Iliade*, XVII, v. 588. En fait, c'est Apollon qui, voulant convaincre Hector de reprendre le combat, dépeint ainsi Ménélas. Nulle part ailleurs, Homère ne traite Ménélas de *malthakós*. L'expression est reprise dans un tout autre contexte au livre III de la *République* (411b). Sur le sujet, cf. Jules Labarbe, *L'Homère de Platon*, Liège et Paris, 1949, p. 311-313.

41. *Iliade*, II, v. 108. Au cours du repas qui suivait, on consommait la chair des animaux offerts en sacrifice.

42. Celui de faire mentir le proverbe.

43. En grec, on trouve le terme *sophós*. Avant Platon, la *sophía* désignait, au sens large, la capacité qu'avait un être humain de se dominer et de dominer les autres et la nature.

44. En *Iliade*, X, v. 222-226, Diomède demande à Nestor à être accompagné par quelqu'un pour pénétrer dans le camp ennemi. Platon modifie les mots d'Homère pour leur donner un autre sens : on trouve une citation correcte de cette phrase dans le *Protagoras* (348d). Pour une analyse approfondie, cf. Jules Labarbe, *L'Homère de Platon, op. cit.*, p. 313-316. Je garde le *pró hodoû* que l'on trouve dans les manuscrits, mais que n'accepte pas Jules Labarbe qui considère qu'il s'agit d'une glose interpolée.

45. C'est donc le lieu où se déroule l'événement, cf. l'Introduction, p. 15-16.

46. Cette remarque d'Agathon laisse entendre qu'Aristodème est l'« ombre » de Socrate.

47. Le terme *paîs* peut désigner l'esclave, ici relativement jeune, qui sert notamment à table ; voilà pourquoi j'ai traduit *paîs* par « garçon » au vocatif, et par « serviteur » aux autres cas.

48. Sur la disposition des lits, et sur le nombre de places par lit, cf. l'Introduction, p. 36-38 et l'annexe, figure 2.

49. On se lavait probablement les pieds et les mains, avant de s'étendre sur un lit. Le verbe reparaît en 223d ; Socrate, arrivé au Lycée, se lave les pieds et les mains probablement.

50. Pour la représentation du plan d'une maison à l'époque, cf. l'annexe, figure 1.

51. Dans le *Banquet* (220c-d), on trouve un autre exemple de ce comportement.

52. Peut-être une allusion à une plaisanterie connue (Aristophane, *Nuées*, v. 5-7) disant que l'on peut à table demander n'importe quoi, on ne reçoit que ce que le cuisinier offre et ce que les serviteurs apportent.

53. La même idée sera reprise par Alcibiade à la fin du dialogue.

54. Des voisins ; pour le plan d'une maison, cf. l'annexe, figure 1.

55. Probablement sur le bord du lit, avant qu'on ne lui lave les pieds et les mains. Ce n'est que plus tard (176a) qu'il mettra ses pieds sur le lit, après y avoir été invité (175d).

56. Pour une représentation du vase appelé *kúlix*, cf. la figure 3. Le phénomène évoqué par Socrate s'explique par la capillarité.

57. Dans le *Parménide* (127c), Socrate est dit être *sphódra néon* ; voilà pourquoi on a pensé qu'il avait alors dans la vingtaine. Si cette hypothèse est la bonne, cela signifie qu'Agathon, qui est aussi qualifié de *neanískos* en 198a, et même de *meirákion* par Socrate en 223a, a une trentaine d'années.

58. Comme ce nombre correspond au nombre total de citoyens (mâles et adultes) à Athènes au début du IVe siècle av. J.-C., si l'on en croit Aristophane (*Assemblée des femmes*, v. 1132), on comprend que Platon parle de Grecs (*Hellếnōn*) et non pas de citoyens athéniens. Ce nombre semble largement surestimé suivant S. Dawson, « The theatrical audience in fifth-century Athens : numbers and status », *Prudentia* 29, 1992, p. 1-13.

59. Dionysos est à la fois le dieu du vin et celui en l'honneur duquel sont jouées les tragédies. D'où une insistance sur son rôle de « juge » (*dikastếs*), surtout à la suite d'une victoire au concours de tragédies et à la veille d'une compétition sur la question de savoir qui boit le plus.

60. La libation est un acte rituel très ancien dont portent déjà témoignage les poèmes homériques (*Iliade*, IX, v. 177 ; *Odyssée*, 6 fois), et qui consiste à verser du vin sur le sol en offrande aux dieux, avant de se servir. Au cours des banquets, la pratique des libations obéit à des règles. Une partie du premier « cratère » (le vase, cf. figure 3) est offert à Zeus et aux dieux olympiens, une partie du second aux héros, et une partie du troisième à Zeus

Teleios, c'est-à-dire « celui qui est au terme » ; on peut aussi offrir la première libation à l'Agathos Daimon et la dernière à Hermès. Chaque participant peut, pour sa part, offrir autant de libations qu'il le désire aux dieux qu'il souhaite honorer. Invocation et libation constituent des actes indissociables. Une coupe est remplie, et elle passe de main en main chez les participants qui formulent à tour de rôle une prière.

61. Probablement un chant de salutation, un « péan », en l'honneur de Dionysos. Le péan est l'une des variétés du chant religieux des Grecs, une invocation rythmée et solennelle à Apollon ou à un autre dieu. Si large et si variée que soit la sphère du péan, ce n'est que par un abus de langage que l'on a fini par le confondre avec le chant religieux ou même lyrique en général, l'hymne. Cette confusion s'explique par le fait que les poètes ont transporté le refrain caractéristique du péan à la fin de beaucoup de prières lyriques, accompagnant ou non des sacrifices ou des libations.

62. Après le repas et avant le *sumpósion*, on faisait des libations et on chantait, comme on vient de le voir, cf. l'Introduction, p. 34-36. En outre, on couvrait la tête des convives avec des couronnes de rubans ou de bandelettes, cf. *infra*, p. 216, note 493.

63. Pour une description des règles régissant le banquet, cf. l'Introduction, p. 34-36.

64. Sur ce personnage, cf. l'Introduction, p. 22.

65. Je me permets d'utiliser cette expression familière, car c'est Aristophane, un poète comique, qui parle.

66. Sur ce personnage, cf. l'Introduction, p. 22-23.

67. Sur ce personnage, cf. l'Introduction, p. 22-23.

68. Le terme *hérmaion*, le « coup de chance » ; quand on tombait inopinément sur quelque chose de bénéfique, on en accordait le crédit à Hermès.

69. Sur ce personnage, cf. l'Introduction, p. 19-22.

70. Agathon et Aristophane.

71. Comme on le verra à la fin en 214a.

72. Sans y être obligé par les conventions, cf. la note 76, *infra*.

73. Paradoxalement, le « banquet », ici évoqué par Platon, fait l'impasse sur la nourriture, puisque le repas est déjà terminé, et que la consommation de vin sera réduite au strict minimum durant le *sumpósion*.

74. Pour la localisation de ce dème, cf. la carte 2.

75. Sur l'intérêt que porte Phèdre à la médecine, cf. l'Introduction, p. 20-21.

76. Si l'on en croit Phèdre, le fait de boire outre mesure au cours d'un *sumpósion* était plus une obligation sociale qu'un véritable plaisir. Ce que laisse aussi entendre Eryximaque dans sa réponse.

77. Dans le vocabulaire politique, *eisēgoûmai* est le verbe qui désigne l'introduction d'une proposition de loi.

78. L'*aulós* (pour une description, cf. l'Introduction, p. 37, note 2) devait être double, comme on peut le constater dans les peintures sur vase. Les jeunes filles, des esclaves, qui jouent de la

flûte sont souvent représentées dans des scènes représentant ou décrivant un *sumpósion* (voir aussi 212c) ; ce sont les seules femmes qui étaient admises dans le cadre de cette institution. Les représentations figurées laissent aussi entendre que, lorsque les convives étaient ivres, ces femmes étaient considérées plus comme des partenaires sexuels que comme des musiciennes qui accompagnaient les chants des convives.

79. Au cours d'un *sumpósion*, les femmes de condition libre se trouvaient dans la partie de la maison qui leur était réservée (cf. figure 1). Le seul fait de rappeler qu'une femme était présente à un *sumpósion* constituait au tribunal la preuve qu'elle n'était pas de condition libre, comme on le constate dans le *Contre Nééra* de Démosthène. Je rappelle le contexte. Une loi ordonnait de vendre comme esclave toute étrangère mariée à un Athénien. Théomnestos s'en autorise pour poursuivre Nééra qui aurait été l'esclave de Nicarétè et qui aurait fait autrefois le métier de courtisane. Elle est aujourd'hui l'épouse légitime de Stephanos de qui elle a des enfants. Au cours du procès, Démosthène déclare : « [...] elle-même prenait part au repas (*sunedeípnei*) et buvait avec eux (*sunépinen*) en courtisane qu'elle était (*hōs hetaíria oûsa*) » (Démosthène, *Contre Nééra* [LIX], 48).

80. Il s'agit de la pièce d'Euripide, *Mélanippe la sage*.

81. Frag. 488 [Nauck]. Ce vers constitue la préface d'un discours portant sur l'origine de l'univers.

82. L'hymne (*húmnos*) est un poème en l'honneur des dieux que l'on chante en s'accompagnant d'une lyre. Le péan (*paián*) est un chant en l'honneur d'Apollon seul au point de départ, prière ou action de grâce qui se chante à plusieurs voix et sur un accompagnement d'*aulós*.

83. Cf. 178a-c, entre autres.

84. L'éloge (*épainos*, que Platon ne semble pas distinguer de l'*egkṓmion*) est au point de départ un chant réservé au *sumpósion*. Les règles présidant à la composition de l'*épainos* et de l'*egkṓmion* sont décrites par Aristote (*Rhétorique*, I, 9, 1367b28-36). En ce qui concerne l'absence d'éloge en l'honneur d'Éros, Phèdre exagère : dans l'*Antigone* (v. 781 sq.) de Sophocle, de même que dans l'*Hippolyte* (v. 525 sq.) et la *Médée* (v. 825 sq.) d'Euripide, on trouve de beaux vers sur Éros.

85. L'opposition poètes/sophistes se prolonge en l'opposition poésie/prose.

86. Dans l'Athènes de la fin du Ve siècle av. J.-C., Prodicos de Céos (dépeint dans le *Protagoras* 315c-d) composa un discours, dont Xénophon (*Mémorables*, II, 1, 21-34) nous propose un long résumé, et dans lequel Héraclès, qui, à un carrefour, se voit offrir par le Vice et la Vertu de s'engager sur une voie ou sur l'autre, opte pour la Vertu.

87. Il s'agit probablement de Polycrate qui avait composé des éloges des porcs, des souris, des cailloux, etc. (cf. le témoignage d'Isocrate, *Éloge d'Hélène* [X], 12). Pour sa part, Isocrate avait lui

aussi pratiqué l'éloge paradoxal, en faisant l'éloge de Busiris, un roi égyptien qui avait la fâcheuse habitude de manger ses hôtes.

88. Ici *éranos* désigne tout simplement une contribution. Au sens propre, le terme désignait un prêt fait pour des raisons philanthropiques.

89. Sur la disposition des lits, cf. l'annexe, figure 2.

90. Cf. *Phèdre* 260b.

91. En *Phèdre* 257b, c'est Lysias qui est considéré comme le père du discours, puisque c'est son discours écrit, lu par Phèdre, qui entraîne les deux discours oraux de Socrate.

92. Le terme *psêphiómai* fait référence au vote pris à la suite d'une proposition de loi (cf. *supra*, note 77).

93. Sur le sens de cette expression, cf. l'Introduction, p. 27-28.

94. Agathon et Pausanias forment un couple (193b) ; ils vivent sous le même toit. Dans le *Protagoras* (315e), seize ans plus tôt, ils se trouvent ensemble dans la maison de Callias, et Socrate évoque déjà leur liaison amoureuse. Quand Agathon part pour la Macédoine, neuf ans plus tard, Pausanias l'accompagne (Élien, *Varia Historia*, II, 21).

95. Les deux ressorts de la comédie sont le vin, domaine de Dionysos, et l'amour, domaine d'Aphrodite.

96. Sur l'idée de compétition entre ceux qui prononcent un discours, cf. 176c.

97. Deux remarques importantes. 1) Ce n'est pas l'intégralité des discours qui est rapportée. 2) Mais leur structure générale est préservée. Ainsi Platon se refuse-t-il à présenter son texte comme une reproduction sténographique en quelque sorte des propos tenus lors de l'événement évoqué. Seul l'essentiel des propos est préservé. Plus bas (*Banquet* 180c), Aristodème avoue ne se souvenir que d'une partie des éloges.

98. Cf. 177d-e.

99. Le vague de cette introduction rappelle que le discours n'est pas rapporté avec exactitude.

100. En Grèce ancienne, la vieillesse et l'Antiquité sont toujours valorisées, d'où l'usage de *tímion*.

101. Affirmation étonnante, car Alcée (fr. 8 Diehl = Z3 Page) fait d'Éros le fils de Zéphyros et d'Iris ; Simonide (fr. 24 Diehl = 20 Page) le dit fils d'Arès et d'Aphrodite ; chez Euripide (*Hippolyte*, v. 534), son père est Zeus.

102. Hésiode, *Théogonie*, v. 116 sq. Phèdre omet quelques vers.

103. Acousilaos est un historien du VIᵉ ou du Vᵉ siècle av. J.-C., parfois compté au nombre des sept Sages ; il aurait écrit un livre sur les *Origines* (*Geneseis*), dont il subsiste une quarantaine de fragments, dont celui-ci (DK 9 B 1).

104. L'ensemble des meilleurs manuscrits et le témoignage de Stobée m'incitent, tout comme Paul Vicaire, à refuser de déplacer *Hēsiódōi dè kaì Akousílaeōs*, comme le fait notamment Léon Robin.

105. Le terme *génesis* se retrouve dans Aristote, *Métaphysique*, A4, 984b23, avec la même citation de Parménide (DK 28 B 13).

106. DK 28 B 13. Il est difficile de déterminer quel est le sujet de *mētisato* : Plutarque prétend que c'est Aphrodite, alors que, pour Simplicius, c'est la divinité qui dirige l'univers. On pourrait aussi penser à *Anagkē* (Nécessité), par référence à 195c.

107. Il est difficile de ne pas voir là une référence implicite au couple formé par Agathon et Pausanias ; cf. l'Introduction, p. 22, 24-25.

108. Comparer avec la liste des biens et leur hiérarchie dans le discours de Lysias dans le *Phèdre*.

109. Évocation des deux principes qui commandent la morale populaire (cf. K.J. Dover, *Greek Popular Morality*, Berkeley and Los Angeles, University of California Press, 1974, p. 226-242 ; et B. Williams, *La Honte et la Nécessité* [1993], traduit de l'anglais par Jean Lelaidier, Paris, PUF, 1997). Entraîne la honte (*aiskhúnē*) tout ce qui, pour une raison ou pour une autre, rend quelqu'un inférieur aux yeux des autres, car la « recherche de l'honneur » (*philotimia*) implique que l'on tende vers tout ce qui peut attirer l'admiration des autres.

110. Phèdre avance, comme purement hypothétique, l'idée d'une armée exclusivement formée d'*erastaí* et d'*erṓmenoi*. Mais cette éventualité est évoquée de façon plus positive par Hérodote, V, 3, 1, parlant des Thraces, et par Thucydide, II, 97, 6, parlant des Scythes. Xénophon (*Banquet*, VIII, 32), qui fait explicitement mention du « bataillon sacré » de Thèbes (cf. aussi Plutarque, *Pélopidas*, 18), attribue ces propos à Pausanias.

111. Quitter son poste face à l'ennemi et jeter ses armes pour fuir plus vite étaient considérés comme des fautes extrêmement graves, que la comédie ne se privait pas d'exploiter (voir la première définition du courage dans le *Lachès* 190e sq.). Pendant plus de dix ans, Aristophane fera dans ses comédies allusion à l'acte de lâcheté d'un certain Cléonyme qui avait abandonné son bouclier sur le champ de bataille : dans les *Cavaliers* (v. 1372), les *Nuées* (v. 353-355), les *Guêpes* (v. 15-23), la *Paix* (v. 446, 670-678, 1295-1301) et les *Oiseaux* (v. 289 sq.).

112. En *Iliade*, X, v. 482, c'est Athéna qui aide Diomède ; et en *Iliade*, XV, v. 362, c'est Apollon qui aide Hector.

113. Il est à noter qu'Éros rend courageux (*andreîos*, une vertu typiquement masculine) face à la mort, non seulement les hommes (*ándres*), mais aussi les femmes.

114. Pour apporter son aide à Admète qui était destiné à mourir jeune, Apollon obtint pour lui ce privilège : il pourrait éviter ce sort, s'il trouvait un substitut. Les parents d'Admète, qui étaient pourtant déjà âgés, refusèrent tous les deux de tenir ce rôle de substitut qu'accepta sa femme, Alceste. Ce mythe est raconté par Hésiode (*Catalogue des femmes*, cf. Apollodore, I, 9, 15) et par Euripide (*Alceste*) avec cette différence notable. Chez Euripide, c'est Héraclès qui arrache Alceste à la mort, tandis que chez Hésiode, c'est Perséphone (= Korê), la fille de Déméter, qui permet à Alceste de revivre. Phèdre reprend la version racontée par Hésiode.

115. Suivant 180b, Phèdre pense qu'Admète était vraiment amoureux d'Alceste, alors qu'Alceste ne l'était pas d'Admète.

116. En fait, il n'y en a pas d'autres que ceux que va évoquer Phèdre.

117. L'exemple d'Orphée est ici donné en mauvaise part. Dans ses *Géorgiques* (IV, v. 453-527), Virgile raconte ceci : Eurydice, la femme d'Orphée, dont la musique envoûtait les dieux, les hommes, les animaux et même les objets inanimés (les arbres et les pierres notamment), mourut après avoir été mordue par un serpent. Orphée réussit à pénétrer dans l'Hadès, probablement en utilisant les charmes de sa musique. Il obtint la permission de ramener sa femme dans le monde des vivants à la condition qu'il ne se retourne pas pour la regarder pendant le trajet de retour. Il ne respecta pas cette interdiction et perdit sa femme à jamais. La version de Platon est donc très différente de celle que raconte Virgile et qui est la plus répandue. Les dieux méprisent Orphée, parce que c'est un efféminé (*malthakizesthai*), étant donné que c'est un joueur de cithare (ce qui semble indiquer que l'on considérait ceux qui chantaient des poèmes en s'accompagnant de cithare comme des efféminés) ; c'est peut-être le mépris qu'il aurait manifesté à l'égard des femmes qu'il aurait traitées en rivales qui explique pourquoi il connaît cette mort surprenante : des femmes le mettent en pièce. Ces deux traits semblent tirer Orphée du côté de l'homosexuel passif assimilé à une femme, thème développé par Jan Bremmer, « Orpheus : from guru to gay », *Orphisme et Orphée*, en l'honneur de Jean Rudhardt, textes réunis et édité par Philippe Borgeaud, Recherche et rencontres, Genève, Droz, 1991, p. 13-30. Sur le sens d'« efféminé », c'est-à-dire d'homosexuel passif, que désigne l'adjectif *malakós* et les termes qui lui sont apparentés, cf. L. Brisson, *Le Sexe incertain*, Paris, Les Belles Lettres, 1997, p. 49 sq. et surtout p. 147, n. 25.

118. Œagre est un dieu associé à un fleuve de Thrace.

119. Par opposition au guerrier et au cultivateur, le musicien était quelquefois considéré comme un être efféminé. Dans l'*Antiope* d'Euripide (frag. 184-188), on trouve un débat sur ce thème.

120. Cf. Eschyle, *Bassárai* (les *Renardes*), fragments 23-25 [Radt], qui cependant lie par ailleurs le sort d'Orphée au dédain qu'il affiche à l'égard de Dionysos.

121. Pindare (*Olympiques*, II, v. 79 sq.) et Hésiode (*Les Travaux et les jours*, v. 170-173) considèrent les Îles des bienheureux comme le lieu de séjour de certains héros après leur mort. Homère parle plutôt de l'Élysée (*Odyssée*, IV, v. 561-569). Pourtant, dans l'épisode de l'« Évocation des morts (*Nekuía*) », Achille se trouve dans l'Hadès (*Odyssée*, XI, v. 467).

122. Référence à *Iliade*, IX, v. 410-416, où Achille raconte que la déesse Thétis, sa mère, lui a expliqué qu'il devait choisir entre deux destinées : rester et se battre devant Troie, mourir et acquérir ainsi « une gloire immortelle », ou retourner dans son pays et y vivre une longue vie ignorée de tous. Après la mort de Patrocle tué par Hector, Achille choisit (*Iliade*, XVIII, v. 88-96) de venger son

compagnon, signant ainsi son arrêt de mort. Dans l'*Apologie* (28c-d),
Achille est donné en exemple d'héroïsme. La fin de la phrase pourrait s'expliquer par un jeu de mots implicite. Achille meurt à la suite
(*epapothaneîn*) de Patrocle, et non sur son cadavre (*huperapothaneîn*).

123. Dans l'*Iliade*, l'attachement que porte Achille à Patrocle
n'est jamais présenté comme étant de nature homosexuelle, même
si, à l'époque de Platon, c'est bien ainsi que l'on interprétait cet
attachement (cf. 180a). Sur les rapports entre Achille et Patrocle,
cf. David M. Halperin, « Heroes and their pals », *One Hundred Years
of Homosexuality and Other Essays on Greek Love*, New York/Lon-
don, Routledge, 1990, p. 73-87.

124. Eschyle, dans les *Myrmidons* (ceux qui ressemblent aux, ou
qui sont issus des *Fourmis* = le peuple dont Achille est issu)
[frag. 135 Radt], inverse donc les rôles en faisant d'Achille l'amant
et le plus jeune du couple.

125. Sur la signification de cette précision, cf. l'Introduction,
p. 58-59. Cf. aussi ce que dit Pausanias plus bas, en 181d.

126. L'expression fait allusion à un passage de l'*Iliade*, XI,
v. 786-787 où Menoetios dit à Patrocle « mais tu es plus vieux que
lui ». Platon renchérit en écrivant *polú*. Sur le sujet, cf. Jules
Labarbe, *L'Homère de Platon*, *op. cit.*, p. 316-317. Les représentations figurées sur les vases confirment l'aspect juvénile d'Achille,
Patrocle apparaissant comme son aîné.

127. Comme on le constate dans le *Phèdre*, et comme on le verra
plus loin dans le discours de Diotime.

128. Cela a déjà été dit en 179a.

129. Est dit « heureux (*eudaímōn*) » l'homme qui a réussi à être,
à avoir et à faire ce qu'il souhaitait être, avoir et faire (cf. 205a), et
donc à atteindre à l'excellence (*aretḗ*) en ces domaines. Sur tout
cela, cf. K.J. Dover, *Greek Popular Morality*, *op. cit.*, p. 228 sq.,
235 sq.

130. Hésiode (*Théogonie*, v. 190 sq.) raconte comment Aphrodite
surgit de l'écume flottant sur les eaux dans lesquelles étaient tom-
bées les bourses d'Ouranos, coupées par Kronos.

131. En *Iliade*, V, v. 370-430, Aphrodite est dite être la fille de
Zeus et de Dionè.

132. Pausanias considère que ces deux généalogies sont la preuve
de l'existence de deux Aphrodites distinctes. Ce qui n'est pas évident. En effet, les adjectifs *ouránios* et *pándēmos* sont des épiclèses
qui s'attachent non seulement à Aphrodite, mais aussi à d'autres
divinités à Athènes et même ailleurs en Grèce. Par exemple, Euripide parle non seulement d'une « Artémis *ouranía*, fille de Zeus »
(*Hippolyte*, v. 59 sq.), mais aussi d'une « Aphrodite *ouranía*, fille de
Zeus » (frag. 781.15-17). Cela montre bien que l'adjectif *ouránios*,
qui s'applique aussi à Artémis, ne signifiait pas forcément « fille
d'Ouranos ». De même, l'adjectif *pándēmos*, lorsqu'il s'attachait à
une divinité, indiquait que cette divinité était « honorée par tout le
monde en Grèce », et pas seulement par quelques familles dans cer-

taines localités. Sur les problèmes que cette distinction pose, cf. l'Introduction, p. 41-43.

133. Le verbe *eilēkhe* peut indiquer comme lot un domaine d'activité (par exemple, Arès la guerre, Aphrodite, l'amour, etc.) ou même un territoire : Zeus le ciel, Poséidon la mer, Hadès le monde souterrain (cf. *Timée*, 23d).

134. Cette opposition est au fondement de la morale populaire : il faut comprendre par « beau » (*kalón*) ce qui est convenable, et par « laid » (*kakón*) ce qui est inconvenant. On comparera avec le *Ménon* (88d-e) et l'*Euthydème* (281d-e), et avec ce qu'on trouve un peu plus loin dans le *Banquet* (183d).

135. On trouve ici le verbe *erân* qui désigne l'action à laquelle préside le dieu, *ho Érōs*. Dans le *Banquet*, le jeu sur ces mots et surtout sur *érōs*, à la fois nom propre et nom commun, est constant, et même entre le nom propre et le nom commun.

136. Les *phaûloi*, ce sont les gens de peu, les gens ordinaires, cf. 174c.

137. Puisqu'elle est fille de Zeus et de Dioné. Ainsi s'explique que cette déesse rende compte du désir orienté vers l'un et l'autre sexes. Pausanias, qui est l'amant d'Agathon, et qui semble être exclusivement porté vers les mâles, dévalorise l'hétérosexualité en lui attribuant un statut inférieur, même d'un point de vue social.

138. Étant donné qu'elle est la « fille » du seul Ouranos, qui est une divinité mâle, l'Aphrodite céleste est exclusivement orientée vers le sexe masculin.

139. Peut-être une glose interpolée, comme le croient un certain nombre de traducteurs dont Paul Vicaire.

140. L'*húbris* est le défaut caractéristique de la jeunesse. cf. K.J. Dover, *Greek Popular Morality, op. cit.*, p. 103.

141. On trouve ici une occurrence du verbe *agapáō* (une autre occurrence plus haut, en 180b) ; il est donc impossible d'opposer *érōs* à *agapḗ* dans le *Banquet*.

142. Dans le texte, on trouve le terme *paiderastía* ; pour une définition, cf. l'Introduction, p. 55-61. Dans la suite, on trouve le terme *paîs* que je traduis par « jeune garçon ».

143. En d'autres termes, ils ne poursuivent pas de leur assiduité des garçons trop jeunes, comme cela se trouve expliqué par la suite. Dans le *Protagoras* (309b), Socrate loue le vers de l'*Iliade* (XXIV, v. 348) qui dit que « la grâce suprême de la jeunesse, c'est la barbe qui commence à pousser ». On peut estimer que Pausanias pense à des garçons qui sont âgés de quatorze ans et plus.

144. Il faut rappeler que c'est Pausanias qui parle et que son aimé, Agathon, n'est pas très loin de lui. En outre, il semble que Pausanias et Agathon habitaient sous le même toit, ce qui expliquerait que Pausanias accompagne Agathon en Macédoine.

145. En grec, on trouve *nómos*. Mais il est bien difficile de traduire par « loi », parce qu'on ne trouve rien qui corresponde dans le système judiciaire athénien. Sur cette loi, cf. 181e.

146. L'expression désigne des femmes ou des jeunes filles qui ne sont pas des esclaves, et dont le père, le mari ou le parent mâle le plus proche est le *kúrios* (quelque chose comme le tuteur) et peut, de ce fait, les donner en mariage.

147. Le grec *akairía* indique un refus de prendre en considération le *kairós* ; prendre en considération le *kairós*, c'est se comporter de telle ou telle façon à tel ou tel moment ; plus bas, *akairía* a pour équivalent *psógos*. Sur ces règles, cf. l'Introduction, p. 58-59. Cette transgression correspond à une action injuste.

148. C'est-à-dire à Athènes.

149. Cf. carte 1.

150. Dans le texte, on trouve *kaì en Lakedaímoni*, que l'on doit traduire « et à Sparte » après *entháde* (« chez nous »). Robin transpose ce terme après en *Hḗlidi kaì en Boiōtoîs*, ce qui s'harmonise mieux avec la suite : « là où il n'y a pas de savants parleurs » ; pourtant, l'attitude de Sparte à l'égard de l'homosexualité était compliquée si l'on en croit Xénophon (*République des Lacédémoniens*, II, 10 sq. ; cf. Plutarque, *Institutions des Lacédémoniens*, 72, *Moralia*, 237b), et cela même s'il est vrai que Sparte est un lieu privilégié pour l'homosexualité (chez Aristophane [frag. 358 Kassel-Austin], *lakōnízein* est compris comme *paidikoîs khrḗstai*) ; dans le même passage, Xénophon oppose cette attitude à celle qui règne en Élide et en Béotie. Voilà pourquoi, à la suite de R.G. Bury, la plupart des autres éditeurs et traducteurs éliminent *kaì en Lakedaímoni*.

151. Je traduis ainsi *sophoí*. C'est-à-dire à Sparte. D'où la suggestion formulée par Léon Robin à l'effet de transporter à cet endroit le *kaì en Lakedaímoni* ; je n'admets pas cette solution.

152. À l'est de la Grèce. Cf. la carte 1.

153. Au moment où se situe l'action, les cités d'Ionie font toutes partie de l'empire athénien. Mais, après le traité de paix de 387/386, ces mêmes cités étaient retournées sous domination perse ; elles y étaient encore à l'époque où le *Banquet* fut composé. D'où une explication probable de l'anachronisme apparent.

154. Pausanias, qui a probablement déjà en tête l'exemple des tyrannicides à Athènes (cf. 182c), assimile tyrannie, d'une part, et rejet de l'homosexualité et méfiance à l'égard de la passion pour le savoir et l'exercice physique, d'autre part.

155. Voir 190b.

156. En grec, on lit, *ho gàr Aristogeitonos érōs kaì hē Harmodiou philía*. Il semble que *philía* désigne ici la réponse donné par Harmodios à l'amour (*érōs*) manifesté par Aristogiton ; l'*erastḗs* est inspiré par l'*érōs*, alors que l'*erṓmenos* répond par la *philía*.

157. En 514 av. J.-C. lors des Panathénées, Hipparque, le frère du tyran Hippias, qui était le fils et le successeur de Pisistrate fut assassiné par Harmodios et Aristogiton, lesquels furent exécutés et furent ainsi tenus pour des héros par les partisans de la démocratie. L'événement fit l'objet d'appréciations très différentes suivant les auteurs. Hérodote (V, 55-57 ; VI, 123) qui est favorable à la démocratie n'entre pas dans les détails. Thucydide (VI, 54-59) minimise

les mérites des deux hommes : pour lui, l'assassinat est le produit
« du hasard d'une aventure amoureuse », dans laquelle la politique
ne joue qu'un rôle subalterne : amant du jeune Aristogiton, Harmodios n'aurait pas supporté qu'Hipparque fît des avances au garçon. Cf. aussi Aristote, *Constitution d'Athènes*, 18.

158. Le verbe *etéthē* est le terme utilisé pour indiquer qu'une
règle est établie ou qu'une coutume est instituée.

159. En 182a, où Pausanias oppose à la coutume athénienne
d'autres usages.

160. Pour traduire sans accepter la correction que porte le plus
ancien manuscrit (noté B) en marge : *kai enethumēthē*, je rapporte
enthumēthénti à *ou rhāidion*.

161. À la suite de Bury notamment, je ne traduis pas *philosophias*.
Robin conserve ce terme en comprenant que les blâmes sont ceux
adressés par la philosophie.

162. Motif répandu dans la poésie amoureuse.

163. Cette phrase se prête à des constructions diverses ; celle
retenue me semble être la plus simple et la plus claire.

164. Il faut donner un sens véritatif à *eînai* (cf. Thucydide, VI,
16, 5 ; Sophocle, *Électre*, v. 458 ; Eschine, *Contre Ctésiphon* [III],
100) ; ce thème de l'indulgence des dieux à l'égard de l'amoureux
qui viole un serment d'amour se retrouve déjà chez Hésiode
(frag. 124).

165. Cf. la note 156 sur *érōs* et sur *philia*.

166. Sur les composés en *pan-*, cf. R.S.W. Hawtrey, *Classical
Quarterly* 33, 1983, p. 56-65.

167. Esclaves qui avaient pour tâche d'accompagner les fils de
leur maître à l'école et au gymnase et de les ramener à la maison.

168. Un écho à 180c.

169. C'est là une référence à ce que Pausanias a déjà dit en 180e-
181a.

170. Deux couples d'opposé sont ici pris en considération :
aiskhrós/kalós, et *ponērós/khrēstós* et mis en rapport avec les deux
Aphrodites et les deux Éros.

171. Curieusement, Pausanias semble ici reprendre une opposition qui sera développée par Socrate entre le changement constant
du corps et la permanence de l'âme.

172. Allusion verbale à *Iliade*, II, v. 71 ; il s'agit alors du songe
qui est apparu à Agamemnon.

173. On retrouve le même verbe *suntakeis* dans le mythe d'Aristophane en 192e.

174. Le verbe *basanízein* signifie apporter la preuve soit en tor-
turant un esclave dans le cadre d'un procès, soit en utilisant une
pierre de touche pour déterminer s'il s'agit d'or, soit en faisant passer une épreuve. Voir Platon, *Lachès, Euthyphron*, introd., trad. et
notes par Louis-André Dorion, Paris, GF-Flammarion, 1997, p. 36,
n. 56 ; p. 38, n. 57.

175. Ce qui était en jeu dans la relation homosexuelle de type
institutionnel, comme le montre l'Introduction, p. 60-61.

176. *Paiderastia* une fois de plus.

177. Je donne à *sophoí*, le même sens que plus haut, en 182b. L'expression « *Pausaníou* [...] *pausaménou* », qui implique à la fois assonance et symétrie, se trouve qualifiée par l'expression technique *hísa légein*. Il pourrait s'agir d'un « tour » venant de Gorgias, le maître et le modèle de Pausanias et d'Agathon. Considéré comme l'un de ces experts (*sophoí*), c'est-à-dire « sophistes », évoqués ici, Gorgias exerça une influence importante sur la composition de discours épidictiques (de démonstration) à la fin du Ve et au début du IVe siècle. On trouve dans l'*Éloge d'Hélène* par Gorgias un « tour » semblable à celui que l'on constate ici. Il est rare que l'on puisse donner, dans une traduction, un équivalent d'un tel jeu sur les signifiants.

178. En fonction du programme retenu, cf. l'Introduction, p. 36.

179. Sur la disposition des lits occupés par les participants, cf. l'annexe, figure 2.

180. Éryximaque est médecin, il convient de le rappeler, cf. l'Introduction, p. 22-23. Il le dira un peu plus loin, en 186a.

181. Cette idée suivant laquelle il ne faut pas laisser un discours sans fin peut être reliée à une injonction relative au *mûthos* qu'il ne faut pas laisser *aképhalos,* c'est-à-dire « sans tête » (*kephalê*). Sur l'ensemble des injonctions auxquelles celle-ci est rattachée, cf. Luc Brisson, *Platon, les mots et les mythes* [1982], Paris, La Découverte, 1994[2]. Cette injonction est appliquée au discours en général à la fin du *Phèdre* (264c) dans un contexte plus large. Éryximaque va nous expliquer pourquoi Pausanias n'a pas donné de fin à son discours ; il n'a évoqué l'action d'Éros que lorsqu'elle intéresse les êtres humains.

182. En grec, on lit *toùs kaloús,* ce qui semblerait indiquer que, tout comme Pausanias, Éryximaque ignore l'hétérosexualité. Mais, comme le fait remarquer Dover, l'expression *hoi kaloí* peut signifier « de beaux garçons et de belles filles » (par exemple, dans Xénophon, *Cyropédie*, V, 1, 14).

183. Un bon exemple de l'ambiguïté du terme ; on pourrait tout aussi bien traduire par « le double amour ».

184. En général, on estime que c'est le semblable qui recherche le semblable (cf. *Phèdre* 240c). Ce principe va contre l'idée exprimée par Aristophane dans le mythe qu'il raconte, cf. 192b.

185. Cf. 179e et 183d.

186. Le grec *ánthrōpos* fait référence à des individus des deux sexes ; d'où cette traduction.

187. *Akolástos*, qui est un antonyme de *sóphrōn*, signifie à proprement parler l'« incorrigible », celui qui reste insensible à la punition.

188. Dans cette phrase bien balancée, on trouve un jeu de mots entre « favoriser » (*kharízesthai*) et « défavoriser » (*akharisteîn*).

189. En grec, on trouve l'expression *agathos demiourgós*. Le terme *demiourgós* désigne tous ceux qui accomplissent un travail pour la communauté, et notamment les médecins ; sur l'extension de ce

terme, cf. Luc Brisson, *Le Même et l'autre dans la structure ontologique du* Timée *de Platon* [1974], Sankt Augustin, Academia Verlag, 1998³, chapitre I.

190. Peut-être une allusion à la doctrine d'Empédocle.

191. Asclépios, le fils d'Apollon (qui présidait entre autres choses à la médecine) et de la nymphe Coronis (Pindare, *Pythique*, III) était le dieu guérisseur d'Épidaure. À l'époque historique, dans le Dodécanèse et à Stagire, certaines familles qui pratiquaient la médecine depuis plusieurs générations prétendirent descendre de Podaleirios ou de Machaon (cf. la note 236), des fils d'Asclépios qui en *Iliade*, II, v. 731 sq., sont présentés comme des guérisseurs. La profession médicale n'était pas réservée à ces familles, mais tous les médecins eurent tendance à s'appeler ou à être appelés « Asclépiades » comme si, parce qu'ils pratiquaient cet art, ils étaient admis dans la famille d'Asclépios. Dans l'*Iliade* (IV, v. 449), Asclépios est présenté comme un dieu guérisseur qui a appris son art chez le centaure Chiron (*Iliade*, IV, v. 219), l'éducateur par excellence. Hésiode (frag. 51) en fait le fils d'Apollon, et, en plusieurs lieux, Asclépios était honoré à l'égal d'un dieu. À l'époque de Platon, il était considéré comme le fondateur de la médecine.

192. L'expression *hoíde hoi poiētaí* inclut Agathon et Aristophane.

193. On peut penser à ce type de gymnastique mise en avant par Hérodicos de Sélymbrie, qui est mentionné au début du *Phèdre* (227d) et dont Platon se moque au livre III de la *République* : « Hérodicos était un maître de gymnase (*paidotríbēs*) qui, devenu maladif, eut l'idée d'allier la gymnastique et la médecine, ce dont le premier résultat fut de l'exténuer lui-même, et on ne peut plus, et plus tard, un grand nombre d'autres personnes ! » (406a-b). Voir aussi *Protagoras* 316e.

194. L'agriculture s'intéresse à la santé du corps des végétaux ; d'où son association par Éryximaque à la médecine.

195. Par *mousikḗ*, il faut entendre non seulement l'accompagnement instrumental (évoqué ici par *harmonía*), mais aussi la danse (évoquée par *rhuthmós*) et même la poésie (ici associée à l'éducation, *paideía*). En d'autres termes, il s'agit de tout ce qui ressortit aux Muses.

196. Dans ce passage, j'ai tenté de traduire systématiquement *harmonía* par « accord », *sumphōnía* par « consonance », *homología* par « conciliation » et *homónoia* par « concorde ». Sur les rapports entre ces termes et sur leurs significations, cf. *République* X, 617b.

197. Une réminiscence de DK 22 B 51. Héraclite s'exprimait par énigme, estimait-on ; d'où la distinction entre ce qu'il veut dire et sa façon de s'exprimer qui n'est pas heureuse. On comprend dès lors que l'adverbe *hísōs* « sans doute » apparaisse deux fois en l'espace de quelques lignes. C'est par la difficulté de l'expression d'Héraclite qu'Éryximaque justifie la nécessité du commentaire qu'il propose de ces quelques mots. Il convient de remarquer qu'ici le sujet de la phrase est *tò hén*, l'unité, alors que dans un passage qui

évoque le même contexte en *Sophiste* 242e, *diapherómenon gàr áei sumphéretai*, le sujet est *tò ón*.

198. Reprise de la formule appliquée en 186c à la médecine. En *Philèbe* 26b, Aphrodite considérée comme la mère d'*Harmonia* (= Accord) « a établi la loi et l'ordre, porteurs de limites ».

199. L'affirmation suivant laquelle il n'y a pas d'Éros mauvais étonne après la lecture de 187c et de 186c-e.

200. Sur le rythme et l'harmonie, cf. Luc Brisson, *Platon, les mots et les mythes, op. cit.*

201. Traditionnellement, l'éducation (*paideía*) impliquait la *gumnastikḗ* pour assurer une bonne constitution au corps et la *mousikḗ* (où intervenait la poésie) pour la formation de l'âme. Cette définition de l'éducation correspond à celle que l'on trouve dans la *République* (II 376e).

202. Même formule qu'en 186d.

203. Celui développé en 186b-c.

204. Comme cela a été recommandé en 186d.

205. Dans la liste qu'en donne Hésiode (*Théogonie*, v. 75-79), on trouve les noms des deux Muses : Ouranie et Polymnie, qu'Éryximaque relie à l'Aphrodite *Ouranía* et *Pandḗmos*. Le rapprochement paraît très arbitraire.

206. Cf. 186c.

207. Dans la *République*, les soins qu'il faut accorder au corps ont pour objectif ultime, du moins dans le cas des gardiens et des philosophes (406c), de rendre inutile la médecine (*République* III, 405a-410b), tout comme le soin de l'âme devrait rendre inutiles les tribunaux. On retrouve là un thème développé dans le *Gorgias* (464b-465e). Dans ce passage, Socrate explique qu'il y a deux arts (*tekhnaí*) qui s'occupent de l'âme et deux qui s'occupent du corps. Les deux arts qui s'occupent de l'âme et qui ressortissent à la politique sont la législation et l'institution judiciaire ; l'une organise, alors que l'autre soigne. Les deux sortes d'arts qui s'occupent du corps sont la gymnastique et la médecine : la première cherche à maintenir le corps en forme et l'autre à le soigner. À ces arts, correspondent quatre formes de flatterie (*kolakeía*). Les formes de flatterie qui s'occupent de l'âme sont la sophistique et la rhétorique qui correspondent terme à terme à la législation et au système judiciaire. Et les deux formes de flatterie qui s'occupent du corps sont l'esthétique et la cuisine qui correspondent à la gymnastique et à la médecine. Dès lors, on comprend que la gymnastique, qui assure la santé du corps, ait pour but de rendre la médecine inutile, tout comme la législation, qui règle bien les rapports entre les hommes, a pour but de rendre les tribunaux inutiles ; on comprend aussi que la cuisine soit évoquée dans ce passage sur la gymnastique.

208. Le terme *krâsis* s'applique à un climat tempéré (*Phédon* 111b).

209. Cf. 181c.

210. Sur l'importance du climat dans l'apparition des maladies, cf. le traité hippocratique, *Airs, eaux, lieux*, 12.

211. Pour les Grecs, l'astronomie était indissociable de la météorologie. On estimait notamment que des étoiles brillantes comme Sirius annonçaient ou même provoquaient (Eschyle, *Agamemnon*, v. 5) des changements de climat qui entraînaient des conséquences sur l'état de santé des vivants.

212. Par le moyen des sacrifices (*thusíai*), l'être humain tente de se concilier les dieux et de s'assurer leur coopération, ou à tout le moins leur neutralité. Par le moyen de la divination (*mantikè*), qui peut présenter plusieurs formes : divination par les signes (vol des oiseaux, examen des viscères, etc.) ou sous inspiration (comme à Delphes), l'être humain peut comprendre le passé et prévoir le futur, de façon à contrôler le présent. Dans l'un et l'autre cas, une communication est donc établie entre les dieux et les hommes ; or la vertu qui s'intéresse au maintien de bonnes relations entre les dieux et les hommes est la pitié, tout de même que celle qui s'intéresse au maintien de bonnes relations entre les hommes est la justice. Cf. *Euthyphron* 12a-e, et l'Introduction à ce dialogue dans l'édition GF-Flammarion, 1997, p. 220-221.

213. De sauvegarder le bon et de guérir le mauvais.

214. Je lis *erôtas* « les Éros » avec les manuscrits, et non *erôntas* « ceux qui sont énamourés » avec Stobée.

215. Suivant cette traduction la piété (*eusébeia*), c'est l'observation de la loi divine (*thémis*).

216. Cf. 185e.

217. Critique bouffonne de ce que vient de dire Éryximaque ; on comprend dès lors la réaction de ce dernier.

218. Il est difficile de faire ressortir dans la traduction la distinction entre *geloîa* et *katagélasta*.

219. À la fin de l'année qu'il venait de passer dans l'exercice de sa fonction, chaque magistrat devait rendre des comptes sur le plan financier ; cette institution avait pour nom *eúthuna*. C'est probablement à cette institution que fait ici allusion Éryximaque. On notera que dans la *République* (VII, 534b), Platon utilise l'expression pour désigner le fait de contrôler les différentes étapes d'un raisonnement.

220. Sur le caractère autoritaire d'Éryximaque, cf. l'Introduction, p. 22-23.

221. Dans la *Paix* (v. 392), c'est à Hermès qu'Aristophane attribue le qualificatif *philanthrôpótatos*.

222. Cette introduction dit l'essentiel. Éros a le pouvoir de guérir de cette maladie provoquée par la punition de Zeus ; il permet aux deux moitiés d'un être unique à l'origine de se réunir.

223. La chose sera décrite plus bas ; en 191b, on retrouve le terme *páthos*.

224. L'expression *en oneídei* dénote chez Eupolis (fr. 46 Kassel-Austin) un homme efféminé et lâche. Pour des exemples d'un usage infamant du terme dans les comédies au Vᵉ siècle, chez Eupolis et chez Aristophane, cf. Luc Brisson, *Le Sexe incertain, op. cit.*, p. 58-59.

225. Je comprends *orthón* comme désignant la « station droite » ; la suite montre en effet que ces êtres peuvent avancer ou reculer, aller dans un sens ou dans l'autre, tout en parvenant par ailleurs à faire la roue.

226. Certains éditeurs suppriment le *kaí* et le *kubistôsi kúklōi*.

227. Considération cosmologique qui associe les trois genres à trois corps célestes, en fonction de leur forme d'une part, puisqu'ils sont ronds, et en fonction de leur sexe : le soleil étant un dieu masculin, la terre une divinité féminine et la lune, qui se trouve entre les deux, étant bisexuelle (cf. Philochore [c. 300 av. J.-C.], *FGrH* 328, fr. 184 Jacoby). Sur le sujet, cf. Luc Brisson, *Le Sexe incertain*, *op. cit.*, p. 71.

228. Cf. 182c, où l'on retrouve *phronếmata*.

229. Otos et Éphialte, les hommes les plus grands qui se trouvaient sur terre avaient emprisonné Arès pendant un an (*Iliade*, V, v. 385 sq.). Ils avaient par ailleurs l'intention de s'en prendre au dieux et de monter au ciel en empilant le mont Ossa sur l'Olympe et le Pélion sur le mont Ossa (*Odyssée*, XI, v. 307-320).

230. Pour établir leur pouvoir, Zeus et les dieux de sa génération durent faire la guerre aux dieux de la génération antérieure, les Titans d'une part et les Géants de l'autre. Les deux guerres donnèrent lieu à plusieurs représentations figurées, où la foudre (*keraunós*) de Zeus joue un rôle décisif.

231. Pour une explication de ce passage, cf. Louis-André Dorion, dans son Introduction à l'*Euthyphron*, Paris, GF-Flammarion, 1997, p. 234-235.

232. Le terme *aselgếs* qualifie ceux dont la conduite est choquante sur le plan moral.

233. Jeu d'équilibre que l'on pratiquait à l'occasion des Grandes Dionysies. Selon une étymologie associant le terme à *askós*, l'outre, le jeu consistait à se tenir à cloche-pied (suivant une autre étymologie associant le *a*-privatif et le terme *skélos*, jambe) sur une outre de vin huilée, soit que celle-ci ait été préalablement vidée de son contenu et gonflée d'air, soit qu'elle soit encore pleine de vin. On imagine l'effet comique que pouvaient produire les efforts, voués à l'échec, de ceux qui se risquaient à ce jeu.

234. Le membre de phrase *hốsper hoi tà óa témnontes kaì méllontes tarikheúein*, « comme on coupe les cormes pour les conserver » me paraît bien être une glose interpolée, comme l'ont fait remarquer plusieurs éditeurs et traducteurs, qui s'appuyaient sur des arguments de poids. On faisait sécher les cormes au soleil après les avoir coupées en deux pour en enlever le noyau.

235. Suivant Plutarque (*Amator.*, 24, *Moralia*, 770b), l'expression était proverbiale ; mais l'explication de l'opération évoquée n'est pas aisée. Il semble qu'il s'agissait de couper en deux avec un fil un œuf dur, cuit et dont on avait enlevé la coquille.

236. Apollon est ici considéré comme un dieu guérisseur (*Cratyle* 405a-b), comme une divinité qui s'intéresse à la médecine. Il est le père d'Asclépios, à qui il transmet ce don (cf. note 191).

237. Beaucoup de soin est apporté dans la description du travail de la peau.

238. On retrouve ici le terme *páthos* qui fait référence à 189d.

239. Qui étaient à l'arrière auparavant, placées au-dessus des fesses, comme on peut le déduire de 190a.

240. Le cigales se reproduisent par union sexuelle. La femelle dépose ses œufs sur les branches des arbres. Les larves tombent par terre et vivent dans le sol jusqu'à ce qu'elles atteignent leur maturité. Il est possible que Platon ait confondu les cigales avec certains criquets chez qui la femelle est dotée d'un imposant appendice pondeur qu'elle enfonce dans le sol pour y déposer ses œufs, et qui aurait pu être considéré comme un pénis.

241. Pour un autre usage de *plēsmonē*, cf. 185c.

242. Un *súmbolon* est un objet coupé en deux parties, dont la réunion peut constituer un signe de reconnaissance pour deux personnes qui en possèdent chacune une partie, que ce soit pour une raison personnelle, commerciale ou politique. Dans le traité *De la génération des animaux*, 722b10, Aristote utilise le terme dans le résumé de la doctrine d'Empédocle (DK 31 B 63) sur la génération.

243. La scholie sur *psêttai* oriente le traducteur à comprendre ainsi.

244. Les termes *ek toútou toû génous gígnontai*, qui reviennent, ont déjà été utilisés. Il s'agit probablement d'une interpolation, comme le pensent Badham et Schanz, et je ne les traduis pas.

245. L'insistance insolite d'Aristophane sur l'adultère s'explique peut-être par le fait qu'il s'agissait là d'un thème favori de la comédie.

246. C'est la seule référence dans toute la littérature grecque classique à l'homosexualité féminine. Sur le sens de *hetaíristriai*, cf. Lucien, *De meretric.*, 5, 2 ; et Timée, *Lexicon*. Et sur la question de l'homosexualité féminine dans l'Antiquité, cf. Luc Brisson, *Le Sexe incertain, op. cit.*, p. 62-65.

247. Le grec *temákhia* est le diminutif de *témakhos* qui signifie une tranche de poisson. Peut-être une référence à la comparaison avec les soles, cf. 191d.

248. Les termes *paîs, neaniskós, meirákion* ou *éphēbos* peuvent, selon les contextes, désigner indistinctement des jeunes garçons jouant le rôle d'aimé (*erṓmenos*) dans un couple d'homosexuel, c'est-à-dire celui qui est « chassé ».

249. L'homosexualité masculine est hautement valorisée, sur tous les plans.

250. Au sens littéral, *anaiskhuntia*, c'est être dépourvu de honte (sur ce sentiment, cf. la note 109).

251. L'homosexualité dans la Grèce classique n'était pas pour la plupart des hommes un choix exclusif. Pour la majorité d'entre eux, elle correspondait à une période de la vie (cf. l'Introduction, p. 58-59). On notera à l'égard du mariage l'opposition nature (*phúsis*)/ règle (*nómos*). Cela dit, comme il ne semble pas y avoir eu à Athènes

une loi sur l'obligation de se marier, j'ai traduit *nómos* par « règle » et non par « loi ».

252. Aristophane ne peut pas ne pas faire allusion ici au couple formé par Pausanias et par Agathon.

253. L'expression *paiderastḗs te kaí philerastḗs* semble s'appliquer pour le premier terme à l'amant et pour le second à l'aimé.

254. Ce principe s'oppose à celui mis en avant par Éryximaque (186b), selon lequel le dissemblable recherche le dissemblable.

255. Cela est vrai pour les trois espèces d'êtres primitifs.

256. Le terme *aphrodision* désigne les relations homosexuelles, cf. K.J. Dover, *Homosexualité grecque* [1978], trad. française par S. Saïd, Grenoble, La Pensée sauvage, 1982, p. 63.

257. Hephaïstos, le forgeron, cf. 197b.

258. C'est une question que pose Diotime dans son discours (204d-206a). Voir aussi quelques lignes plus bas.

259. Ce passage est cité par Aristote (*Politique*, II, 4, 6, 1262b13) : « De même dans les discours sur l'amour (*en toîs erotikoîs lógois*), Aristophane, nous le savons, dit que les amants, à cause de la violence de leur amour, aspirent à confondre leurs existences et à ne faire de deux êtres qu'un seul. » On notera avec intérêt l'expression « dans les discours sur l'amour (*en toîs erotikoîs lógois*) » qui servait peut-être, dans l'Académie, à désigner le *Banquet* qui n'avait pas encore reçu de titre : dès le début du *Banquet*, Glaucon demande à Apollodore de l'informer « sur les discours qui furent tenus sur le thème de l'amour » (*perì tỗn erotikỗn lógōn*). En outre, il faut remarquer que, au lieu de *sumphusễsai* ou de *sumphûsai*, le texte d'Aristote a *sumphuễnai* ou *sumphûnai*, ce qui pourrait indiquer que le texte qu'il avait sous les yeux était légèrement différent du nôtre. Ce détail est intéressant pour l'histoire du texte lui-même.

260. C'est la définition de l'amour qui découle tout naturellement de ce que vient de dire Aristophane.

261. En 385, suivant Xénophon (*Helléniques*, V, 2, 5-7), les Spartiates détruisirent les murs de Mantinée en Arcadie, dont la population fut par ailleurs dispersée (*dioĩkisthḗ*), à l'instigation de Sparte, en quatre endroits différents. Mantinée n'était pas la seule cité arcadienne, mais son orientation proathénienne au cours des guerres du Péloponnèse et la participation de mercenaires mantinéens dans les forces athéniennes (cf. Thucydide, VI, 29, 3) avait suscité à Athènes l'habitude de considérer les Mantinéens comme les Arcadiens par excellence. Sur cet événement historique, et sur son importance pour fixer la date dramatique du dialogue, cf. l'Introduction, p. 13-14.

262. Allusion à la menace antérieure de Zeus, 190d.

263. Comme c'est le cas en Égypte, cf. Luc Brisson, « L'Égypte de Platon », *Études philosophiques*, 1987, p. 153-168.

264. On ne sait pas très bien ce que sont les *líspai* ; suivant la scholie, il s'agirait de « jetons » utilisés dans un jeu et qu'on coupait en deux pour qu'ils servent de signes de reconnaissance.

265. La notion d'*asébeia* qui implique que l'on se conduit mal envers les dieux est systématiquement mise en rapport avec celle d'*adikía* qui implique que l'on se comporte mal envers ses conci- toyens. Sur le sujet, Louis-André Dorion, dans l'Introduction à l'*Euthyphron*, *op. cit.*, p. 225-226.

266. Pour Éros *hēgemṓn*, cf. 197d.

267. Sur les rapports entre les deux hommes, cf. l'Introduction, p. 24-25.

268. Cf. 188e, 189c.

269. Cf. 189b.

270. Cf. 193b.

271. Au début du *Banquet* (177d), Socrate déclare ne rien savoir sauf sur les sujets qui relèvent d'Éros. Pour le sens à donner à cette déclaration, cf. l'Introduction, p. 64.

272. On retrouve ici l'idée d'*agṓn*. Ceux qui prononcent des dis- cours se sentent en compétition l'un avec l'autre, comme c'est le cas pour le concours de tragédies dont Agathon vient de sortir vain- queur.

273. Pour un autre emploi de *pharmáttein* en ce sens, cf. *Ménon* 80a.

274. J'ai légèrement paraphrasé pour rendre le terme *tò théatron* qui, comme on peut le constater dans la suite, fait référence au concours de tragédies qui vient d'avoir lieu.

275. Pour un autre emploi de *epilḗsmōn*, cf. *Protagoras* 334c.

276. Il s'agit non du salut final, mais du *proagṓn*, la présentation au public des acteurs et des choreutes qui interpréteront son œuvre par le poète tragique, quelques jours avant la représentation de la tragédie. Au temps d'Agathon, l'événement se déroulait dans l'Odéon bâti par Périclès.

277. C'est là un principe qu'invoque souvent Socrate, et notam- ment dans le *Criton* (46c-48a).

278. Sur l'usage de *ágroikos*, cf. *Phèdre* 229d. L'usage de cet adjectif fait apparaître l'opposition sur le plan de la culture entre la cité (*ástu*, ici Athènes), le lieu du loisir et de la culture, et la cam- pagne (*agrós*), le lieu du travail manuel et de la nécessité matérielle.

279. Autre opposition entre le « grand nombre (*polloí*) » qui est formé de « rustres (*ágroikoi*) » et les « gens avertis (*sophoí*) » qui sont « en petit nombre (*oligoí*) ».

280. Socrate se lance dans une discussion qui prend l'allure d'un *élenkhos*. Ce n'est pas parce qu'il porte plus d'attention au petit nombre des gens avertis plutôt qu'à la foule, qu'Agathon accepterait de faire quelque chose de honteux devant la foule. Opportunément, Phèdre arrête cette discussion ; mais, en 199c-201c, Socrate sou- mettra Agathon à un *élenkhos* en règle, ce dont son interlocuteur ne sera pas ravi.

281. Ici, c'est Phèdre qui tient le rôle de meneur de jeu en tant que père du discours (177d). Avant, c'était Pausanias, et, par la suite (en 213e), ce sera Alcibiade.

282. J'essaie de conserver la triple répétition (qui doit être voulue) du verbe *eipeîn* en une même phrase. Pour un tour équivalent, cf. Gorgias, DK 82 B 6.11 sq., où l'on trouve réunis *dunaímēn*, *boúlomai* et *bouloímēn*.

283. Répétition de *pantós* et première utilisation de l'opposition *prôton*, *épeita* qui sera reprise par la suite.

284. C'est là un postulat. Par définition, un dieu est heureux, car il est parfait, cf. les livres II et III de la *République*.

285. Pour ce qui est de *thémis*, cf. 188d ; par ailleurs, *anemésēton* renvoie à *némesis*. On se retrouve ici dans un contexte où la justice, dans un sens originaire, joue un rôle essentiel. L'obéissance d'Agathon est purement verbale, et elle ressemble à celle de Pausanias en 180e.

286. Il est un *kalòs kagathós* au plus haut degré, c'est-à-dire un homme accompli.

287. Cette remarque banale rappelle cependant une vérité importante : l'amour a pour objet le beau, cf. l'Introduction, p. 45-46.

288. Phèdre a soutenu le contraire dans son discours.

289. L'expression *pheúgōn phugêi* équivaut (du point de vue de sa structure) au français « voir de ses yeux », cf. *Epinomis* 974b, *Lettre* VIII 354c-d

290. Cf. 181d.

291. Dicton cité dans le *Lysis* (214a) et repris de l'*Odyssée* (XVII, v. 218). Agathon s'oppose à ce que prétend Éryximaque, tout en s'accordant avec ce que dit Aristophane.

292. Kronos et Japet sont les fils d'Ouranos (= Ciel) et de Gè (= Terre), qui forment un couple, cf. Hésiode, *Théogonie*, v. 507. En Grèce ancienne, dire de quelqu'un que c'est « un Kronos » ou « un Japet », c'est le dénoncer comme « vieux jeu », « dépassé » (Aristophane, *Nuées*, v. 929, 998) ; les Titans représentent en effet la génération antérieure à Zeus dont c'est maintenant le règne.

293. Réminiscence d'Hésiode, *Théogonie*, v. 147-210, 453-506 pour la mutilation de Kronos et pour les combats entre les dieux ; et d'*Iliade*, I, v. 400, VIII, v. 18, pour l'épisode où les dieux sont jetés dans les chaînes. Pour ce qui est de Parménide, aucune référence précise ne peut être mise en avant, même si la Nécessité est évoquée dans le fragment 8 (lignes 30 sq.). Mais, comme il ne subsiste qu'une cinquantaine de vers d'un poème dont on ne connaît pas la longueur totale, aucune conclusion ne peut être tirée de cette absence.

294. Cela implique qu'Éros est une divinité récente par rapport aux Titans.

295. En bon élève des rhéteurs, Agathon ponctue son discours de récapitulations introduites par *mèn oûn* ; ici, en 196b et d.

296. *Iliade*, XIX, v. 92. Cf. Jules Labarbe, *L'Homère de Platon*, *op. cit.*, p. 219-224. Atè est la déesse qui est responsable de l'erreur et de l'égarement en l'homme ; voilà pourquoi elle est décrite comme allant d'une tête à l'autre. Son nom est souvent synonyme de malheur chez les tragiques.

297. Comme Atè.

298. C'est ainsi que je traduis *eîdos* ici et *idéa* plus bas.

299. Pour garder l'idée véhiculée par *hugrós* qui signifie au sens premier « humide ».

300. Il faut vraiment traduire *aretế* par « vertu », et non par « excellence » (ce qui serait possible), comme le montre l'inventaire qui suit : justice (*dikaiosúnē*) (196b-c), modération (*sōphrósunē*) (196c), courage (*andreía*) (196c-d), sagesse (*sophía*) (196d-197b). Seule manque la piété qui permet aux hommes d'entretenir de bon rapports avec les dieux (cf. note 212), mais Éros est un dieu, et de ce fait il n'a pas besoin d'être pieux.

301. J'essaie de maintenir la structure de cette phrase en chiasme qui fait intervenir quatre termes : commettre l'injustice à l'égard d'un dieu ou d'un homme, subir l'injustice de la part d'un dieu ou d'un homme.

302. Ici aussi on retrouve la structure passion/action, mais inversée cette fois ; on retrouve aussi les répétitions : *páskhei ei ti páskhei* et *poiôn poieî*. L'idée exprimée par Agathon n'était pas partagée par tout le monde en Grèce ancienne (Sappho, frag. 172 ; Théognis, 1353-1356).

303. Formule attribuée par Aristote (*Rhétorique*, III, 3, 1406a17-23) au rhéteur Alcidamas, un disciple de Gorgias comme Agathon.

304. Définition de la modération.

305. Le raisonnement est subtil, mais pour le moins étrange. Pour une analyse, cf. Pierre Lévêque, *Agathon, op. cit.*, p. 121. Une fois de plus, on notera les répétitions : *kratoînt', kratoî, kratôn*.

306. Le dieu de la Guerre dans le panthéon de la Grèce ancienne.

307. Un vers du *Thyeste* de Sophocle (frag. 256 [Radt]). Dans ce vers, il ne s'agit pas d'Éros, mais de Nécessité.

308. *Odyssée*, VIII, v. 266-366. On remarquera l'expression *hôs lógos*, qui introduit une allusion à l'épisode mythique suivant : Arès tombe amoureux d'Aphrodite, qui est l'épouse d'Hephaïstos. Le dieu-forgeron fabrique un piège pour emprisonner les deux amants au lit ; le stratagème échoue, et les dieux partent d'un rire inextinguible.

309. Passage brutal du nom propre au nom commun. Éros possède Arès, car Arès éprouve de l'amour (*érōs*) pour Aphrodite.

310. Une fois de plus, l'argumentation est subtile, mais étrange et même inacceptable.

311. C'est-à-dire la médecine.

312. Jeu de mots intraduisible sur *poieîn* « produire » et *poiētếs* « poète ». Éros est un poète qui peut produire non pas une œuvre, mais celui-là même qui produit cette œuvre, c'est-à-dire un poète.

313. Euripide, *Sthénébée*, frag. 663 Nauck. Ces mots sont aussi cités par Aristophane (*Guêpes*, v. 1074).

314. Agathon joue une fois de plus sur les mots : *poiētếs* et *poíēsis*. Par ailleurs, il faut ici traduire *mousikế* par « tout ce qui ressortit aux Muses », comme le montre la suite. Le style de ce passage atteint

une telle complexité et une telle subtilité qu'il devient impossible de serrer le texte de près. J'essaie de transmettre le sens, alors qu'Agathon veut démontrer sa virtuosité rhétorique sans trop se soucier du sens ; la traduction rencontre ici ses limites !

315. Conception traditionnelle de l'enseignement comme transmission d'un contenu (le savoir) d'un contenant (le maître) à un autre contenant (l'élève), y compris par le contact physique et même l'acte sexuel. Cette conception, qui mène tout droit au paradoxe de Ménon, s'accorde avec l'image des vases communicants évoquée par Socrate au début du *Banquet* (175d-e). On notera d'ailleurs l'usage à quelques lignes d'intervalle de la notion de toucher (*ápsētai* en 196e, *ephápsētai* en 197a).

316. On passe à un autre sens de *poíēsis*, celui de génération entendue comme fabrication d'êtres vivants.

317. En grec, on lit *epithumias kaì érōtos hégemoneúsantos*. Il paraît donc impossible, étant donné sa place dans cette expression, de ne pas traduire *érōtos* comme un nom commun.

318. Ce sont les attributs d'Apollon. Apollon fonde le premier oracle (*Hymne homérique à Apollon*, 214) ; à partir de l'*Iliade*, il est le dieu archer ; quelquefois il est présenté comme un guérisseur (Aristophane, *Oiseaux*, v. 584). Dans le passage du *Cratyle* (404c-405e) consacré à Apollon, Platon évoque tous ces attributs.

319. Cf. 192d.

320. Comme, par exemple, chez Hésiode, *Les Travaux et les jours*, v. 63.

321. Ce serait un fragment d'une tragédie inconnue, une tragédie d'Agathon peut-être.

322. Une réminiscence de 195c, où l'on retrouve *tà prágmata*.

323. Cf. 201a.

324. La Nécessité a été évoquée plus haut.

325. Si on s'en réfère au plan tracé en 194e sq., c'est ici que commence la seconde partie du discours d'Agathon. Le véritable éloge doit montrer comment les bienfaits de l'être loué sont des effets de sa nature. L'idée de relation causale se trouvait déjà au début du discours (195a). Stobée (début du Vᵉ siècle ap. J.-C.), IV, 456.8-457.5, cite longuement ce passage 197c3-6 ; même si cette citation est faite d'après un texte antérieur à celui de nos plus anciens manuscrits, qui datent de la fin du IXᵉ siècle ap. J.-C., le texte qu'elle propose n'est pas fiable.

326. Il est impossible de dire si ces vers sont d'Agathon ou d'un autre poète. On peut placer la coupe ailleurs.

327. J'ai voulu rendre cette phrase par une unique période, pour faire bien apparaître la virtuosité dont cherche à faire preuve Agathon.

328. Les fêtes, auxquelles renvoient l'expression *en heortaîs*, sont avant toutes choses des fêtes religieuses. Les chœurs, auxquels fait référence l'expression *en khoroîs*, et dans lesquels sont associés le chant et la danse, constituent parfois un spectacle ou un pur divertissement, mais le plus souvent ils interviennent dans des cérémo-

nies cultuelles, notamment en l'honneur de Dionysos. Les sacrifices, évoqués par l'expression *en thusíais*, peuvent être définis ainsi : « Toute offrande végétale ou animale comportant la destruction partielle de l'objet consacré et le maniement ou la consommation de la partie restante. »

329. Double métaphore nautique. Le *kubernḗtēs* est le pilote du navire, alors que l'*epibátēs* est l'hoplite embarqué dont le rôle est de protéger les rameurs lors de l'abordage de la trière par un navire ennemi. Cf. *Lachès* 183d, et la note de Louis-André Dorion *ad locum*, dans sa traduction du *Lachès*, Paris, GF-Flammarion, 1997.

330. Au sens strict du terme, le terme *parastátēs* désigne l'hoplite qui se trouve immédiatement à côté d'un autre sur une ligne ; son rôle est essentiel pour la protection de ses voisins qui, eux aussi, le protègent.

331. Le *parastátēs* qui précède donne un sens militaire à *sōtḗr*.

332. *Thélgōn* est un terme qui renvoie à la magie.

333. Contrairement à Éryximaque, Agathon revendique la responsabilité de son discours.

334. Le verbe *anakeísthō* désigne l'action d'offrir à un dieu une statue ou un *ex-voto*.

335. Sur ce couple, cf. Luc Brisson, *Platon, les mots et les mythes*, *op. cit.*, p. 94-95.

336. Le verbe *anathorubêsai* peut faire référence à un tapage correspondant à une réaction d'indignation comme c'est le cas dans l'*Apologie de Socrate* (17c, 20e, 21a, 27b, 30c) ; mais il peut tout aussi bien indiquer une réaction d'admiration et d'encouragement se manifestant, notamment, par des applaudissements, ce qui semble être le cas ici (cf. *Protagoras* 334c, *Euthydème* 276b, 303b ; *République* VI 492c).

337. Sur l'âge d'Agathon qualifié ici de *neanískos*, cf. l'Introduction, p. 57-58.

338. Pour d'autres exemples de ce type d'interpellation, cf. *Charmide* 158b, 169b.

339. Parodie du style d'Agathon. Le grec est en effet très répétitif : *adeès déos dediénai*, qui devrait être traduit « étant effrayé sans raison d'être effrayé ».

340. Cf. 194a.

341. Pour d'autres emplois de cet adjectif, cf. 214c et 219a, et, par ailleurs, *Protagoras* 309c.

342. Sur Gorgias, cf. l'Introduction, p. 51.

343. Calembour qui associe le nom de Gorgone à celui de Gorgias, le maître d'Agathon. Dans l'*Odyssée*, à la fin de la scène de l'« Évocation des morts (*Nekuía*) », Ulysse prend peur, lorsqu'il voit les morts surgir : « Mais avant eux, voici qu'avec des cris d'enfer, s'assemblaient les tribus innombrables des morts. Je me sentis verdir de crainte à la pensée que, du fond de l'Hadès, la noble Perséphone pourrait nous envoyer la tête de Gorgone, de ce monstre terrible » (*Odyssée*, XI, v. 633-635). Il retourne à son vaisseau pour retrouver

ses compagnons. La vue de la tête de la Gorgone, Méduse, transformait en pierre (Pindare, *Pythiques*, X, v. 44-48).

344. L'épithète *deinós* s'emploie souvent chez Platon pour qualifier orateurs et sophistes. Je considère l'expression *Gorgíou Kephalé* comme une syllepse.

345. On retrouve l'épithète *deinós*, cf. la note précédente. En 177d-e, Socrate a déclaré à Éryximaque « ne rien savoir sauf sur les sujets qui relèvent d'Éros ».

346. Dans l'*Apologie de Socrate* (17a-18a), Socrate dit quelque chose de similaire. Dans tous les domaines, y compris en rhétorique et en poésie, Socrate réclame qu'on dise la vérité, ce qui équivaut évidemment à une critique des pratiques courantes en ces domaines, où le vraisemblable doit toujours primer sur le vrai.

347. Sur la connotation ironique de *semnós*, cf. G.J. de Vries, dans *Mnemosyne* 12 (Série 3), 1944, p. 151-156.

348. Citation d'Euripide, *Hippolyte*, v. 612 ; Platon cite ces mots aussi dans le *Théétète* 154d.

349. Sur cette formule, cf. Luc Brisson, *Platon, les mots et les mythes, op. cit.*, p. 75.

350. En 194d sq., Phèdre avait empêché Socrate de poser des questions à Agathon. Socrate revient à la charge, mais en se justifiant cette fois. Comme on le verra tout à l'heure, ce questionnement prend la forme d'un véritable *élenkhos*. Cf. 200e.

351. Tout comme l'indécision concernant le fait de savoir si *érōs* est un nom commun (l'amour) ou un nom propre (le dieu Éros), l'usage du génitif après *eînai* qui indique la possession ou la relation, la désinence pouvant être un masculin, un féminin ou un neutre, est ambigu. Or Socrate commence par jouer sur cette triple ambiguïté. On peut donc comprendre sa question en deux sens : ou bien il s'agit de savoir si l'amour est l'amour de quelqu'un ou de quelque chose, ou de personne ou de rien ; ou bien il s'agit de savoir si Éros est le fils de quelqu'un ou de personne. Socrate va trancher dans la phrase suivante. Voilà pourquoi j'ai traduit cette phrase en ne retenant qu'un sens, le premier.

352. En grec, l'ambiguïté est totale : on lit *ei érōs estìn érōs mētròs hè patrós*. Comme on ne peut savoir si *érōs* est un nom commun ou un nom propre, car la distinction entre majuscule et minuscule n'était pas notée (tout comme dans le discours parlé d'ailleurs), il est possible de traduire ou bien : « sur la question de savoir si l'amour est l'amour d'une mère ou d'un père », ou bien : « sur la question de savoir si Éros est un Éros qui a une mère ou un père ».

353. Ici l'ambiguïté qui subsistait en 199c-d est levée, car *érōs* est répété, ce qui oriente vers le nom commun.

354. En 197b, Agathon a dit qu'Éros est amour de la beauté ; et, en 201a, Socrate l'invitera à s'en rappeler. C'est précisément ce point que Socrate va ici remettre en cause.

355. Pour des considérations du même ordre, cf. *Lysis* 221d, *Philèbe* 35a.

356. Cf. 200a-b.

357. Est-ce un masculin (les hommes) ou un neutre (les qualités) ? On ne peut en décider. J'ai tranché en un sens, mais l'autre reste possible.

358. Cf. 200a.

359. Anticipation de 205a-b.

360. Traduction qui ne lève pas l'ambiguïté relative à *autôi* : on ne peut savoir si *autôi* renvoie à « celui qui aime » (*tôi érônti*) ou à Éros.

361. Cf. 197b.

362. L'ironie réside dans le sens à donner à l'adverbe *kalôs*. Agathon a fait un discours magnifique du point de vue de la forme ; pour ce qui est du fond, Socrate émet des critiques dévastatrices.

363. Sur les rapports entre le beau et le bon, cf. 204e, *Gorgias* 474d, et *Ménon* 77b.

364. La réponse d'Agathon laisse percer de l'agacement devant ces remarques acerbes de Socrate ; mais il reste calme et poli, comme doit le faire un hôte.

365. Le vocatif *philoúmene* est ambigu : il peut vouloir dire « être aimé » par tout le monde (= populaire) ou par quelqu'un en particulier (par Pausanias).

366. Sur Mantinée, cf. l'Introduction, p. 14 ; et carte 1.

367. Cela permet à Socrate d'aborder la question, car sa compétence sur les questions relevant d'Éros lui vient de Diotime (198d, cf. 177d).

368. Sur tout cela, cf. l'Introduction, p. 28-29.

369. Si Socrate est un expert en ce domaine, il le doit à Diotime. Par suite, la revendication de ce savoir, qu'il présente comme venant d'une autre personne, ne contredit pas les déclarations suivant lesquelles il ne sait rien.

370. Sans solliciter les réponses d'Agathon, comme il vient de le faire.

371. Le grec dit *xénē*. Il s'agit d'un terme qui signifie à la fois étranger et hôte. L'étranger avait le devoir de respecter les lois de la cité où il se trouvait, mais il avait aussi des droits garantis par Zeus lui-même, qualifié d'« hospitalier » (*xénios*).

372. Platon utilise un terme pluriel, qui signifie littéralement « des choses belles ». Cela dit, on trouve une construction avec le génitif *eiê dè tôn kalôn*. Il n'y a pas un second *érōs* ; j'ai introduit le terme « amour » pour rendre la phrase plus claire, mais ce terme ne se trouve pas dans le grec.

373. L'*élenkhos* peut être défini comme un entretien réfutatif, dont le but est de contraindre l'interlocuteur d'admettre une proposition contredisant une proposition initiale. Cela dit, la réfutation implique toujours un aspect moral, dans la mesure où elle fait ressortir l'incohérence et donc l'ignorance de celui qui est interrogé. Voilà pourquoi Agathon réagit mal à l'*élenkhos* auquel le soumet Socrate (199c3-201c9). Pour ce qui est de Socrate, l'*élenkhos* auquel le soumet Diotime (201e-220d) le confirme dans sa conviction de

ne rien savoir ; de plus, Diotime joint à sa réfutation un enseigne-ment positif qu'elle développe par la suite.

374. On se trouve ici en présence d'un véritable problème de logique ; sont contraires deux classes exclusives, c'est-à-dire deux classes dont les éléments ne peuvent se trouver dans l'une et dans l'autre à la fois. Suivant cette définition, il y a très peu de véritables contraires ; par exemple, un/plusieurs, repos/mouvement.

375. En 203d-204b, les termes *sophia, phrónēsis* et *epistḗmē* sont considérés comme des synonymes, qui ont pour antonyme *amathía*.

376. Sur la notion de *métaxu*, cf. le livre ancien, mais essentiel, de Joseph Souilhé, *La Notion platonicienne d'intermédiaire dans la philosophie de Platon* [1919], Greek and Roman Philosophy 37, New York, Garland, 1987. Cette notion d'«intermédiaire» joue un rôle de premier plan dans la suite du discours de Diotime.

377. Comme on le voit dans le *Ménon* (97a-99a), l'opinion vraie (*alēthḗs dóxa*) se distingue de la science par son manque de stabilité, stabilité que seul peut conférer « un raisonnement qui donne l'ex-plication (*aitías logismós*) » de la chose considérée. Seul celui qui est en mesure de rendre raison (*lógon didónai*) d'une chose peut pré-tendre en avoir une connaissance sûre, la connaître vraiment.

378. Pour une définition similaire, cf. *République* V, 477a-478e. On notera l'assimilation entre *epistasthai* et *phrónēsis* pour désigner le savoir qui s'oppose à *amathía*, l'ignorance.

379. Sur le fait que les dieux sont heureux, cf. 195a. Puisqu'ils sont parfaits, les dieux doivent donc être heureux.

380. Définition provisoire du bonheur qui sera complétée par la suite.

381. Cf. 201e.

382. Le raisonnement se développe ainsi. 1) Tous les dieux sont heureux. 2) Être heureux, c'est posséder ce qui est bon et ce qui est beau. 3) Éros ne possède pas ce qui est beau et ce qui est bon. 4) Donc Éros n'est pas heureux. 6) Par voie de conséquence, il ne peut être un dieu, car par principe les dieux sont heureux.

383. Dans la poésie, le terme *daímōn* est souvent synonyme de *théos* (*Iliade*, I, v. 222). Chez Hésiode, sont qualifiés de *daímones* (*Les Travaux et les jours*, v. 122) les esprits des individus de la « race d'or » qui parcourent la terre en jouant le rôle de gardiens béné-fiques. Dans l'*Apologie de Socrate* (27b-e), les démons sont définis d'après la tradition comme « des enfants de dieux, des bâtards nés de nymphes ou d'autres personnages » (27d). Mais il semble qu'ici le statut d'intermédiaire des démons soit mis en évidence avec une clarté particulière.

384. On retrouve donc ici l'idée de réciprocité que les Romains exprimaient par la formule *do ut des*. Le sacrifice implique de la part des dieux un don en retour.

385. Cf. *Cratyle* 413b ; *Phédon* 99c. Il semble que la même idée soit exprimée dans le *Ménon* (81c).

386. La construction de la phrase pose problème en raison de la présence simultanée de *mantikḗ* et de *manteía*. On a voulu remplacer

manteían par *magganeían*, mais le papyrus *Oxyrh. 843*, qui date de 200 apr. J.-C. et qui précède donc de près de sept siècles notre plus ancien manuscrit, porte bien *manteían*. Cela signifie ou bien que Platon a bien voulu écrire *manteían* ou bien que la faute est très ancienne. Sur toutes les pratiques religieuses, cf. Jean Rudhardt, *Notions fondamentales de la pensée religieuse et actes constitutifs du culte dans la Grèce classique*, Genève, Droz, 1958. Les index analytiques qui se trouvent à la fin (termes grecs et termes français) permettent de retrouver facilement les passages où chaque notion est évoquée.

387. Le jour, comme dans le cas du « démon de Socrate », et la nuit, comme dans les rêves, ceux de Socrate (*Apologie* 33c, *Phédon* 60e) notamment.

388. Le terme *bánausos* est péjoratif. Il évoque la peine et le labeur dans une activité. En *Lois* I 644a, il est associé à *aneleútheros*, adjectif qui désigne ce qui ne convient pas à un homme de condition libre, c'est-à-dire à un citoyen. C'est cette connotation négative qui amène Platon à associer le terme à l'art des sophistes et des rhéteurs en *République* VI 495d-e.

389. Après un long détour, on revient au second sens de 199c. En d'autres termes, l'origine explique la nature ; de ce fait l'ambiguïté est féconde.

390. Il s'agit de la fille de Zeus et de Dionè, cf. 180d-e.

391. La divinité qui est la première épouse de Zeus (Hésiode, *Théogonie*, v. 886).

392. Platon n'est pas le premier à personnifier Poros (cf. Alcman, frag. 1, v. 14 ; frag. 5.2, col. II, v. 19) qui cependant n'est évoqué ni dans les poèmes homériques ni dans ceux d'Hésiode. Poros désigne d'abord le passage, au sens de voie maritime ou fluviale, mais jamais terrestre. Le sens figuré « ressource » est fréquent. Il explique les jeux de mots qui suivent (203b, *aporía* ; 203d, *pórimos* ; 203e, *euporḗsēi* ; 203e, *porizómenon*).

393. Dans son *Ploutos*, représenté en 388, soit quelques années seulement avant que Platon n'écrive le *Banquet*, Aristophane avait fait de la Pauvreté un personnage à part entière.

394. La boisson d'immortalité des dieux, cf. *Phèdre* 247e.

395. Le nectar reste la boisson des dieux, même après que Dionysos a apporté le vin aux hommes (*Iliade*, V, v. 341).

396. Une formule homérique (*oínōi bebarēótes*) adaptée.

397. Les jeux de mots abondent dans cette section.

398. La phrase est difficile à construire.

399. En définitive, la formule *hoi polloí* englobe ici Agathon (195c-196a), ce qui n'est guère flatteur quand on connaît la connotation négative que revêt la formule chez Platon.

400. On notera l'association du sorcier et du magicien *sophistḗs* (cf. 177b), dont le discours charme, enchante.

401. Jeu de mots où interviennent à la fois *euporḗsēi* et *porizómenon*.

402. La même idée se trouve exprimée dans le *Phèdre*.

403. Cette façon de présenter les choses rappellent le paradoxe de Ménon.

404. Sur cette distinction entre *erômenon* et *erôn*, cf. l'Introduction, p. 55-61.

405. Sur l'importance de l'avantage, de l'utilité (*khreía*) en amour, cf. l'Introduction, p. 61-65.

406. Cf. 201e, 203c, et la note 363. À partir de là, se développe un argument qui présente cette structure :

1) 204d3-7 : le désir (*érōs*) pour les belles choses (*kalá*) est le désir de les posséder.

2) 204d8-e4 : le désir (*érōs*) pour les choses bonnes (*agathá*) est le désir de les posséder.

3) 204e5-205a4 : posséder des choses bonnes (*agathá*), c'est être heureux (*eudaimōn*).

4) 205a5-8 : tous les hommes désirent nécessairement être heureux.

5) *ibid*. Ce désir universel est *érōs*.

6) 205d1-206a8 : tout *érōs* est désir de posséder ce qui est bon (*agathón*).

7) 206a9-13 : et il s'agit là d'un désir de possession perpétuelle.

407. Définition du bonheur qui correspond à celle donnée plus haut (202c).

408. Idiome (*hína tí*) dont on ne rencontre qu'un seul autre exemple dans le corpus platonicien (*Apologie* 26d).

409. Jeu de mots sur *télos*, qui peut tout aussi désigner la fin matérielle d'un processus que sa finalité.

410. La suite porte sur la polysémie des termes *poíēsis* et *poiētḗs*, que j'ai traduit par « fabrication » et par « fabricant » ou par « poésie » ou « poètes ». Pour permettre au lecteur de la traduction de suivre, j'ai tenu à imprimer l'équivalent en grec.

411. Les *dēmiourgoí* ; sur le sujet, cf. 187d.

412. Cf. 187d.

413. Suivant la définition donnée plus haut.

414. Citation non identifiée.

415. Tripartition fonctionnelle associée au choix d'un mode de vie orientée vers la recherche 1) soit des richesses, 2) soit des honneurs, 3) soit du savoir.

416. Allusion critique au mythe d'Aristophane (191d-193d).

417. Probablement, une critique implicite de la conception de l'amour que se fait Aristophane ; la critique deviendra explicite plus tard.

418. Définition de l'amour, cf. l'Introduction, p. 71-74. Le raisonnement prend une tout autre tournure à partir d'ici.

419. Le verbe, *ephoitōn* signifie fréquenter souvent ou régulièrement. On notera, par ailleurs, que *phoitáō* peut présenter des connotations sexuelles.

420. En grec, on lit *en kalôi* qui peut signifier soit « à terme » (c'est-à-dire *en kalôi khrónōi*, soit « dans le beau » vu « bellement »). Diotime passe, sans le dire, du premier sens au second.

421. Allitération *manteía* et *manthánō*.

422. Pour l'expression de la même idée, cf. *Phèdre* 252a, *Théétète* 150b, *Timée* 91a.

423. Il semble qu'il faille suivre les manuscrits et conserver le *tôi*, plutôt que de l'ignorer comme dans le papyrus, même si ce dernier est beaucoup plus ancien.

424. Archiloque (frag. 196 A 15) utilise l'expression *tò theîon khrêma* dans un sens très spécialisé pour désigner les rapports sexuels entre un homme et une femme. Il semble ici qu'il s'agisse tout simplement d'une hyperbole s'expliquant essentiellement par l'allusion à l'immortalité. Cf. 208b.

425. Postulat qu'il faut relier à celui sur le bien dans les livres II et III de la *République*.

426. Ilithyie est le nom de la déesse qui préside à l'accouchement et qui fait que l'accouchement est facile ou pénible. Une Moire (ou plusieurs) étai(en)t aussi présente(s) lors de l'accouchement. Voir *Iliade*, XII, v. 270 ; XXIV, v. 209 ; Hésiode, *Théogonie*, v. 922.

427. Cf. 197d5.

428. Sur la douleur de l'enfantement, cf. *Phèdre* 251e-252a.

429. L'accord est intervenu en 206a9-13.

430. Cf. ce qu'a dit Phèdre en 179b.

431. Cf. 206b.

432. Cf. 206e, 207a.

433. Cf. 207a, 207c.

434. Cf. 206b-207a.

435. Idée associée à Héraclite dans le *Cratyle* : « Héraclite dit, n'est-ce pas, que "tout passe" et que "rien ne demeure" et, en comparant les êtres au courant d'un fleuve, il dit qu'on ne pourrait se baigner deux fois dans le même fleuve » (*Cratyle* 402a, trad. C. Dalimier, cf. DK 22 B 49a et 91).

436. Je n'accepte pas la ponctuation traditionnelle qui met en rapport ce membre de phrase : « même s'il est dit rester le même » avec ce qui suit, plutôt qu'avec ce qui précède.

437. Cette traduction de *meletân* prend à la fois en compte les notions d'oubli (*lếthế*) et de mémoire (*mnếmế*).

438. Le divin (*tò theîon*) se définit par l'immuabilité, alors que le mortel (*tò thnêton*) se définit par le changement. Cf. *Lois* IV 721c. On relira aussi 208c-e et Aristote, *De anima*, II, 4, 415a-b.

439. Sur le thème du changement qui affecte l'être humain, cf. *Phédon* 87d ; *Timée* 43a.

440. Cf. *Lois* IV 721c.

441. Pour les dieux et pour les démons, car même l'âme humaine (et donc animale, si on croit à la réincarnation, comme c'est le cas pour Platon notamment dans le *Phèdre*) est soumise au changement.

442. Le *kaì* est explicatif, car on retrouve ici une définition de l'amour donnée plus haut, en 206b ; cf. 206d5, e5.

443. L'expression *hoi téleoi sophistaí* désignent ces professionnels que sont les sophistes.

444. L'expression *eû ísthi* est utilisée par les sophistes pour répondre de façon péremptoire à une question, par exemple en *Euthydème* 274a et en *Hippias majeur* 287c.

445. Restriction faite à partir du *tò pân*, qui fait référence au monde animal en son entier.

446. Sur la *philotimia*, cf. 178d.

447. Cf. 207a-b.

448. Formule indo-européenne *áphtithon kléos* qui correspond au védique *aksiti sravah*. Cf. le livre de R. Schmitt, *Dichtung und Dichtersprache in indogermanischer Zeit*, Wiesbaden, 1967.

449. Cf. 179b5-d2.

450. Cf. 179e1-180a7.

451. Codros, un roi mythique d'Athènes, dont la famille de la mère de Platon prétendait descendre (cf. D. L., III, 1), sacrifia sa vie pour assurer la victoire de sa cité (Lycurgue, *Contre Léocrate*, 84). Il s'arrangea pour se faire tuer par les envahisseurs doriens, car il savait qu'un oracle avait prédit que les ennemis ne prendraient Athènes que s'ils réussissaient à ne pas tuer le roi. Par le *huméteron* « votre », Diotime fait savoir qu'elle n'est pas athénienne.

452. Cf. 207a sq., 208b sq.

453. Probablement un vers.

454. Dans la *République*, la modération et la justice sont les deux seules vertus, communes à l'ensemble de la société ; c'est aussi le cas dans le mythe raconté par Protagoras. Sur le sujet, cf. L. Brisson, « Les listes de vertus dans le *Protagoras* et dans la *République* », in *Problèmes de la morale antique*, sept études de Luc Brisson, Monique Canto, Paul Demont, Raphaël Drai, Pierre Hadot, Jean-François Mattéi et Alain Michel, réunies par Paul Demont, Université d'Amiens-Faculté des Lettres, Centre de recherches sur l'Antiquité grecque et latine, 1993, p. 75-92.

455. Parmentier a proposé de lire *éitheos* « non marié ». On pourrait penser aussi à *éntheos*. Mais aucune des deux corrections ne s'impose, même si *theîos* surprend dans le contexte.

456. Sur l'aspect éducatif de l'homosexualité dans le monde grec, cf. l'Introduction, p. 61-62.

457. Cf. 197d.

458. Ce sont d'abord les poètes qui sont évoqués, puis viennent les législateurs. Seront aussi évoqués les discours sur la vertu, ceux des philosophes donc. On pense spontanément à la fin du *Phèdre*.

459. Avec Lycurgue et Solon, on aborde la question du législateur ; sur le sujet, cf. la fin du *Phèdre*. Lycurgue est censé avoir donné à Sparte ses lois. Par suite, il a assuré le salut aussi bien de Sparte en s'appuyant sur sa puissance militaire, que celui de la Grèce tout entière en raison du rôle déterminant que joua Sparte durant les guerres médiques. À l'époque où se situe le contexte dramatique du dialogue, c'est-à-dire après la guerre de Corinthe, Sparte est considérée comme une cité ennemie. Cet éloge pourrait dès lors s'expliquer par le fait que Socrate tout comme Platon

semblent avoir été considérés, à tort ou à raison, comme des admirateurs de Sparte.

460. L'éloge à Lycurgue est contrebalancé par un éloge à Solon, dont descendait la famille de la mère de Platon (cf. D. L., III, 1). Cf. aussi, le début du *Timée*.

461. Le terme *hierá* présente plusieurs sens : j'ai retenu ici celui de « sanctuaire ». On aurait élevé un sanctuaire à Lycurgue (Hérodote, I, 66 ; Plutarque, *Vie de Lycurgue*, 31).

462. Sur le vocabulaire des mystères, cf. l'Introduction, p. 66-69.

463. En grec on lit *télea kaì epoptiká*. Dans le cadre des mystères d'Éleusis, un an après l'initiation (*teletề*) proprement dite, certains initiés étaient admis à un degré plus élevé, l'*epopteía*. Quelques-uns des objets sacrés étaient alors montrés à ceux qui voulaient compléter ainsi leur initiation. Dans le présent contexte, les objets qui seront contemplés, ce sont les Formes.

464. Les deux traits caractéristiques de la forme intelligible sont l'unité et l'identité (*hén te kaì tautón*).

465. Sur *epieikḗs*, voir 201a.

466. Avec Ast, je pense qu'il faut supprimer le *kaì zēteîn*.

467. Dans le grec, on trouve *agageîn*. Dans le cadre des mystères, le guide qui dirige l'initié est appelé le *mustagōgós*.

468. En Grèce ancienne, l'attachement à un seul individu est considéré comme une servitude ; pour l'expression d'une idée similaire, mais dans un autre contexte, cf. *Théétète* 172c-173b.

469. La *smikrología* (le fait d'avoir l'esprit étroit) est la caractéristique de ceux qui s'attachent à ce qui, d'un point de vue philosophique, n'en vaut pas la peine (*Théétète* 175a). Je traduis *phaûlos* par « minable », car en grec le terme caractérise les « gens de peu », ceux qui ne comptent pour rien, cf. 174c.

470. Le grec *áphtonos* désigne celui qui est dépourvu de *phtónos* que je traduis par « jalousie », même si le terme présente un éventail de significations beaucoup plus large en grec ancien. Cf. mon article, « La notion philosophique de *phtónos* chez Platon », in *La Jalousie*, Colloque de Cerisy [1989], sous la direction de Frédéric Monneyron, Paris, L'Harmattan, 1996, p. 13-34 ; *Réflexions contemporaines sur l'Antiquité classique*, Journées Henri Joly (25, 26 et 27 mars 1993, Grenoble), Recherches sur la philosophie et le langage, n° 18, 1996, Grenoble, Université Pierre Mendès-France, 1997, p. 41-49. Je traduis *philosophía* par « un élan vers le savoir » pour la raison que j'ai donnée dans une note (n. 215 à 249b-d) à ma traduction du *Phèdre* (Paris, GF-Flammarion, 1989) : seuls les dieux peuvent posséder le savoir, les hommes doivent se contenter d'y aspirer, d'y tendre. Pour un autre emploi de *megaloprepôs*, cf. 199c7.

471. Cf. 210d.

472. Sur le sens du terme *paidagōgós* (autre occurrence en 183c), cf. *supra*, la note 167. Ici, cependant, le verbe correspondant prend un autre sens, en fonction du contexte où apparaissent les verbes *paideúein* 209c, *agageîn* 210c, *paiderasteîn* 211b et *agesthai* 211c.

473. Les termes *ephexễs* et *orthôs* s'opposent au terme *exaíphnễs*. Après avoir suivi une voie définie, l'intuition s'impose à celui qui cherche la réalité véritable. Sur le sujet, cf. mon article, « L'intelligible comme source ultime de l'évidence chez Platon », *Dire l'évidence. Philosophie et rhétorique antiques*, textes réunis par Carlos Lévy et Laurent Pernot, Cahiers de philosophie de l'université de Paris XII-Val-de-Marne, Paris, L'Harmattan, 1997, p. 95-11.

474. Cette expérience se fait dans l'instant (*exaíphnễs*). Sur l'importance de cette notion, cf. mon article, « L'instant, le temps et l'éternité dans le *Parménide* (155e-157b) de Platon », *Dialogue* 9, 1970, p. 389-396.

475. Passage qui rappelle *Phédon* 78d et *République* VI, 508d.

476. On retrouve ici explicitement le verbe *metekhontá* : l'idée de participation associée à l'opposition image/réalité (cf. la note 485) se retrouve dans le *Phédon* 100c, 101c.

477. Pour une description similaire, cf. *Phèdre* 250a. Voir aussi *Phédon* 74a, 75a, 76e.

478. Résumé de ce qui a été dit en 210a-211b ; on notera cependant que *epistễmai* (210c-e) est ici remplacé par *mathễmata* (211c-d).

479. Sur Mantinée, cf. l'Introduction, p. 14.

480. L'expression se retrouve dans l'*Apologie de Socrate* (38a, cf. 28e), mais dans un autre contexte. Voir Introduction, p. 73.

481. Critique de la position exprimée dans le mythe d'Aristophane.

482. Cf. 209c. Et aussi *Phèdre* 250a, et *Phédon* 75a, 76e.

483. Cf. *République* VII 518c-d, *Phédon* 65e sq., *Phèdre* 247c.

484. Cf. *Phédon* 68b sq.

485. L'opposition image/réalité qui est au fondement de la pensée de Platon repose tout naturellement sur une référence à la vérité. On notera que, comme métaphore désignant le mode de connaissance, la vision est remplacée par le toucher qui intervient lorsque l'individu atteint l'évidence suprême. Sur le sujet, voir l'article de Philippe Hoffmann, « L'expression de l'indicible dans le néoplatonisme grec de Plotin à Damascius », *Dire l'évidence. Philosophie et rhétorique antiques*, textes réunis par Carlos Lévy et Laurent Pernot, Cahiers de philosophie de l'université de Paris XII-Val-de-Marne, Paris, L'Harmattan, 1997, p. 335-390.

486. Comme le fait remarquer K.J. Dover, la conclusion rappelle celle qui suit le récit de mythes concernant la vie après la mort dans le *Phédon* 114d et dans le *Gorgias* 526e.

487. En 205d-e : « Il y a bien aussi un récit qui raconte que chercher la moitié de soi-même, c'est aimer. Ce que je dis moi, c'est, mon ami, qu'il n'est d'amour ni de la moitié ni du tout, à moins par hasard que ce soit une bonne chose, car les gens acceptent de se faire couper les mains et les pieds, quand ces parties d'eux-mêmes leur semblent mauvaises. »

488. Il s'agit de la porte qui, à partir de la rue, donne accès à la cour autour de laquelle est construite la maison. Cf. la figure 1.

489. Le *kômos* est un groupe joyeux et bruyant constitué d'hommes plus ou moins avinés qui vont à une fête, religieuse ou profane, ou qui en reviennent.

490. Le terme *phônê* peut désigner soit le son de l'*aulós*, soit le son de la voix de la joueuse d'*aulós*. La seconde possibilité me paraît invraisemblable ; on entendrait le son d'une voix de femme, sans pouvoir savoir que cette femme est une joueuse d'*aulós*. En revanche, si on entendait le son d'une flûte, on pouvait être sûr que c'était une femme qui jouait de l'instrument (cf. 176e). On notera la récurrence des notations sonores pour introduire à ce dernier rebondissement de l'action.

491. Le terme *epitêdeios* peut avoir ce sens, cf. *Phédon* 58c.

492. Deux plantes associées à Dionysos et tout à fait appropriées en ces circonstances.

493. Par *tainias*, il faut entendre les bandelettes ou les rubans dont on entourait la tête d'un vainqueur.

494. En 174a, Socrate nous apprend qu'il n'était pas là non plus, la veille.

495. L'expression *eàn eipô houtôsi* est celle que portent et les manuscrits et le papyrus ; mais elle est difficile à traduire ; on pourrait tout aussi lire *aneipôn outôsi*.

496. Ces paroles rappellent celles de Socrate au début de l'*Apologie de Socrate*.

497. Qui s'est installé sur le lit où Agathon était étendu (175e-176a).

498. Sur la disposition des lits dans la pièce, cf. l'annexe, figure 2.

499. En général, les lits ne comprenaient que deux places ; le lit d'Agathon semble donc être plus grand.

500. *Hô Hêrákleis*, juron qui apparaît assez fréquemment dans les premiers dialogues : *Charmide* 154d, *Euthyphron* 4a, *Euthydème* 303a ; *Hippias majeur*, 290d ; *Lysis* 208e ; *Ménon* 91c et *République* I, 337a. Il manifeste la colère et l'exaspération.

501. Cf. 189d.

502. Opposition entre Aristophane qui est *geloîos* et Agathon qui est *kállistos*. Platon fait peut-être ici référence à l'aspect physique peu engageant d'Aristophane qui, si l'on en croit la *Paix* (v. 771), était chauve.

503. Sur ces deux termes qui sont ici utilisés dans un contexte érotique, cf. mon article cité dans la note 470.

504. Il y a là une ambiguïté relative au terme *logoi*. Il peut tout aussi bien désigner la tragédie qui a permis à Agathon de remporter la victoire (194b) que les discussions lancées par Socrate (cf. 215c-216c ; 221d-222a).

505. Cf. 213a.

506. Sur la façon de procéder, cf. l'Introduction, p. 36. Après Phèdre et Pausanias, c'est Alcibiade qui joue le rôle de chef.

507. Le terme *ékpôma* est un générique pour désigner un vase à boire ; aucune forme spécifique ne peut donc lui être assignée.

508. Comme l'indique son étymologie, *psuktḗr* désigne un grand récipient dans lequel le vin était conservé au frais avant d'être mêlé à de l'eau dans un autre récipient à cet effet, et appelé *kratḗr*.

509. Un « cotyle » représente une mesure de capacité qui équivaut à 27 centilitres ; donc $8 \times 27 = 216$ centilitres, soit un peu plus de deux litres (un demi-gallon, dans le monde anglo-saxon).

510. Cette remarque se trouve confirmée par la fin du dialogue.

511. On retrouve ici le terme *kúlix*, cf. figure 3.

512. Sur Éryximaque et son père, tous deux médecins, cf. l'Introduction, p. 22-23.

513. Au livre XI de l'*Iliade* (v. 514), ces mots sont prononcés par Idoménée quand il demande à Nestor d'évacuer du champ de bataille Machaon le médecin, un fils d'Asclépios (cf. la note 191), qui vient d'être blessé. Cette citation est appropriée au contexte, puisqu'elle vise Éryximaque et son père, qui tous deux sont des médecins.

514. Cf. 177d.

515. Cf. 172 b.

516. Cf. 213e.

517. Sur le sens de *makárie*, cf. la note 341.

518. Alcibiade reprend ce qu'a déjà dit Socrate de lui en 213d, retournant ainsi l'accusation.

519. Sur le sens de *euphḗmēs*, cf. la note à 210e.

520. Seule occurrence dans tout le corpus platonicien de ce juron, pourtant fréquent dans la comédie.

521. Il s'agit d'une formule idiomatique utilisée par Criton à la fin du *Phédon* (118a).

522. Cf. 185e sq.

523. Cf. 176d sq.

524. L'expression *phēmì gàr dḗ* est utilisée quand on formule une opinion avec une grande confiance, cf. 212b4 sq.

525. Silène est un nom propre qui désigne soit l'individu qui est le père des satyres (Euripide, *Cyclopes*, v. 222d sq.), soit une classe de satyres (aussi nommée « Panes » ou « Érotes »). Silène est un personnage laid : nez camus, regard bas, gros ventre. Souvent ivre, il reste pourtant toujours avisé. Il passe pour avoir élevé Dionysos (Apollodore, *Bibliothèque*, II, 5). Son nom devint le nom générique des satyres ayant atteint l'âge de la vieillesse. Ici le nom commun désigne des figurines, en terre cuite selon toute vraisemblance (ce qui expliquerait qu'il n'en subsiste aucun exemplaire), et qui s'ouvraient par le milieu, probablement sur un plan vertical, comme les poupées russes.

526. Le grec dit *hermoglupheîoi*, c'est-à-dire des « sculpteurs qui fabriquent des Hermès ». Les « Hermès », ces piliers quadrangulaires en pierre, ornés d'un *phallos* et surmontés d'une tête barbue, que la piété populaire dressait devant les sanctuaires et devant certaines maisons ; il devait donc y en avoir beaucoup à Athènes, ce qui explique que certains sculpteurs se spécialisaient dans leur fabrica-

tion. Cela dit, le terme *hermoglupheioi* devait avoir le sens plus général d'« ateliers de sculpteurs ».

527. Sur l'*aulós*, cf. p. 37, note 2 ; *sûrigx* désigne la flûte de Pan.

528. Marsyas est un satyre (Hérodote parle de silène, en VII, 26, 3) qui, avec son *aulós*, se mesura au dieu Apollon, le dieu de la lyre, dans un concours musical. Marsyas l'emporte, mais Apollon le punit durement de son impudence en le faisant écorcher vif. Plusieurs oppositions se superposent ici : Dionysos/Apollon, satyres/dieu, instrument à vent/instrument à corde. Alcibiade joue sur tous ces registres à la fois.

529. Socrate avait un nez camus et des yeux protubérants (*Théétète* 143c), traits caractéristiques des satyres, auxquels Xénophon le compare aussi (*Banquet*, IV, 19).

530. Cf. 175e.

531. Expression juridique. Dans l'*Apologie*, Socrate ne produit que deux témoins : sa pauvreté et Apollon.

532. Sur l'*aulós*, cf. l'Introduction, note 2, p. 37.

533. Olympos, présenté comme un Phrygien, passait pour avoir été le disciple de Marsyas (Platon, *Lois* III, 677d ; VII, 790d, cf. aussi le dialogue apocryphe, *Minos* 318b).

534. Dans la *Politique* (VII, 5, 1340a8), Aristote déclare : « De l'avis général, les [mélodies d'Olympos] rendent les âmes enthousiastes. »

535. Une initiation (*teletế*) est une forme de rituel qu'on exécute non pour rendre hommage à une divinité, mais pour obtenir un bénéfice immédiat : pour l'initiation en quoi consistaient les mystères d'Éleusis, cf. l'Introduction, p. 65-71, et celle en quoi consistaient les rites corybantiques, cf. la note 537.

536. Le qualificatif *psiloí* indique qu'il s'agit de *logoi* « nus », c'est-à-dire en prose par opposition aux vers éventuellement accompagnés de musique (cf. *Lois* II, 669d-e).

537. En grec, le terme *korúbas* désigne quelqu'un qui participe, à un titre ou à un autre, à des rites appartenant à ce genre de cérémonies appelées « initiations » (*teletaí*). Les rites corybantiques comprenaient trois étapes. 1) La cérémonie commençait par des sacrifices offerts pour se gagner la faveur de la divinité – on ne sait laquelle – et pour s'assurer de l'opportunité de l'entreprise. 2) Alors, pouvait avoir lieu l'intronisation (*thrónōsis*) ; celui en faveur de qui le rite était pratiqué montait sur un « trône », pendant que les officiants et les autres participants dansaient autour de lui dans un vacarme assourdissant. Tout cela pour l'exciter et pour l'émouvoir, au point de lui faire perdre conscience de son environnement, exception faite du rythme obsédant de la musique (flûtes et tambourins) et de la danse. 3) Venait ensuite l'initiation (*teletế*) elle-même, au cours de laquelle, on peut le supposer, le bénéficiaire se mettait lui aussi à danser et cédait à l'ivresse du rythme pour entrer dans un état de transe, de possession. À la fin, quand tout était terminé, ceux qui avaient participé à la cérémonie sortaient de ce tumulte pour se retrouver dans un état de calme et de tranquillité,

l'esprit en paix, débarrassés de toute anxiété. Cette description se fonde sur sept textes platoniciens : *Euthydème* 277d-e ; *Lois* VII 790d-791b ; *Criton* 54d-e ; *Phèdre* 228b-c, 234d *Ion* 533d-536b ; *Banquet* 215c-e, analysés par I.M. Linforth, « Corybantic rites in Plato », *University of California Publications in Classical Philology* 13, 1946, p. 121-162. Plus généralement, W. Burkert, *Les Cultes à mystères dans l'Antiquité* [1987], traduit de l'anglais par Bernard Deforge et Louis Bardollet avec la collaboration de György Karsai, Paris, Les Belles Lettres, 1992.

538. Périclès fut le tuteur d'Alcibiade ; victime de la peste de 429 av. J.-C., il est mort à cette époque (l'action se situe en 416) ; d'où l'usage de l'imparfait. Il faut mettre en rapport ce qu'Alcibiade dit avec un passage du *Phèdre* (269e-270a) que j'ai analysé : « L'unité du *Phèdre* de Platon. Rhétorique et philosophie dans le *Phèdre* », in *Understanding the* Phaedrus. *Proceedings of the II Symposium Platonicum*, ed. by Livio Rossetti, Sankt Augustin, Academia Verlag, 1992, p. 61-76.

539. Dans l'*Apologie de Socrate* (en 29d), c'est le reproche que Socrate ne cesse d'adresser à ses concitoyens.

540. Allusion à l'épisode célèbre de l'*Odyssée* (XII, v. 37-54, v. 154-200).

541. Sur le personnage d'Alcibiade, cf. l'Introduction, p. 32-34.

542. *Drapétēs* est un terme qui désigne le déserteur.

543. Le terme *timē* désigne un avantage quelconque qui suscite l'envie du grand nombre et qui, de ce fait, est très recherché.

544. Le terme *eirōneia* désigne une fausse modestie, une ignorance feinte (*République* I, 337a). Pour ce qui est de *paizō*, cf. 172a, avec la note sur l'opposition *paidiá/spoudḗ*.

545. Sur le rapport entre *paiderastía* et éducation, cf. l'Introduction, p. 61-65.

546. Lutter nu donnait la possibilité d'établir toutes sortes de contacts physiques avec son partenaire, sans que cela ne paraisse trop suggestif ou trop impudique.

547. Mais ici la relation est inversée ; c'est le plus jeune qui invite le plus vieux.

548. Alcibiade combine deux proverbes. « C'est dans le vin que se trouve la vérité. » « La vérité sort de la bouche des enfants. » Le second est peut-être appelé par l'emploi du terme *paîs*, qui sert à désigner le plus jeune dans une relation homosexuelle.

549. À la différence de la plupart des traducteurs, je prends *huperēphanon* en mauvaise part, cf. 219c. Le terme peut être pris en bonne part, cf. *Phédon* 96a, et *Gorgias* 511d. « Superbe » conserve l'ambiguïté.

550. À l'époque, la polémique se poursuivait sur le point de savoir où se trouvait le centre de la vie : dans le cœur ou dans le cerveau.

551. Pour une référence aux participants qui ne sont pas nommés, cf. 178a, 180c.

552. Cf. 215e. Un rapport doit être établi entre ce passage et ce qui est dit de la philosophie comme délire dans le *Phèdre* (245b).

553. Formule qui, chez les orphiques, servait à proclamer la loi du secret à l'encontre de ceux qui n'avaient pas été initiés.

554. Alcibiade fait à Socrate le genre de promesses qu'un *erastês* faisait habituellement à son *erômenos*, mais la situation est ici inversée, car Alcibiade est le plus jeune dans le couple. Sur la *paiderastía* comme mode de transmission du pouvoir économique et politique, cf. l'Introduction, p. 61-65.

555. On notera le rapport établi entre éducation et relations sexuelles.

556. Dans l'*Iliade* (VI, v. 232-236), le Troyen Glaucon, à qui Zeus a fait perdre la tête, troque son armure qui est en or pour celle de Diomède qui est en bronze. Et, ajoute Homère, « neuf bœufs contre cent ». Pour Socrate, la beauté du corps n'est que du bronze, comparée à celle de l'âme.

557. Cette remarque fait penser au devin Tirésias, dont la cécité corporelle était indissociable d'une vue prophétique hors du commun. Sur le sujet, cf. Luc Brisson, *Le Mythe de Tirésias. Essai d'analyse structurale*, EPRO 55, Leiden, Brill, 1976.

558. Le *tríbōn* était un manteau court sans prétention aucune (Socrate en porte un dans le *Protagoras* 335d). L'*himátion* est un manteau long, fait d'une seule pièce de tissu, que l'on mettait sur le *khitôn* lorsque l'on sortait de la maison. Ici, Alcibiade s'en sert comme d'une couverture, ce qui était d'un usage courant.

559. La formule *hô ándres dikastaí* est la formule habituelle utilisée par un accusé, lorsque, au cours de son procès, il s'adresse au juge. Dans l'*Apologie*, Socrate refuse d'utiliser cette formule, et il s'en explique en 40a. Alcibiade se conduit comme s'il poursuivait Socrate pour *húbris*, cf. 217e.

560. Cette invocation est tout à fait inhabituelle ; pour un autre exemple, cf. *Timée* 27c.

561. Le corps d'Ajax aurait été rendu invulnérable, sauf à l'aisselle, par la peau du lion de Némée, dont Héraclès l'avait recouvert à sa naissance (Pindare, *Isthmique*, VI, v. 47 ; Eschyle, frag. 83 [Radt]). En plus d'être un combattant habile et valeureux, Ajax disposait d'un énorme bouclier constitué de sept peaux de bœuf superposées (cf. Sophocle, *Ajax*, v. 576).

562. La beauté d'Alcibiade.

563. En grec, on trouve *hēpóroun*, cf. la note 392.

564. Potidée (cf. la carte 1) était une ville de Chalcidique et une colonie de Corinthe. Malgré son alliance avec Athènes, la cité avait gardé des liens avec sa métropole. En 433, les Athéniens, pour s'assurer de sa fidélité, la mirent en demeure de couper tous liens avec Corinthe. Et, comme Potidée s'y refusait, ils mirent le siège devant la cité, qui ne tomba qu'au cours de l'hiver 430/429. Socrate avait alors trente-sept ans et Alcibiade vingt ans.

565. Le verbe *sunesitoûmen* signifie que Socrate et Alcibiade prenaient leur repas en commun. Si l'on en croit Thucydide (VI,

98, 4, 100, 1, et VIII, 92, 4), les membres d'une même tribu (*phulê*) étaient affectés à la même unité militaire. Or, même si Socrate et Alcibiade appartenaient à des *phulai* différentes, Antiochis et Léontis respectivement, ils prenaient leur repas en commun, lors de la campagne de Potidée ; voilà probablement pourquoi Alcibiade mentionne ce détail. Cela indique que des rapports très étroits existaient à l'époque entre Alcibiade et Socrate.

566. Souffrances et privations.

567. Éryximaque a déjà fait une observation semblable sur Socrate (176c). Les faits viendront confirmer ces déclarations.

568. On trouve *hò élenkhos*. Dans un cadre juridique, l'*élenkhos* se fonde sur une preuve, d'où la traduction proposée ici. Chez Platon, le terme présente un sens beaucoup plus général, cf. la note 373.

569. Dans les *Acharniens* (v. 138 sq.), Alcibiade évoque la dureté des hivers en Thrace.

570. *Odyssée*, IV, v. 242, un passage où Hélène évoque Ulysse.

571. Les manuscrits portent tous *Iốnōn*, c'est-à-dire « quelques Ioniens », mais, comme Léon Robin, j'accepte à la suite de Schmidt *idốntōn*, pour les deux raisons suivantes au moins. À Potidée, l'armée athénienne ne semble pas avoir compris de contingent d'Ioniens. De plus, on ne voit pas pourquoi la phrase commencerait par une expression que rien n'annonce.

572. De toute évidence, il s'agit d'une autre anecdote, qui se passe à un autre moment.

573. Cette attitude contredit l'accusation d'impiété lancée contre Socrate dans l'*Apologie de Socrate*.

574. On peut penser au combat (432), à la suite duquel commença le siège de Potidée. Mais les témoignages manquent, et ce que dit Plutarque (*Alcibiade*, 7, 4-5) n'est qu'une reprise de ce passage du *Banquet*.

575. En grec, on lit *stratēgoí*. À Athènes, les stratèges, au nombre de dix, sont élus pour un an. Il s'agit de la magistrature la plus importante ; c'est en tant que stratège que Thémistocle, Cimon, Périclès, Cléon, Alcibiade, etc., purent avoir une influence déterminante sur les destinées de la cité. Les attributions des stratèges étaient non seulement militaires, mais aussi politiques. Mais, lorsqu'il s'agit comme ici d'opérations militaires, les stratèges jouent le même rôle que nos généraux.

576. En grec *taristeîa*. L'équivalent de nos médailles militaires.

577. Comme l'indique Dover, cette remarque est importante. Le fait de sauver les armes de quelqu'un constitue un geste d'une importance capitale moins d'un point de vue économique, même si l'équipement coûtait cher, que pour des raisons de considération sociale. En effet, revenir d'une bataille sans ses armes, même blessé, était forcément source de rumeurs malveillantes ; on soupçonnait que le combattant avait abandonné ses armes pour s'enfuir plus vite.

578. Le terme *axíōma* désigne la condition sociale. Alcibiade, qui avait alors comme tuteur le plus haut personnage de la cité, Périclès, jouissait d'un statut qui ne pouvait pas être comparé à celui de

Socrate. Et l'on comprend que les généraux aient tenu à le décorer au lieu de Socrate.

579. Délion (cf. Xénophon, *Mémorables*, III, 5, 4) n'était pas une ville, mais le temple d'Apollon à Lébadée. Le plan athénien consistait à arracher les Béotiens à l'alliance péloponnésienne en provoquant des révolutions démocratiques dans les cités. Deux armées athéniennes, partant l'une d'Athènes, l'autre de la côte méridionale de Béotie, ne surent pas coordonner leurs mouvements et le stragège Hippocrate, venu d'Attique avec des troupes résultant d'une levée en masse (*pandēmeí*) – ce qui expliquerait que Socrate ait été enrôlé en dépit de son âge (quarante-cinq ans au moins) – comprenant des métèques et des alliés, se fit écraser près du temple d'Apollon Délien sur la côte nord de la Béotie (cf. la carte 1) à l'automne de 424. Les Athéniens perdirent près de mille combattants, un chiffre énorme pour l'époque (pour une description de l'action, cf. Thucydide, IV, 89-101, 2).

580. Il y avait des forces de cavalerie à Délion (Thucydide, IV, 93, 2, 94, 1). Alcibiade est à cheval, car il était assez riche pour s'en payer un, alors que Socrate est à pied et handicapé par son équipement d'hoplite lourd, qu'il avait lui aussi dû payer, mais qui coûtait moins cher qu'un cheval.

581. Lachès fut stratège de 427 à 425 et en 418, l'année où il fut tué à la bataille de Mantinée. Il a donné son nom à un dialogue de Platon. Dans ce dialogue, il déclare avoir lui aussi admiré la conduite de Socrate lors de la retraite de Délion (*Lachès* 181b).

582. Le terme utilisé est *émphrōn*, qui présente un sens similaire dans l'*Ion* en 535c et dans les *Lois* VII, 791b.

583. Une citation des *Nuées*, v. 362.

584. Remarque que fait aussi Thucydide (VII, 81, 5), lorsqu'il évoque le désastre de Syracuse.

585. Jeu qui consiste à deviner le nom d'un contemporain que l'on désigne sous celui de quelque personnage fameux. Ce jeu est évoqué dans le *Phèdre* en 261b-c et en 269a.

586. Brasidas est un général spartiate remarquable pour son habileté, son énergie et son courage. Il fut tué au combat (Thucydide, V, 10, 8-11) à Amphipolis (cf. carte 1) en 422. Il est ici comparé à Achille, dont l'*Iliade* raconte la colère.

587. Chiasme. Périclès, le cousin de la mère d'Alcibiade et le tuteur de ce dernier, le personnage le plus marquant de la politique athénienne (cf. 215e), est ici comparé avec Nestor chez les Grecs (*Iliade*, I, v. 248) et Anténor chez les Troyens (*Iliade*, III, v. 148-151), symbolisant l'un et l'autre l'éloquence aisée, qui était la caractéristique de Périclès (*Phèdre* 270a-b).

588. Cf. 205e.

589. Cf. 198b.

590. Le terme *dorá* désigne la peau d'une bête ; le bas du corps des satyres était celui d'un bouc (cf. *Cratyle* 408b-d).

591. Cf. *Gorgias* 490c, où Socrate est rabroué par Calliclès en ces termes : « Tu te mets à parler de vivres, de boissons, de médecin

– des bêtises ! Ce n'est pas de cela que je te parle, moi ! » (trad. M. Canto) ; voir aussi *Gorgias* 490e-491a, et Xénophon, *Mémorables*, I, 2, 32-37.

592. Cf. 215b et 216 e. Le terme *agálmata* désigne des figurines de dieux.

593. Cf. 204a. C'est l'emploi de *kálos kagathós* qui m'a amené à traduire *aretē̃* par excellence un peu plus haut.

594. Dans le dialogue qui porte son nom, Charmide est décrit comme un jeune homme d'une beauté éblouissante (154a-155e). Celui qui fut l'un des trente tyrans était l'oncle maternel de Platon. Voir aussi Xénophon, *Mémorables*, III, 7, et *Banquet*, III, 9.

595. Par ailleurs, l'Euthydème dont il est ici question n'est pas le sophiste, qui a donné son nom à un autre dialogue de Platon, mais le jeune aristocrate mis en scène par Xénophon dans ses *Mémorables* ; lui aussi était d'une grande beauté (I, 2, 29 ; IV, 2, 1).

596. Ce proverbe apparaît dans l'*Iliade* (XVII, v. 32) et chez Hésiode (*Les Travaux et les jours*, v. 218).

597. Le drame satyrique, qui suivait chaque groupe de trois tragédies lors des Dionysies urbaines et qui présentait une allure humoristique, était pourvu d'un chœur dont les membres étaient déguisés en satyres. D'où la surdétermination de l'allusion.

598. Sur la disposition des convives dans la pièce, cf. l'annexe, figure 2.

599. Le refus de Socrate se fonde sur l'accord passé en 177d et rappelé en 214c.

600. Le texte dit *meirákion*, qui signifie à proprement parler « adolescent ». Il semble ici que Socrate veuille flatter Agathon.

601. Dans le texte, on trouve *Ioû, ioû* qui pourrait équivaloir à une onomatopée.

602. Pour *kōmasteis*, cf. la note à 212c.

603. On se trouve début février (sur la situation dramatique du dialogue, cf. l'Introduction, p. 12-13), d'où cette remarque sur la longueur des nuits.

604. Pour une représentation de la *phiálē*, cf. la figure 3.

605. Étant donné ce qui a été dit en 205a.

606. Comme à son habitude Aristodème met ses pas dans ceux de Socrate (cf. l'Introduction, p. 16-17). Suivant en cela Paul Vicaire, je pense, avec Hermann qu'il faut ajouter un *é* qui, ayant pour antécédent Aristodème, est le sujet de *hépesthai*.

607. *Lúkeion* désigne le sanctuaire d'Apollon *Lúkeios* (le Loup), qui était pourvu d'un gymnase, et qui se trouvait à l'extérieur des murs de la cité, à l'est. Dans l'*Euthyphron* (2a sq.), on apprend que c'était le lieu de séjour favori de Socrate ; relire aussi *Lysis* 203a et *Euthydème* 271a.

608. Socrate se lave les pieds et les mains ; il ne peut s'agir d'un bain au sens strict, cf. la note 49.

609. Ce qui confirme les dires d'Éryximaque et d'Alcibiade concernant la résistance de Socrate à l'égard de l'ivresse.

BIBLIOGRAPHIE

La bibliographie analytique qui suit, classée par ordre chronologique, commence vers 1950 ; elle comporte cependant quelques exceptions pour des travaux importants.

Comme elle est très loin d'être exhaustive, on se reportera à titre de complément pour la seconde moitié du XXe siècle à Harold Cherniss (« Plato 1950-1957 », *Lustrum* 4 & 5, 1959 & 1960), à Luc Brisson (« Platon 1958-1975 », *Lustrum* 20, 1977) et à Luc Brisson en collaboration avec Hélène Ioannidi (« Platon 1975-1980 », *Lustrum* 25, 1983, p. 31-320, avec des « *Corrigenda* à Platon 1975-1980 », *Lustrum* 26, 1984, p. 205-206 ; « Platon 1980-1985 », dans *Lustrum* 30, 1988, p. 11-294 avec des « *Corrigenda* à Platon 1980-1985 », dans *Lustrum* 31, 1989, p. 270-271 ; « Platon 1985-1990 », dans *Lustrum* 35, 1993 [1994]). La tranche « Platon 1990-1995 », due à Luc Brisson avec la collaboration de Frédéric Plin, est terminée, mais la revue *Lustrum* n'est pas en mesure de la publier immédiatement.

Éditions, traductions et/ou commentaires

Comme le *Banquet* de Platon a fait l'objet d'un travail considérable depuis le début de ce siècle, je me suis contenté d'offrir ici une sélection des titres les plus marquants, la bibliographie que j'édite permettant de compléter cette liste.

Platons *Symposion*, éd. par A. Hug [1876], 3e éd. rev. par H. Schoene, Leipzig, Teubner, 1909. [Texte grec, introduction et notes en allemand.]

Platonis Symposium, Platonis Opera, t. II, rec. John Burnet, Oxford, Clarendon Press, 1901. [Texte grec.]

Plato, *The Symposium of Plato*, by R.G. Bury [1909], Cambridge, Heffer and Sons, 1932². [Texte grec, introduction et notes en anglais.]

Platon, *Œuvres complètes*, t. IV, 2ᵉ partie, *Le Banquet*, par Léon Robin, Paris, Les Belles Lettres, 1929. [Texte grec, traduction française avec une longue introduction essentielle et quelques notes.]

Platon, *Œuvres complètes*, t. I, *Le Banquet*, Paris, Gallimard, 1950. [Traduction française nouvelle.]

Rosen, Stanley, *Plato's Symposium*, New Haven/London, Yale University Press, 1968. [Commentaire en anglais.]

Plato, *Symposium*, ed. by Kenneth Dover, Cambridge, Cambridge University Press, 1980. [Texte grec, introduction et notes en anglais.]

Platon, *Œuvres complètes*, t. IV, 2ᵉ partie, *Le Banquet*, par Paul Vicaire avec le concours de Jean Laborderie, Paris, Les Belles Lettres, 1989. [Texte grec, traduction française avec la longue introduction de Robin et quelques notes.]

Bonelli, Guido, *Socrate sileno. Dinamica erotica e figurazione scenica nel Convito di Platone*, Torino, CELID, 1991. [Commentaire en italien.]

Anderson, Daniel E., *The Masks of Dionysos. A commentary on Plato's* Symposium, Albany [NY], SUNY, 1993. [Commentaire en anglais.]

Mitchell, Robert Lloyd, *The Hymn to Eros. A Reading of Plato's* Symposium, Lanham [MD], University Press of America, 1993. [Commentaire en anglais.]

Symposium, transl. by A. Nehamas and P. Woodruff, in *Plato, Complete Works*, ed. by J.M. Cooper and D.S. Hutchinson, Indianapolis [Ind], Hackett, 1997, p. 457-505.

Histoire du texte

Brockmann, Christian, *Die handschriftliche Überlieferung von Platons* Symposion, Serta Greaca 2, Wiesbaden, Reichert, 1992.

Scholies

Scholia Platonica, rec. G.C. Greene, Philological monographs 8, pub. by the American Philological Association, 1938.

Études d'ensemble

Robin, Léon, *La Théorie platonicienne de l'amour* [1908], Paris, PUF, 1964.

Roux, J. & G., « À propos de Platon. Réflexions en marge du *Phédon* 62b et du *Banquet* », *Revue de philologie* 35, 1961, p. 207-224.

Plochmann, G.K., « Hiccups and hangovers in the *Symposium* », *Bucknell Review* XI, 3, 1963, p. 1-18 ; repris avec quelques variations sous le titre : « Supporting themes in the *Symposium* », in *Essays in Ancient Greek Philosophy*, ed. by John P. Anton with George J. Kustas, Albany [NY], SUNY, 1971.

Buchner, H., *Eros und Sein. Erörterungen zu Platons* Symposion, Bonn, Bouvier, 1965.

Dorter, Kenneth N.M., « The significance and interconnection of the speeches in Plato's *Symposium* », *Philosophy and Rhetoric* 2, 1969, p. 215-234.

Wellman, R.R., « Eros and education in Plato's *Symposium* », *Paedogica historica* 9, 1969, p. 129-158.

Thompson, Wayne N., « The *Symposium*, a neglected source for Plato's ideas on rhetoric », *Southern Speech Communication Journal* 37, 1972, p. 219-232 ; repris dans *Plato. True and Sophistic Rhetoric*, ed. by Keith V. Erikson, Amsterdam, Rodopi, 1979, p. 325-338.

Kelly, William G. Jr., « Rhetoric as seduction », *Philosophy & Rhetoric* 6, 1973, p. 69-80.

Babut, Daniel, « Peinture et dépassement de la réalité dans le *Banquet* de Platon », *Revue des études anciennes* 82, 1980, p. 5-29.

O'Connell, Robert J., « *Eros* and *philia* in Plato's moral cosmos », *Neoplatonism and Early Christian Thought. Essays in Honor of A.H. Armstrong*, ed. by H.J. Blumenthal & R.A. Markus, London, Variorum Publ., 1981, p. 3-19.

Santas, Gerasimos, « Passionate platonic love in the *Phaedrus* », *Ancient Philosophy* 2, 1982, p. 105-114.

Levi, Albert William, « Love, rhetoric and the aristocratic way of life », *Philosophy and Rhetoric* 17, 1984, p. 189-208.

Saxonhouse, Arlene W., « Eros and the female in greek political thought. An interpretation of Plato's *Symposium* », *Political Theory* 12, 1984, p. 5-27.

Stokes, Michael C., *Plato's Socratic Conversations. Drama and Dialectic in Three Dialogues*, Baltimore [MD], Johns Hopkins University Press, 1986.

Kahn, Charles H., « Plato's theory of desire », *Review of Metaphysics* 41, 1987/1988, p. 77-103.

Santas, Gerasimos, *Plato and Freud. Two Theories of Love*, Oxford, Blackwell, 1988.

Price, A.W., *Love and Friendship in Plato and Aristotle*, Oxford, Clarendon Press, 1989.

Turano, Gianfrancesco, « L'alimentazione nel linguaggio di Platone : il *Simposio* », *Homo edens* 1, 1989, p. 97-102.

Brunet, Roland, « Vin et Philosophie : le *Banquet* de Platon : esquisse d'une sympotique platonicienne », *Le Vin des historiens. Actes du 1er Symposium Vin et Histoire* [19, 20 et 21 mai 1989], sous la direction de G. Varries, Suze-la-Rousse (Université du vin), 1990, p. 21-48.

Gill, Christopher, « Platonic love and individuality », *Polis and Politics. Essays in Greek Moral and Political Philosophy*, ed. by Andros Loizou and Harrey Lesser, Aldershot, Avebury, 1990, p. 69-88.

Joly, Henry, « "Sur la tête de Gorgias". Le "parler beau" et le "dire vrai" dans le *Banquet* de Platon », *Argumentation* 4, 1990, p. 5-33.

Tecusan, Manuela, « *Lógos sumpotikós*. Patterns of the irrational in philosophical drinking. Plato outside the *Symposium* », *Sympotica. A Symposium on the "symposion"*, ed. by Oswyn Murray, Oxford, Clarendon Press, 1990.

Salman, Charles, « Anthropogony and theogony in Plato's *Symposium* », *Classical Journal* 86, 1990-1991, p. 214-225.

Dorter, Kenneth M., « A dual dialectic in the *Symposium* », *Philosophy and Rhetoric* 25, 1992, p. 253-270.

Ferrari, Giovanni R.F., « Platonic love », *The Cambridge Companion to Plato*, ed. by Richard H. Kraut, New York/Cambridge, Cambridge University Press, 1992, p. 248-276.

Warner, Martin, « Dialectical drama. The case of Plato's *Symposium* », *Apeiron* 25, 1992, p. 157-175.

Nightingale, Andrea Wilson, « The folly of praise : Plato's critique of encomiastic discourse in the *Lysis* and *Symposium* », *Classical Quarterly* 43, 1993, p. 112-130.

Reeve, C.D.C., « Telling the truth about love. Plato's *Symposium* », *The Boston Area Colloquium in Ancient Philosophy* 8 [1992], Lanham [MD], University Press of America, 1994, p. 89-114.

Segoloni, Luigi M., *Socrate a banchetto. Il Simposio di Platone e I Banchettanti di Aristofane*, Roma, GEI, 1994.

Gill, Christopher, *Personality in Greek Epic, Tragedy, and Philosophy. The Self in Dialogue*, Oxford, Clarendon Press, 1996.

Liberman, Gauthier, « La dialectique ascendante du *Banquet* de Platon », *Archives de philosophie* 59, 1996, p. 455-462.

Rehn, Rudolf, « Der entzauberte Eros : *Symposion* », *Platon. Seine Dialoge in der Sicht neuer Forschungen,* hrsg. von Theo Kobusch und Burkhard Mojsisch, Darmstadt, Wissenschaftliche Buchgesellschaft, 1996, p. 81-95.

Reale, Giovanni, *Eros, dèmone, mediatore. Il gioco delle maschere nel* Simposio *di Platone*, Milano, Rizzoli, 1997.

Corrigan, Kevin, « The comic-serious figure in Plato's middle dialogues : the *Symposium* as philosophical art », *Laughther down the Centuries*, vol. III, ed. by Siegfried Jäkel, Asko Timonen & Veli-Matti Rissanen, Turku (Turun Ylioptisto) 1997, p. 45-54.

Mahoney, Timothy A., « Is Socratic *éros* in the *Symposium* egoistic ? », *Apeiron* 29, 1996, p. 1-18.

Rowe, Christopher J., *Il* Simposio *di Platone. Cinque lezioni con un contributo sul* Fedone *e una breve discussione.* A cura di Maurizio Migliori, Lecturae Platonis 1, Sankt Augustin (Academia Verlag) 1998.

Études portant sur des passages

172a-c

Cotter, Joseph, « The joke on Apollodorus' demotic (Pl. *Symp.* 172a) », *Classical Philology* 87, 1992, p. 131-134.

Stokes, M., « *Symposium* 172a-c : a Platonic phallacy », *Liverpool Classical Monthly* 18, 1993, p. 128.

173d8

Neumann, F., « On the madness of Plato's Apollodorus », *Transactions and Proceedings of the American Philological Association* 95, 1964, p. 261-267.

Vries, G.J. de, « A note on Plato, *Symp.* 173d », *Mnemosyne* 19, 1966, p. 147.

Moore, J.D., « The philosopher's frenzy », *Mnemosyne* 22, 1969, p. 225-230.

Vries, G.J. de, « The philosophaster's softness », *Mnemosyne* 22, 1969, 230-232.

Skemp, J.B., « The philosopher's frenzy », *Mnemosyne* 23, 1970, p. 302-304.

Paganelli, Leonardo, « Plat. *Symp.* 173d, *malakós/manikós* », *Museum Criticum* 18, 1983, p. 192-196.

Walk, M. van der, « Manuscripts and scholia. Some textual problems », *Greek Roman and Byzantine Studies* 25, 1984, p. 39-49.

Gianquinto, Antonio, « Tenero o folle ? Ancoro su *malakós/manikós*, Plato *Symp.*, 173d8 », *Studi Italiani di Filologia Classica* 12, 1994, p. 178-186.

174b

Allen, A., « Plato's proverbial perversion », *Hermes* 102, 1974.

Renehan, Robert, « Three places in Plato's *Symposium* » *Classical Philology* 85, 1990, p. 120-126.

175a7-9

Susanetti, Davide, « Silenzio, Socrate sta pensando », *Lexis* 7-8, 1991, p. 113-133.

175e

Tarrant, D., « The touch of Socrates », *Classical Quarterly* 8, 1958, p. 95-98.

176b

Renehan, Robert, « Some passages in Plato », *Greek Roman and Byzantine Studies* 22, 1981, p. 371-384.

176d3-4

Vries, G.J. de, « Marginal notes on Plato's *Symposium* », *Mnemosyne* 33, 1980, p. 349-351.

177b2

Vries, G.J. de, « Marginal notes on Plato's *Symposium* », *Mnemosyne* 33, 1980, p. 349-351.

177d

Roochnik, David L., « The erotics of philosophical discourse », *History of Political Thought* 4, 1987, p. 117-129.

178a-c

Renehan, Robert, « Three places in Plato's *Symposium* », *Classical Philology* 85, 1990, p.120-126.

178a7

Classen, C.J., « Bemerkungen zu zwei griechischen Philosophiehistorikern », *Philologus* 109, 1965, p. 175-181.
Vries, G.J. de, « Marginal notes on Plato's *Symposium* », *Mnemosyne* 33, 1980, p. 349-351.

178b

Morrison, J.S. « Four notes on Plato's *Symposium* », *Classical Quarterly* 14, 1964, p. 42-55.

178c-180b
(Le discours de Phèdre)

Nola, Robert, « On some neglected minor speakers in Plato's *Symposium* : Phaedrus and Pausanias », *Prudentia* 22, 1, 1990, p. 54-73.

178e

Voto, J.G. de, « The Theban sacred band », *Ancient World* 23, 1992, p. 3-19.

178e5

Vries, G.J. de, « Marginal notes on Plato's *Symposium* », *Mnemosyne* 33, 1980, p. 349-351.

180a1

Cotter, Joseph, « *Epapothaneîn teteleutēkóti* (Plato, *Symp.* 180a) », *Glotta* 62, 1984, p. 161-166.

180b

Vries G.J. de, *Miscellaneous Notes on Plato*, Amsterdam, North-Holland Company, 1975.

180c-185c
(Le discours de Pausanias)

Neumann, H., « On the sophistry of Plato's Pausanias », *Transactions and Proceedings of the American Philological Association* 95, 1964, p. 261-267.

Gallagher, D.K., « In praise of Pausanias. Dialectic in the second speech of Plato's *Symposium* », *Kinesis* 6, 1974, p. 40-55.

Pirenne-Delforge, Vinciane, « Épithètes cultuelles et interprétation philosophique. À propos d'Aphrodite Ourania et Pandémos à Athènes », *Antiquité classique* 57, 1988, p. 142-157.

Nola, Robert, « On some neglected minor speakers in Plato's *Symposium* : Phaedrus and Pausanias », *Prudentia* 22, 1, 1990, p. 54-73.

181d

Renehan, Robert, « Some passages in Plato », *Greek Roman and Byzantine Studies* 22, 1981, p. 371-384.

182a-185c

Dover, K.J., « Eros and *nomos* (Plato, *Symposium* 182a-185c) », *Bulletin of the Institute of Classical Studies* 11, 1964, p. 31-42.

182a-b

Renehan, Robert, « Some passages in Plato », *Greek Roman and Byzantine Studies* 22, 1981, p. 371-384.

183a

Reynen, H., « Platon, *Symposion* 183a », *Hermes* 89, 1961, p. 495-498.

Vretska, K., « Zu Platon, *Symposion* 183a », *Wiener Studien* 75, 1962, p. 22-27.

Reynen, H., « Philosophie und Knabenliebe. Zu Plat. *Symp.* 183a », *Hermes* 95, 1967, p. 308-316.

Reynen, H., « Noch einmal Plato. *Sympos.* 183a », *Wiener Studien* 80, 1967, p. 74-78.

Renehan, Robert, *Studies in Greek Texts*, Hypomnemata 43, Göttingen, Vandenhoeck & Ruprecht, 1976.

184d-e

Renehan, Robert, « Some passages in Plato », *Greek Roman and Byzantine Studies* 22, 1981, p. 371-384.

185b5-c7

Vries, G.J. de, « Marginal notes on Plato's *Symposium* », *Mnemosyne* 33, 1980, p. 349-351.

185c-e
(Le hoquet d'Aristophane)

Lowenstam, S., « Aristophane's hiccup », *GRBS* 27, 1986, p. 43-56.

Queval, Sylvie, « Le hoquet d'Aristophane. Lecture de deux fragments du *Banquet* de Platon, 185c-e et 189a-b », *Politique dans l'Antiquité. Images, mythes et fantasmes,* études réunies par J.-P. Dumont et L. Bescond, Lille, Presses de l'université de Lille, 1986, p. 49-66.

185e-188e
(Le discours d'Éryximaque)

Kranz, W., « Platonica », *Philologus* 102, 1958, p. 74-83.

Edelstein, Ludwig, « The role of Eryximachus in Plato's *Symposium* » [1945], *Ancient Medicine. Selected Papers of Ludwig Edelstein,* ed. by Owsei Temkin and C. Lillian Temkin, Baltimore [MD], Johns Hopkins University Press, 1967, p. 153-171.

Konstan, David & Young Bruehl, Elizabeth, « Eryximachus, speech in the *Symposium* », *Apeiron* 16, 1982, p. 40-46.

Pirenne-Delforge, Vinciane, « Épithètes cultuelles et interprétation philosophique. À propos d'Aphrodite Ourania et Pandémos à Athènes », *Antiquité classique* 57, 1988, p. 142-157.

Rowe, Christopher, « The speech of Eryximachus in Plato's *Symposium* », *Mélanges Dillon (John) – Tradition of Platonism*. Essays in honour of John Dillon, ed. by John Cleary, Aldershot (Ashgate) 1999, p. 53-64.

186b2-3

Vries, G.J. de, « Marginal notes on Plato's *Symposium* », *Mnemosyne* 33, 1980, p. 349-351.

187a3-4

Vries, G.J. de, « Marginal notes on Plato's *Symposium* », *Mnemosyne* 33, 1980, p. 349-351.

189a-b

Queval, Sylvie, « Le hoquet d'Aristophane. Lecture de deux fragments du *Banquet* de Platon, 185c-e et 189a-b », *Politique dans l'Antiquité. Images, mythes et fantasmes,* études réunies par J.-P. Dumont et L. Bescond, Lille, Presses de l'université de Lille, 1986, p. 49-66.

189d-193e
(Le discours d'Aristophane)

Neumann, H., « On the comedy of Plato's Aristophanes », *American Journal of Philology* 87, 1966, p. 420-426.

Hani, Jean, « Le mythe de l'androgyne dans le *Banquet* de Platon », *Euphrosyne* 11, 1981-1982, p. 89-101.

Saxonhouse, Arlene W., « The net of Hephaestus. Aristophanes' speech in the *Symposium* », *Interpretation* 13, 1985, p. 15-32.

Campese, Silvia, « Forme del desiderio nel *Simposio* di Platone », *Lexis* 5-6, 1990, p. 89-100.

Salman, Charles E., « The wisdom of Plato's Aristophanes », *Interpretation* 18, 1990/1991, p. 233-250.

Beltrametti, Anna, « Variazioni del fantastico : Aristofane, Platone e la recita del filosofo », *Quaderni di Storia* 17, 1991, n° 34, p. 131-150.

Iber, Christian, « Eros and Philosophy » : The « Spherical-Man-Myth » of Aristophanes in « Plato's *Symposium* » [en allemand], *Prima Philos.* 10, 1997, p. 245-262.

O'Brien, Denis, « L'Empédocle de Platon », *REG* 110, 1997, p. 381-398.

189e-190d

Edwards, Mark J., « Cybele among the philosophers : Pherecydes to Plato », *Eranos* 91, 1993, p. 65-74.

189e

Morrison, J.S. « Four notes on Plato's *Symposium* », *Classical Quarterly* 14, 1964, p. 42-55.

190c6

Vries, G.J. de, « Marginal notes on Plato's *Symposium* », *Mnemosyne* 33, 1980, p. 349-351.

190d-e

Gronewald, Michael, « Platonkonjekturen nach der Brinkmannschen Regel », *Rheinisches Museum* 119, 1976, p. 11-13.
Stevenson, Walter N., « Plato's *Symposium* (190d7-e2) », *Phoenix* 47, 1993, p. 256-260.

191c-d

Vries G.J. de, *Miscellaneous Notes on Plato*, Amsterdam, North-Holland Company, 1975.

191d

Wilson, Nigel, « Two observations on Aristophanes' *Lysistrata* », *Greek Roman and Byzantine Studies* 23, 1982, p. 157-163.

191e6-192b5

Hawtrey, R.S.W., « Aristophanes, *Acharnians* 77-79. Some light from Plato », *Liverpool Classical Monthly* 7, 1992, p. 110.

194a-d

Vries G.J. de, *Miscellaneous Notes on Plato*, Amsterdam, North-Holland Company, 1975.

195d-e

Robertson, D.S. « *Symposium* 195d-e », *Classical Review* 8, 1958, p. 221.

196c8-d1

Mitscherling, Jeffrey Anthony, « Plato's Agathon's Sophocles. Love and necessity in the *Symposium* », *Phoenix* 39, 1983, p. 375-377.

197a-b

Renehan, Robert, « Three places in Plato's *Symposium* », *Classical Philology* 85, 1990, p. 120-126.

198b3-4

Vries, G.J. de, « Marginal notes on Plato's *Symposium* », *Mnemosyne* 33, 1980, p. 349-351.

199c-201c

Allen, Reginald E., « A note on the *elenchus* of Agathon. *Symposium* 199c-201c », *The Monist* 50, 1960, p. 460-463.

198d8-e1

Griffith, John G., « Static electricity in Agathon's speech in Plato's *Symposium* », *Classical Review* 40, 1990, p. 547-548.

199c3-201c9

Brandt, Reinhardt, « Platons *Symposion* 199c3-201c9 », *Archiv für Geschichte der Philosophie* 64, 1982, p. 19-22.

199d1-e8

Mignucci, Mario, « Platone e i relativi », *Elenchos* 9, 1988, p. 259-294.

200a-201b

Hyland, Drew A., « *Érōs, epithumia* and *philia* in Plato », *Phronesis* 13, 1968, p. 38-50.

201c

Renehan, Robert, *Studies in Greek Texts*, Hypomnemata 43, Göttingen, Vandenhoeck & Ruprecht, 1976.

201d-212b
(Le discours de Diotime rapporté par Socrate)

Kranz, W., « Platonica », *Philologus* 102, 1958, p. 74-83.

Neumann, H., « Diotima's concept of love », *American Journal of Philology* 86, 1965, p. 33-59.

Wippern, Jürgen, « Eros und Unsterblichkeit in der Diotima-Rede des *Symposions* », *Festgabe für W. Schadewalt*, hrsg. von Hellmut Flashar und Konrad Gaiser, Pfullingen, Neske, 1965, p. 123-129.

Wippern, Jürgen, « Zur unterrichtlichen Lektüre der Diotima-Rede in Platons *Symposion* », *Der altsprachliche Unterricht* IX, 5, 1966, p. 35-59.

Vlastos, Gregory, « The individual as an object of love in Plato » [1969], repris dans *Platonic Studies*, Princeton [NJ], Princeton University Press, 1981, p. 3-42.

Anton, John P., « The secret of Plato's *Symposium* », *Diotima* 2, 1974, p. 27-47.

Gagarin, Michael, « Socrates' *hybris* and Alcibiades' failure », *Phoenix* 31, 1977, p. 22-37.

Plass, Paul, « Plato's pregnant lover », *Symbolae Osloenses* 53, 1978, p. 47-55.

Warner, Martin, « Love, self and Plato's *Symposium* », *Philosophical Quarterly* 29, 1979, p. 329-339.

Scheier, Claus-Artur, « Schein und Erscheinung im platonischen *Symposion* », *Philosophisches Jahrbuch* 90, 1983, p. 363-375.

Krischer, Tilman, « Diotima und Alkibiades. Zur Struktur des platonischen *Symposium* », *Grazer Beiträge* 11, 1984, p. 51-65.

O'Brien, Michael, « "Becoming immortal" in Plato's *Symposium* », *Greek Poetry and Philosophy. Studies in honour of Leonard Woodbury*, ed. by Douglas E. Gerber, Chico [CA], Scholar Press, 1984, p. 185-205.

Hahn, Robert Alan, « Recollecting the stages of ascension : Plato's *Symposion* 211c3-d1 », *Southwestern Philosophical Studies* 9, 1985, 3, p. 96-103.

Dyson, M., « Immortality and procreation in Plato's *Symposium* », *Antichthon* 20, 1986, p. 59-72.

Riedweg, Christoph, *Mysterienterminologie bei Platon, Philon und Klemens von Alexandrien*, Untersuchungen zur antiken Literatur und Geschichte 26, Berlin/New York, De Gruyter, 1987.

Roochnik, David L., « The erotics of philosophical discourse », *History of Political Thought* 4, 1987, p. 117-129.

Irigaray, Luce, « Sorcerer love. A reading of Plato's *Symposium*. Diotima's speech », *Hypatia* 3, 1989, p. 32-44.

Nye, Andrea, « The hidden host : Irigaray and Diotima at Plato's *Symposium* », *Hypatia* 3, 1989, p. 45-61.

Halperin, David M., « Why is Diotima a woman », in *One Hundred Years of Homosexuality and Other Essays on Greek Love*, New York/London, Routledge, 1990, p. 113-151, notes, p. 190-211.

Nye, Andrea, « The subject of love. Diotima and her critics », *The Journal of Value Inquiry* 24, 1990, p. 135-153.

Patterson, Richard, « The ascent in Plato's *Symposium* », *The Boston Area Colloquium in Ancient Philosophy* 7 [1991], Lanham [MD], University Press of America, 1993, p. 193-214.

Pender, Elizabeth E., « Spiritual pregnancy in Plato's *Symposium* », *Classical Quarterly* 42, 1992, p. 72-86.

Frede, Dorothea, « Out of the cave : what Socrates learned from Diotima », *Nomodeiktes, Greek Studies in Honor of Martin Ostwald*, ed. by Ralph M. Rosen and Joseph Farrell, Ann Arbor, Michigan University Press, 1993, p. 397-422.

Sier, Kurt, *Die Rede der Diotima. Untersuchungen zum platonischen* Symposion, Beiträge zur Altertumskunde 86, Stuttgart/Leipzig, Teubner, 1997.

201d

Levin, S., « Diotima's visit and service to Athens », *Grazer Beiträge* 3, 1975, p. 223-240.

201e5

Vries, G.J. de, « Marginal notes on Plato's *Symposium* », *Mnemosyne* 33, 1980, p. 349-351.

203e

Renehan, Robert, *Studies in Greek Texts*, Hypomnemata 43, Göttingen, Vandenhoeck & Ruprecht, 1976.

204a

Renehan, Robert, *Studies in Greek Texts*, Hypomnemata 43, Göttingen, Vandenhoeck & Ruprecht, 1976.

206

Morrison, J.S. « Four notes on Plato's *Symposium* », *Classical Quarterly* 14, 1964, p. 42-55.

207c8-208b6

Krell, David Farrell, « "Knowledge is remembrance" : Diotima's instruction at *Symposium* 207c8-208b6 », *Post-Structuralist Classics*, ed. by Andrew Benjamin, New York/London, Routledge, 1988, p. 160-172.

208a6

Verdenius, W.J., « *Epexegesis* in Plato », *Mnemosyne* 33, 1980, p. 351-353.

208d

O'Higgins, Dolores, « Above rubies. Admetus' perfect wife », *Arethusa* 26, 1993, p. 77-97.

208e-209a

Morrison, J.S. « Four notes on Plato's *Symposium* », *Classical Quarterly* 14, 1964, p. 42-55.

209e sq.

Moravcsik, J.M.E., « Reason and eros in the "ascent"-passage of the *Symposium* », *Essays in Ancient Greek Philosophy*, ed. by John P. Anton with George J. Kustas, Albany [NY], SUNY, 1971, p. 285-302.

210d

Colaclidès, P., « Variations sur une métaphore de Platon », *Classica & Mediaevalia* 27, 1966, p. 116-117.
Reeve, M.D., « Eleven notes », *Classical Review* 21, 1971, p. 324-329.

211a

Sprague, Rosamond Kent, « *Symposium* 211a and Parmenides, frag. 8 », *Classical Philology* 66, 1971, p. 261.

210e-211c

Solmsen, F., « Parmenides and the description of perfect beauty in Plato's *Symposium* », *American Journal of Philology* 91, 1971, p. 62-70.

211e

Thorp, J., « The social construction of homosexuality », *Phoenix* 46, 1992, p. 54-61. [Contre Foucault et Halperin.]

213d6

Merlan, P., « Zum Problem der drei Lebensarten », *Philosophisches Jahrbuch* 74, 1966-1967, p. 217-219.

214a-222a
(L'éloge de Socrate par Alcibiade)

Nussbaum, Martha, « The speech of Alcibiades. A reading of Plato's *Symposium* », *Philosophy and Literature* 3, 1979, p. 131-172.

Canto, Monique, « L'amour laconique et les mots du Satyre », *L'Écrit du temps*, 1983, n° 4, p. 45-62.

North, Helen G., « Opening Socrates : the speech of Alcibiades », *Illinois Classical Studies* 19, 1984, p. 89-98.

Scott, Gary Alan & Welton, William A., « An overlooked motive in Alcibiades' *Symposium* speech », *Interpretation* 24, 1996, p. 67-84.

215a-b

Steiner, D., « For love of a statue : a reading of *Symposium* 215a-b », *Ramus* 25, 1996, p. 89-111.

215d-222b

Krischer, Tilman, « Diotima und Alkibiades. Zur Struktur des platonischen *Symposium* », *Grazer Beiträge* 11, 1984, p. 51-65.

219a

Renehan, Robert, *Studies in Greek Texts*, Hypomnemata 43, Göttingen, Vandenhoeck & Ruprecht, 1976.

220a1-3

Vries, G.J. de, « Marginal notes on Plato's *Symposium* », *Mnemosyne* 33, 1980, p. 349-351.

233d

Clay, Diskin, « The tragic and the comic poet of the *Symposium* », 1975, repris dans *Essays in Ancient Greek Philosophy*, vol. II, ed. by John P. Anton and Anthony Preus, Albany [NY], SUNY, 1983, p. 186-202.

Mader, Michael, *Das Problem des Lachens und der Komödie bei Platon*, Stuttgart (Kohlhammer) 1977.

Patterson, Richard Allen, « The Platonic art of comedy and tragedy », *Philosophy & Literature* 6, 1982, p. 76-93.

ANNEXES

Carte 1. Cités et régions de Grèce

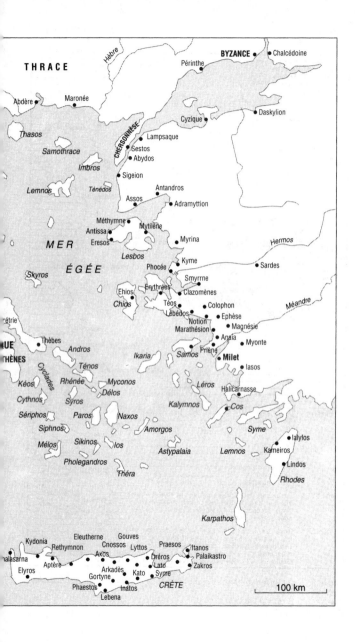

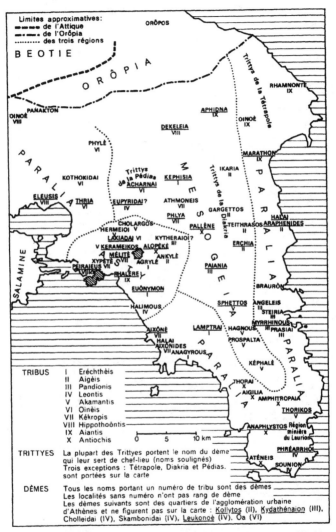

Carte 2. Répartition des tribus et des dèmes de l'Attique créés par Clisthène

Source : E. Will, Le Monde grec et l'Orient, le Vᵉ siècle,
Paris, PUF, 1991, p. 70.

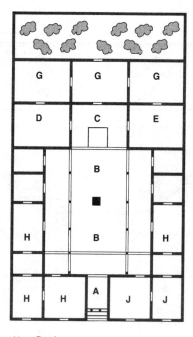

A) Porche
B) Cour intérieure
C) Salle des hommes
D,E) Appartement des femmes, chambre
G) Pièces où travaillent les esclaves
H,J) Magasins, écuries
K) Jardin

Figure 1. Plan d'une maison grecque à péristyle
Extrait du Dictionnaire des Antiquités grecques et romaines, *sous la direction de C. Daremberg et G. Saglio, Paris, Hachette, 1892, t. II, p. 344.*

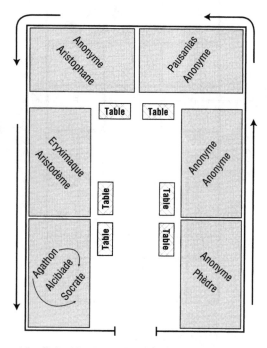

a) Les flèches à l'extérieur indiquent le sens de la succession des discours.

b) Les flèches dans le cadre qui figure le dernier lit indiquent le changement de place entre Agathon et Alcibiade (d'abord en 213 a-b, puis en 222d-223b).

Figure 2. Disposition des lits

Figure 3. Les vases utilisés

CHRONOLOGIE

Socrate	Platon	Événements politiques et militaires
		750-580 : Colonisation grecque notamment en Sicile.
		508 : Réformes démocratiques à Athènes.
		499-494 : Révolte de l'Ionie contre les Perses. Athènes envoie des secours.
		490-479 : Guerres médiques.
		490 : Bataille de Marathon.
		480 : Bataille des Thermophyles.
		480 : Victoire de Salamine.
		Victoire des Grecs de Sicile sur les Carthaginois à Himère.
		478-477 : Formation de la Confédération de Délos. Elle durera jusqu'en 404.
470 : Naissance de Socrate, dix ans après la bataille de Salamine.		
		459 : Guerre de Corinthe contre Athènes.
		449/448 : Paix dite « de Callias » entre Athènes et les Perses.
		447 : Bataille de Coronée.

Socrate	Platon	Événements politiques et militaires
		446 : Paix dite « de Trente Ans », qui durera quinze ans (446-431).
441-429 : Socrate semble avoir des liens avec l'entourage de Périclès (avec Aspasie, Alcibiade, Axiochos, Callias).		
		435 : Guerre de Corinthe contre Corcyre et alliance de Corcyre et d'Athènes.
		432 : Révolte de Potidée (432-429).
		431-404 : Guerres du Péloponnèse.
430 : Hoplite à Samos.		**430-426 :** Peste à Athènes.
429 : Socrate sauve la vie d'Alcibiade à la bataille de Potidée.		**429 :** Mort de Périclès et rivalité entre Cléon (belliciste) et Nicias (pacifiste). Capitulation de Potidée.
	428-427 : Naissance de Platon.	**428-427 :** Révolte de Mytilène.
423 : Les *Nuées* d'Aristophane. À un âge mûr, Socrate se marie avec Xanthippe dont il aura trois fils.		**421 :** Nicias négocie la paix dite « de Nicias ».
		415-413 : Expédition de Sicile sous le commandement de Nicias, de Lamachos et d'Alcibiade. La mutilation des Hermès.
414 : Socrate sauve la vie de Xénophon à la bataille de Délium.		**414 :** Trahison d'Alcibiade, qui gagne Sparte.
		412 : Révolte de l'Ionie et alliance entre Sparte et la Perse.
		411 : Révolution des « Quatre Cents » puis des « Cinq Mille ».
		410 : La démocratie est rétablie à Athènes.
		407 : Retour d'Alcibiade à Athènes.
406/405 : Socrate, président du Conseil. Le procès des Arginuses.		**406 :** Défaite d'Alcibiade à la bataille de Notion.
		405 : Denys Iᵉʳ, tyran de Syracuse.

Socrate	Platon	Événements politiques et militaires

404 : Socrate refuse d'obéir aux Trente et d'arrêter Léon de Salamine.

404 : Lysandre impose la paix à Athènes et institue les « Trente Tyrans ».
403 : La démocratie est rétablie à Athènes.

399 : Socrate est accusé d'impiété, de corruption de la jeunesse et de pratique de religions nouvelles, par Anytos, chef de la démocratie restaurée par la révolution de 403. Il est condamné à mort. Il attend le retour du bateau sacré de Délos avant de boire la ciguë.

399-390 : Platon rédige l'*Hippias mineur*, l'*Ion*, le *Lachès*, le *Charmide*, le *Protagoras* et l'*Euthyphron*.

395-394 : Sparte assiège Corinthe.

394 : Peut-être Platon prit-il part à la bataille de Corinthe.
390-385 : Platon rédige le *Gorgias*, le *Ménon*, l'*Apologie de Socrate*, le *Criton*, l'*Euthydème*, le *Lysis*, le *Ménexène* et le *Cratyle*.
388-387 : Voyage de Platon en Italie du Sud où il rencontre Archytas, et à Syracuse, où règne Denys Ier.
387 : Retour de Platon à Athènes, où il fonde l'Académie.

386 : Paix dite « du Roi » ou « d'Antalcidas ».

385-370 : Platon rédige le *Phédon*, le *Banquet*, la *République* et le *Phèdre*.

382 : Guerre de Sparte contre Athènes.
378 : Guerre d'Athènes-Thèbes contre Sparte.
376 : Athènes est maîtresse de la mer Égée. La ligue béotienne est reconstituée.
375 : Flotte d'Athènes dans la mer Ionienne.
371 : Thèbes bat Sparte à Leuctres : fin de la su-

Socrate	Platon	Événements politiques et militaires
		prématie militaire de Sparte.
	370-347/6 : Platon rédige le *Théétète,* le *Parménide,* le *Sophiste,* le *Politique,* le *Timée,* le *Critias* et le *Philèbe.*	
	367-366 : Platon vient à Syracuse pour exercer, à la demande de Dion, une influence sur Denys II qui a succédé à son père. Dion est exilé.	**367** : Mort de Denys Iᵉʳ. Denys II, tyran de Syracuse.
	361-360 : Dernier séjour à Syracuse.	
	360 : Platon rencontre Dion qui assiste aux jeux Olympiques. L'exilé lui fait part de son intention d'organiser une expédition contre Denys II.	
		359 : Philippe II, roi de Macédoine, père d'Alexandre le Grand (359-336).
		357 : Guerre des alliés (357-346). Départ de l'expédition de Dion contre Denys II.
		354 : Assassinat de Dion.
	347-6 : Platon meurt. Il est en train d'écrire les *Lois.*	
		344-337/6 : Timoléon en Sicile.
		338 : Bataille de Chéronée.
		336 : Philippe assassiné. Alexandre le Grand, roi de Macédoine (336-323).

N.B. : En Grèce ancienne, on comptait les années comme années d'Olympiades. Or les jeux Olympiques avaient lieu au mois d'août. D'où le chevauchement de l'année grecque sur deux de nos années civiles, qui commencent début janvier.

Par ailleurs, la périodisation des œuvres de Platon que nous proposons n'est qu'approximative : rien n'assure que l'ordre de la composition des dialogues correspond à l'ordre dans lequel nous les citons à l'intérieur d'une même période.

INDEX DES NOMS PROPRES

INDEX THÉMATIQUE

SUPPLÉMENT BIBLIOGRAPHIQUE
1998-2001

(Classement systématique et chronologique)

Platon 1990-1995. Bibliographie par Luc Brisson avec la collaboration de Frédéric Plin, Tradition de la Pensée Antique, Paris, Vrin, 1999.

Traductions

Grec ancien & anglais

Plato, *Symposium*, edited with an introduction, translation and commentary by C.J. Rowe, Warminster (Aris & Philips) 1998, vii-227 pp. Bibliographie. Index général. The text is a modified version of Burnet's in the series of Oxford Classical Texts.

Français

Platon, *Le Banquet*, Traduction de Janick Auberger et Georges Leroux, Classiques Hachette 86, Paris (Hachette) 1998, 160 pp. Notes explicatives, questionnaires, documents et parcours philosophique. Lexique des termes. Index des noms propres. Bibliographie. Le texte traduit est celui établi par P. Vicaire et J. Laborderie.

Études d'ensemble

Gill, Christopher, *Personality in Greek Epic, Tragedy, and Philosophy. The Self in Dialogue*, Oxford, Clarendon Press, 1996. Les pages 383-399 portent sur le *Banquet* de Platon.

Mahoney, Timothy A., « Is Socratic *érōs* in the *Symposium* egoistic ? », *Apeiron* 29, 1996, 1-18.

Ménissier, Thierry, *Éros philosophe. Une interprétation philosophique du* Banquet *de Platon*, Philosophie-épistémologie, Paris, Kimé, 1996, 153 pp.

Corrigan, Kevin, « The comic-serious figure in Plato's middle dialogues : the *Symposium* as philosophical art », *Laughther down the centuries*, vol. III, ed. by Siegfried Jäkel, Asko Timonen & Veli-Matti Rissanen, Turku, Turun Ylioptisto, 1997, 45-54.

Gerhardt, Volker, « Wer liebt wen in Platons *Symposion* ? Individualität in der Antike », *Philosophisches Jahrbuch* 104, 1997, 225-240.

Gurevitch, Zoli, « The symposium. Culture as daimonic conversation », *Human Studies* 2, 1998, 437-454.

Rowe, Christopher J., *Il* Simposio *di Platone. Cinque lezioni con un contributo sul* Fedone *e una breve discussione*. A cura di Maurizio Migliori, Lecturae Platonis 1, Sankt Augustin, Academia Verlag, 1998, 115 pp.

Brisson, Luc, « Le *Banquet* de Platon comme document sur les comportements sexuels et leurs représentations sociales », *Homosexualités. Expression/répression*, sous la direction de Louis-Georges Tin et avec la collaboration de Geneviève Pastre, Paris, Stock, 2000, 49-62. [Bibliographie.]

Brisson, Luc, « Le *Banquet* de Platon, et la question des commencements de l'humanité », *Uranie* 9, 2000, p. 45-54.

Rapport avec d'autres dialogues

Capelletti, Giovanna, « *Simposio* e *Fedro* : variazioni strutturali del discorso d'amore », *La struttura del dialogo platonico*, a cura di Giovanni Casertano, *Sképsis*. Collana di testi e studi di filosofia antica 14, Napoli (Loffredo Editore) 2000, 253-261.

Rowe, Christopher, « The *Lysis* and the *Symposium* : *aporia* and *euporia* Plato. *Euthydemus, Lysis, Charmides*. Proceedings ot the V Symposium Platonicum, edited by Thomas M. Robinson and L. Brisson, International Plato Studies 13, Sankt Augustin, Academia Verlag, 2000, 204-216.

Guldentops, G., « Platon. *Aporia, euporia* et les mots étymologiquement apparentés : *Banquet, Phèdre, Parménide, Théétète, Épinomis, Lettres* », *Aporia dans la Philosophie grecque. Des origines à Aristote,* Travaux du Centre d'Études Aristotéliciennes de l'université de Liège, Coll. Aristote. Traductions et études, éditées par A. Motte et Chr. Rutten, avec la collaboration de L. Bauloye et A. Lefka, Louvain-la-Neuve, Peeters, 2001, 61-70.

185e-188e
(Le discours d'Éryximaque)

Rowe, Christopher, « The speech of Eryximachus in Plato's *Symposium* », *Tradition of Platonism.* Essays in honour of John Dillon, ed. by John Cleary, Aldershot, Ashgate, 1999, 53-64.

181c-189b

Avlonitis, S., « Aristophanes *Bomolokhos.* Platon, *Symposion* 181c-189b », *Rheinisches Museum für Philologie* 142, 1999, 15-23.

189d-193c
(Le discours d'Aristophane)

Ludwig, P. W., « Politics and eros in Aristophanes' speech. *Symposium* 191e-192a and the comedies », *American Journal of Philology* 117, 1996, 357-362.

Iber, Christian, « Eros and Philosophy : The "Spherical-Man-Myth" of Aristophanes in Plato's *Symposium* » [en allemand], *Prima Philosophia* 10, 1997, 245-262.

O'Brien, Denis, « L'Empédocle de Platon », *Revue des Études Grecques* 110, 1997, 381-398.

Micalella, Dina, « Conoscenza e sogno : il discorso di Aristofane nel *Simposio* platonico », *Studi Classici e Orientali* 46, 1997, 409-421.

194e-197e
(Le discours d'Agathon)

Rijser, David, « "Dichtung und Wahrheit" : Agathon, Aristophanes en poetica in Plato's *Symposium* », *Lampas* 29, 1996, 481-502 [rés. en angl.].

199c-201c

Payne, Andrew, « The refutation of Agathon : *Symposium* 199c-201c », *Ancient Philosophy* 19, 1999, 235-253. [Bibliographie.]

189d-193e
(Le discours d'Alcibiade)

Giordano, L., « Da Tucidide a Platone : il ruolo di Alcibiade nel *Simposio* », *Studi Classici e Orientali* 46, 1998, 1079-1110.

291d-212b
(Le discours de Diotime rapporté par Socrate)

Irigaray, Luce, « Sorceror love : a reading of Platio's *Symposium*, Diotima's speech » [1989], *Feminist Interpretations of Plato*, ed. by Nancy Tuana, University Park [Pa], Pennsylvania State Univ., 1994, 181-195.
Nye, Andrea, « Irigaray and Diotima at Plato's *Symposium* » [1989], *Feminist Interpretations of Plato*, ed. by Nancy Tuana, University Park [Pa], Pennsylvania State Univ., 1994, 197-216.

SUPPLÉMENT BIBLIOGRAPHIQUE
2001-2004

(Classement systématique et chronologique)

Platon 1995-2000. Bibliographie par Luc Brisson et Benoît Castelnérac, avec la collaboration de Frédéric Plin, Tradition de la Pensée Antique, Paris, Vrin, 2004.

Traductions

Anglais
  Plato, *The Symposium*, transl. with an introd. and notes by Christopher Gill, Penguin classiques, London/New York (Penguin Books), 1999, XLVI, 89 p.

Grec ancien & allemand
  Platon, *Symposion*, griechisch-deutsch, übers. und hrsg. von Barbara Zehnpfennig, coll. Philosophische Bibliothek, 520, Hamburg (Meiner), 2000, LVI, 169 pp.

Grec ancien & italien
  Platone, *Simposio*, a cura di Giovani Reale. Testo critico di John Burnet, Fondazione Lorenzo Valla, Milano (Mondadori), 2001, CIII, 269 pp. Testo e traduzione, commento.

Études d'ensemble

Edmonds III, Radcliffe Guest, « Socrates the beautiful : role reversal and midwifery in Plato's *Symposium* », *Transactions and Proceedings of the American Philological Association*, 130, 2000, 261-285.

Gotshalk, Richard, *Loving and dying : a reading of Plato's* Phaedo, *Symposium, and* Phaedrus, *Lanham* [Md.] : (University Pr. of America), 2001, XIX, 288 p.

Lefka, Aikaterini, « § 6. Platon, *Banquet* », *Philosophie de la Forme. Eidos, Idea, Morphé dans la philosophie grecque des origines à Aristote*, Actes du Colloque interuniversitaire de Liège. Travaux du Centre d'études aristotéliciennes de l'université de Liège, édités par A. Motte, Chr. Rutten et P. Somville, avec la collaboration de L. Bauloye, A. Lefka et A. Stevens, Louvain-la-Neuve, Paris, Dudley [Ma], 2003, 107-114.

Ruprecht, Louis A., *Symposia : Plato, the erotic, and moral value*, Albany [N.Y.] : (State University of New York Pr.), 1999, XIX, 183 p.

Souto Delibes, Fernando, « Aristófanes, ¿ enemigo de Sócrates ? », *Cuadernos de Filología clásica. Estudios griegos y indoeuropeos*, 9, 1999 : 145-153 [rés. en angl.]. [Testimonio en el *Symposium* del primer encuentro entre Aristófanes y Sócrates.]

Usher, M[ark] D[avid], « Satyr play in Plato's *Symposium* », *American Journal of Philology*, 123, 2002, 205-228.

Wardy, Robert, « The unity of opposites in Plato's *Symposium* », *Oxford Studies in Ancient Philosophy*, 23, 2002, 1-61.

Études portant sur des passages

172a

Sider, David, « Two jokes in Plato's *Symposium* », *Noctes Atticae* : 34 articles on Graeco-roman antiquity and its Nachleben. Studies presented to Joergen Mejer on his Sixtieth Birthday, March 18, 2002, ed. by Bettina Amden, Pernille Flensted-Jensen, Thomas Heine Nielsen, Adam Schwartz, Chr. Gorm Tortzen, Copenhagen (Museum Tusculanum Press. University of Copenhagen), 2002, 260-264. [Sur 172a et 190d-e.]

180c-185c
(Le discours de Pausanias)

Görgemanns, Herwig. « Die Rede des Pausanias in Platons *Symposion* », *Hortus litterarum antiquarum : Festschrift für Hans Armin Gärtner zum 70. Geburtstag*/Andreas Haltenhoff, Fritz-Heiner Mutschler Hrsg., coll. Bibliothek der klassischen Altertumswissenschaften. Neue Folge. 2. Reihe ; 109, Heidelberg (Winter), 2000, 177-190.

189d-193e
(Le discours d'Aristophane)

O'Brien, Denis, « Die Aristophanes-Rede im *Symposium* : Des Empedokleische Hintergrund und seine philosophische Bedeutung », *Platon als Mythologe. Neue Interpretationen zu den Mythen in Platons Dialogen* [Tagung « Platons Mythen », 30/31 Juli 2001], hrsg. von Markus Janka und Christian Schäfer, Darmstadt (Wissenschaftliche Buchgesellschaft), 2002, 160-175.

199c-201c

Robinson, Steven, « The contest of wisdom between Socrates and Agathon in Plato's *Symposium* », *Ancient Philosophy*, 24, 2004, 81-100.

201d-212c
(Le discours de Diotime)

Sier, Kurt, *Die Rede der Diotima : Untersuchungen zum platonischen* Symposion, Beiträge zur Altertumskunde, 86, Stuttgart (Teubner), 1997, XVI, 329 pp.

Follon, Jacques, « Amour, sexualité et beauté chez Platon. La leçon de Diotime (*Banquet* 201d-212c) », *Méthexis*, 14, 2001, 45-71.

214a-22a
(L'éloge de Socrate par Alcibiade)

Scott, Dominic, « Socrates and Alcibiades in the *Symposium* », *Hermathena*, n° 168, 2000, 25-37.

223d6

Harris, John P[hilip], « Plato's *Ion* and the end of his *Symposium* », *Illinois Classical Studies*, 26, 2001, 81-101. [*Ion* 531e-534e ; *Symposium* 223d3-6].

SUPPLÉMENT BIBLIOGRAPHIQUE
2004-2007

Blondell, Ruby, « Where is Socrate on the "Ladder of Love" », in J. Lesher, D. Nails and F.C.C. Sheffield (edd.), *Plato's* Symposium. *Issues in Interpretation and Reception*, Center for Hellenic Studies, Washington D.C. 2006, 147-178.

Brisson, Luc, « Agathon, Pausanias, and Diotima in Plato's *Symposium* : *Paiderastia* and *Philosophia* », in J. Lesher, D. Nails and F.C.C. Sheffield (edd.), *Plato's* Symposium. *Issues in Interpretation and Reception*, Center for Hellenic Studies, Washington D.C. 2006, 229-251.

Carnes, Jeffrey, « Plato in the courtroom : The surprising influence of the *Symposium* », in J. Lesher, D. Nails and F.C.C. Sheffield (edd.), *Plato's* Symposium. *Issues in Interpretation and Reception*, Center for Hellenic Studies, Washington D.C. 2006, 272-291.

Carone, Gabriela Roxana, « The virtues of platonic love », in J. Lesher, D. Nails and F.C.C. Sheffield (edd.), *Plato's* Symposium. *Issues in Interpretation and Reception*, Center for Hellenic Studies, Washington D.C. 2006, 208-226.

Clay, Diskin, « The hangover of Plato's *Symposium* in the italian Renaissance from Bruni (1435) to Castiglione (1528) », in J. Lesher, D. Nails and F.C.C. Sheffield (edd.), *Plato's* Symposium. *Issues in Interpretation and Reception*, Center for Hellenic Studies, Washington D.C. 2006, 341-359.

Corrigan, Kevin, « The comic-serious figure in Plato's middle dialogues : the symposium as philosophical art », in Siegfried Jäker, Asko Timoner and Veli-Matti Rissanen (edd.), *Laughter down the Centuries* 3, Turku (Turun yliopisto) 1997, 55-64. (Turun yliopiston julkaisuja. Sarja B, Humaniora ; 221).

Corrigan, Kevin and Glazov-Corrigan, Elena, *Plato's Dialectic at Play. Argument, Structure, and Myth in the* Symposium, University Park (Penn.), The Pennsylvania Sate University Press,

Detel, W., « Eros and knowledge in Plato's *Symposium* », *Ideal and Culture of Knowledge in Plato* [Akten der 4. Tagung der Karl-und-Gertrud-Abel-Stiftung, vom 1.-3. September 2000 Frankfurt], Stuttgart, Steiner, 2003, 79-95. [Philosophie der Antike. Veröffentlichungen der Karl-und-Gertrud-Abel-Stiftung 15].

Emlyn-Jones, Ch., « The dramatic poet and his audience : Agathon and Socrates in Plato's *Symposium* », *Hermes* 132, 2004, 389-405.

Gerson, Lloyd P., « A platonic reading of Plato's *Symposium* », in J. Lesher, D. Nails and F.C.C. Sheffield (edd.), *Plato's* Symposium. *Issues in Interpretation and Reception*, Center for Hellenic Studies, Washington D.C. 2006, 46-67.

Hobbs, Angela, « Female imagery in Plato », in J. Lesher, D. Nails and F.C.C. Sheffield (edd.), *Plato's* Symposium. *Issues in Interpretation and Reception*, Center for Hellenic Studies, Washington D.C. 2006, 252-271.

Holowchak, Mark, « Wisdom, wine, and wonder-lust in Plato's *Symposium* », *Philosophy & Literature* 27, 2003, 415-427.

Hunter, R., « Plato's *Symposium* and the tradition of ancient fiction », in J. Lesher, D. Nails and F.C.C. Sheffield (edd.), *Plato's* Symposium. *Issues in Interpretation and Reception*, Center for Hellenic Studies, Washington D.C. 2006, 285-312.

Lesher, J. H., « Some notable afterimages of Plato's *Symposium* », in J. Lesher, D. Nails and F.C.C. Sheffield (edd.), *Plato's* Symposium. *Issues in Interpretation and Reception*, Center for Hellenic Studies, Washington D.C. 2006, 313-340.

McPherran, Mark L., « Medecine, magic, and religion in Plato's *Symposium* », in J. Lesher, D. Nails and F.C.C. Sheffield (edd.), *Plato's* Symposium. *Issues in Interpretation and Reception*, Center for Hellenic Studies, Washington D.C. 2006, 71-85.

Moutsopoulos, Evanghelos, « De la perception à la contemplation du beau dans le *Banquet* de Platon », *Philosophia* [grec] 35, 2005, 50-63.

Nails, Debra, « Tragedy off-stage », in J. Lesher, D. Nails and F.C.C. Sheffield (edd.), *Plato's* Symposium. *Issues in Interpretation and Reception*, Center for Hellenic Studies, Washington D.C. 2006, 179-207.

O'Connor, David K., « Shelves in Shelley and Stevens », in J. Lesher, D. Nails and F.C.C. Sheffield (edd.), *Plato's* Symposium. *Issues in Interpretation and Reception*, Center for Hellenic Studies, Washington D.C. 2006, 360-375.

Reeve, C. D. C., « A study of violets : Alcibiades in the *Symposium* », in J. Lesher, D. Nails and F.C.C. Sheffield (edd.), *Plato's* Symposium. *Issues in Interpretation and Reception*, Center for Hellenic Studies, Washington D.C. 2006, 124-146.

Richardson Lear, Gabriel, « Permanent beauty and becoming happy in Plato's *Symposium* », in J. Lesher, D. Nails and F.C.C. Sheffield (edd.), *Plato's* Symposium. *Issues in Interpretation and Reception*, Center for Hellenic Studies, Washington D.C. 2006, 96-123.

Rowe, Cristopher J., « The *Symposium* as a socratic dialogue », in J. Lesher, D. Nails and F.C.C. Sheffield (edd.), *Plato's* Symposium. *Issues in Interpretation and Reception*, Center for Hellenic Studies, Washington D.C. 2006, 9-22.

Sheffield, Frisbee C. C., « The role of the earlier speeches in the *Symposium* : Plato's endoxic method », in J. Lesher, D. Nails and F.C.C. Sheffield (edd.), *Plato's* Symposium. *Issues in Interpretation and Reception*, Center for Hellenic Studies, Washington D.C. 2006, 23-46.

Somville, Pierre, « L'ange et l'androgyne : deux modèles anthropologiques (Platon, *Phèdre* et *Banquet*) », *Revue de philosophie antique* 20, 2002, 111-116.

Suárez de la Torre, Emilio, « En torno al *Banquete* de Platón », *Humanitas* (Coimbra) 54, 2002, 63-100.

Strauss, Leo, Leo Strauss on Plato's *Symposium*, ed. and with a foreword by Seth Benardete, Chicago [Ill.] (2001), IX-294 p.

White, F.C., « Virtue in Plato's *Symposium* », *Classical Quarterly* NS 54, 2004, 366-378.

TABLE

LA PHILOSOPHIE DANS LA GF

GF-CORPUS

ARISTOTE
Petits Traités d'histoire naturelle (979)
Physique (887)

AVERROÈS
L'Intelligence et la pensée (974)
L'Islam et la raison (1132)

BERKELEY
Trois Dialogues entre Hylas et Philonous (990)

CHÉNIER (Marie-Joseph)
Théâtre (1128)

COMMYNES
Mémoires sur Charles VIII et l'Italie, livres VII et VIII (bilingue) (1093)

DÉMOSTHÈNE
Philippiques, suivi de **ESCHINE**, Contre Ctésiphon (1061)

DESCARTES
Discours de la méthode (1091)

DIDEROT
Le Rêve de d'Alembert (1134)

DUJARDIN
Les lauriers sont coupés (1092)

ESCHYLE
L'Orestie (1125)

GOLDONI
Le Café. Les Amoureux (bilingue) (1109)

HEGEL
Principes de la philosophie du droit (664)

HÉRACLITE
Fragments (1097)

HIPPOCRATE
L'Art de la médecine (838)

HOFMANNSTHAL
Électre. Le Chevalier à la rose. Ariane à Naxos (bilingue) (868)

HUME
Essais esthétiques (1096)

IDRÎSÎ
La Première Géographie de l'Occident (1069)

JAMES
Daisy Miller (bilingue) (1146)
Les Papiers d'Aspern (bilingue) (1159)

KANT
Critique de la faculté de juger (1088)
Critique de la raison pure (1142)

LEIBNIZ
Discours de métaphysique (1028)

LONG & SEDLEY
Les Philosophes hellénistiques (641 à 643), 3 vol. sous coffret (1147)

LORRIS
Le Roman de la Rose (bilingue) (1003)

MEYRINK
Le Golem (1098)

NIETZSCHE
Par-delà bien et mal (1057)

L'ORIENT AU TEMPS DES CROISADES (1121)

PLATON
Alcibiade (988)
Apologie de Socrate. Criton (848)
Le Banquet (987)
Philèbe (705)
Politique (1156)
La République (653)

PLINE LE JEUNE
Lettres, livres I à X (1129)

PLOTIN
Traités I à VI (1155)
Traités VII à XXI (1164)

POUCHKINE
Boris Godounov. Théâtre complet (1055)

RAZI
La Médecine spirituelle (1136)

RIVAS
Don Alvaro ou la Force du destin (bilingue) (1130)

RODENBACH
Bruges-la-Morte (1011)

ROUSSEAU
Les Confessions (1019 et 1020)
Dialogues. Le Lévite d'Éphraïm (1021)
Du contrat social (1058)

SAND
Histoire de ma vie (1139 et 1140)

SENANCOUR
Oberman (1137)

SÉNÈQUE
De la providence (1089)

MME DE STAËL
Delphine (1099 et 1100)

THOMAS D'AQUIN
Somme contre les Gentils (1045 à 1048), 4 vol. sous coffret (1049)

TRAKL
Poèmes I et II (bilingue) (1104 et 1105)

WILDE
Le Portrait de Mr. W.H. (1007)

GF Flammarion

08/08/140008-VIII-2008 – Impr. MAURY Imprimeur, 45330 Malesherbes.
N° d'édition L01EHPN000128C002. – Août 2007. – Printed in France.